Rua José Paulino, 19 de abril de 2020, 13:44.

Rua da Consolação, 12 de abril de 2020, 15:41.

Avenida Paulista, 23 de maio de 2020, 12:55.

Rua Javari, 17 de maio de 2020, 12:32.

Rua Martinho Prado, 8 de abril de 2020, 14:09.

Rua José Paulino, 10 de abril de 2020, 11:55.

Rua São Caetano, 10 de abril de 2020, 12:34.

Rua Augusta, 7 de abril de 2020, 14:46.

Avenida Prestes Maia, 5 de maio de 2020, 12:20.

Rua da Quitanda, 21 de abril de 2020, 14:43.

Rua Dom José de Barros, 19 de abril de 2020, 14:52.

Rua Galvão Bueno, 18 de março de 2021, 21:31.

Rua Basílio da Gama, 18 de março de 2021, 22:10.

Viaduto 9 de Julho, 8 de maio de 2020, 15:34.

Viaduto Santa Ifigênia, 5 de maio de 2020, 11:43.

Largo da Misericórdia, 21 de abril de 2020, 14:28.

Futuros em gestação: cidade, política e pandemia

GUILHERME WISNIK E TUCA VIEIRA (ORGS.)

editora
escola
da cidade

wmf martinsfontes

4. Cidade, cultura e periferia

5. Ruptura democrática e o papel do Estado

Para onde ia o mundo no momento em que, de repente, ele parecia não ir mais a lugar nenhum?

Guilherme Wisnik

Em 2020, com a disseminação da pandemia de coronavírus, começamos a viver um mundo de ponta-cabeça. Realizando de forma surpreendente a profecia mística de Raul Seixas e Cláudio Roberto na famosa canção lançada em 1977 (*O dia em que a Terra parou*), "todas as pessoas do planeta inteiro resolveram que ninguém ia sair de casa". Só que, na canção, era apenas por um dia... Assim, com o fechamento das cidades e das fronteiras, e o crescimento exponencial do número de infectados e de mortos ao longo do ano, o planeta todo ia parando, estagnado no atoleiro de uma quarentena que ninguém sabia até quando iria durar. Assustadas, as pessoas foram se fechando em casa, em um novo regime de sedentarismo forçado, ao qual também se deu o nome mais agradável de *home office*. Tanto do ponto de vista da vida cotidiana de cada um de nós quanto do ângulo da macroeconomia, tudo se transtornava. E, se a paralisação dos voos no céu do Atlântico Norte dez anos antes, com a erupção do vulcão Eyjafjallajökull, na Islândia, tinha causado consequências gravíssimas à economia mundial e ao modo de vida extremamente acelerado das pessoas no capitalismo tardio e globalizado, agora esses mesmos problemas ganhavam uma outra escala. Mas para onde estava indo o mundo naquele momento tão singular em que, de repente, ele parecia não ir mais a lugar nenhum? Esse é o assunto do livro que aqui apresento.

Na verdade, sabemos que as coisas não se passaram bem assim. Não foram todas as pessoas do planeta que, naquele momento, simplesmente deixaram de sair de casa. Essa condição de proteção, na verdade, foi um sinal de privilégio social. Imensas camadas mais vulneráveis da população mundial não puderam ficar em casa, pois viviam a premência de ter de correr atrás de trabalho e sustento no mundo real, isto é, fora das possibilidades abertas (apenas para alguns) pela via remota da internet. Ou, mesmo, não tinham condições de proteção em casa, vivendo em espaços exíguos e compartilhados com muita gente. Ou, ainda, em situações mais extremas, não tinham nem sequer uma casa onde se abrigar. Ao mesmo tempo, a opção pela proteção (de si próprios e dos outros) através do confinamento também não foi, muitas vezes, seguida por pessoas que se mostraram negacionistas da ciência e do bom senso, e que passaram a afirmar e a exercer a sua suposta liberdade individual – suicida e assassina – às expensas do bem comum e coletivo, não usando máscaras, fazendo a apologia da aglomeração e, depois, boicotando a vacinação.

Neste mundo virado de cabeça para baixo muita coisa passou a funcionar estranhamente com sinal trocado. E no caso brasileiro, em especial, um governo claramente genocida, que optou por matar uma quantidade enorme da população do seu país sem qualquer disfarce, continuou a ser tratado como se fosse um governo "normal" – e pior, com chances ainda de se reeleger.

Assim, se na epifania onírica de Raul Seixas algo profundo de repente se revela no modo como a engrenagem da vida cotidiana é quebrada em sua cadeia causal, porque o professor já "não tinha mais nada pra ensinar", assim como o médico "não tinha mais doença pra curar", no Brasil real de 2020 o conhecimento dos professores e dos médicos era agora atacado e boicotado por um governo obscurantista que elegeu a "guerra cultural" como uma de suas principais frentes de ação e subjugou a ciência à religião, praticando uma eugenia deliberada que levou à morte em massa dos mais vulneráveis. Portanto, se a pandemia de coronavírus parecia inicialmente colocar toda a população mundial em um mesmo barco, reforçando os laços de coletividade e solidariedade contra um inimigo comum na contracorrente do individualismo capitalista, o que fomos percebendo, à medida que o ano avançava, era que as desigualdades e privilégios aumentavam de forma ainda mais dramática e radical. Havia finalmente um álibi socialmente aceito para se transformar exclusão em extermínio. E, enquanto as ruas estavam vazias e quietas, ou sequestradas pelas forças reacionárias e negacionistas, as centenas de milhares de vidas perdidas eram percebidas pela sociedade como meros números, na frieza impessoal das estatísticas.[1]

Se antes o tema de muitos estudos e reflexões sobre os impactos do neoliberalismo no Brasil era o desmonte das

1 No momento em que escrevo este texto, em agosto de 2021, o total oficial de mortos pela Covid-19 no Brasil é de 577 mil pessoas, enquanto o total mundial é de 4 milhões e 470 mil pessoas.

estruturas que anteriormente suportavam, ou pareciam suportar, um projeto de país que mal ou bem se "formava" à medida que se modernizava, nossa realidade agora passou a ser a de uma deliberada destruição das instituições e de qualquer sentido de coesão coletiva - o que tornou aquele "desmonte" uma pálida lembrança do passado. Com um presidente que se apresenta em essência como opositor a todos os sistemas, vivemos a situação aberrante de um governo que opera apenas a destruição, programática e violenta, de tudo. Acompanhar essa destruição com as mãos atadas, sob o bombardeio barulhento de informações distorcidas, como num pesadelo acordado que se prolongava em agonia infinita, foi algo que marcou a experiência claustrofóbica de muitos dos que sobreviveram ao longo do ano de 2020. Um ano que pareceu um grande "Dia da Marmota",[2] no qual tudo retornava tragicamente igual no dia seguinte, sem que parecesse possível alterar um milímetro que fosse de um destino já predeterminado. Presos a uma camisa de força, fomos obrigados a assistir àquilo tudo de olhos bem abertos, como na tortura do Tratamento Ludovico, em *Laranja mecânica* (1971), de Stanley Kubrick, através da qual o personagem é obrigado a assistir a cenas hediondas por longas horas, com aparelhos que mantêm os seus olhos arregalados e úmidos pelo constante pingar de gotas de colírio.

Enquanto isso, o Pantanal e a Amazônia ardiam em chamas, o estado do Amapá sofria um apagão criminoso e Manaus vivia um colapso de saúde pública que se tornaria ainda mais escabroso no início do ano seguinte. Nas grandes cidades do país, pessoas inocentes (muitas vezes crianças) eram mortas por balas "perdidas" em ações policiais violentas nas periferias, e casos como o do menino Miguel - morto pelo

2 Referência ao filme *Feitiço do tempo* (*Groundhog day*), 1993, dirigido por Harold Ramis.

descaso da patroa de sua mãe, responsável pela criança enquanto ela, a empregada doméstica, passeava com o cachorro da família – aumentavam o sentimento de injustiça, de revolta e de impotência. Ritualizando toda essa situação de regressão e imobilismo, o Teatro da Vertigem e o artista plástico Nuno Ramos realizaram, em agosto, a performance urbana *Marcha à ré*: um cortejo fúnebre silencioso e lento pela avenida Paulista, no qual cem carros se deslocaram em marcha a ré desde a sede da Fiesp até o Cemitério do Araçá, quando então o hino nacional era tocado ao contrário, junto de uma bandeira estampada com um dos desenhos da "Série trágica", de Flávio de Carvalho (1947), em que ele retratou a morte da própria mãe por asfixia.

"Não consigo respirar" foi a frase repetida insistentemente, em desespero, por George Floyd, um homem afro-americano estrangulado por um policial branco num em Minneapolis, em maio.[3] Filmado e viralizado na internet, esse assassinato barbaramente frio e covarde foi a ignição para a importante onda de protestos que se alastraram pelos Estados Unidos e pelo mundo logo em seguida, que expandiram a pauta do movimento #BlackLivesMatter e apareceram como uma das mais importantes formas de resistência à regressão conservadora dominante no mundo hoje e ao estado de imobilismo atônito das forças progressistas diante desse quadro em uma situação de pandemia. Não é exagerado afirmar, nesse sentido, que essa onda de protestos antirracistas teve papel importante nas pressões de conscientização social que levaram à não reeleição de Donald Trump nos Estados Unidos, no final do ano.

A frase desesperada de Floyd ecoava a mesma súplica feita seis anos antes por Eric Garner, outro homem negro morto

3 Episódio quase idêntico aconteceu no Brasil em novembro de 2020, com o espancamento e morte de João Alberto Silveira Freitas por seguranças no estacionamento de um Carrefour em Porto Alegre.

por um policial branco nos Estados Unidos em situação muito semelhante. Episódio que deu munição para que Franco "Bifo" Berardi escrevesse o livro *Asfixia*, prolongando a súplica de Garner em uma reflexão arguta sobre o sentido asfixiante do capitalismo financeiro, que nos tira o ar e esgota as nossas energias.[4] Ocorre que, no *Zeitgeist* de 2020, sob a asfixia generalizada da Covid-19, em que a morte e a intubação das pessoas nas UTIS se tornaram correntes, o pedido desesperado de Floyd se revelou intolerável, mobilizando enormes contingentes de pessoas que, mesmo sob a situação ainda atípica e arriscada da pandemia, foram às ruas em protesto. Parecia, então, que aquele mundo imóvel, atolado no pesadelo permanente do Tratamento Ludovico, começava a se mover em alguma direção, isto é, para algum lugar fora do torturante "Dia da Marmota" que se repetia *ad nauseam*.

Nos encontros semanais que formaram o conjunto de conversas do Seminário de Cultura e Realidade Contemporânea da Escola da Cidade, ocorridos todas as quartas-feiras no final da tarde, em 2020, lá estava eu no mesmo cenário de sempre: estante de livros ao fundo, piso de taco, portas azuis de um armário vistas lateralmente, algumas sacolas penduradas e o fragmento de um pôster do Centre Le Corbusier à minha direita. O "Dia da Marmota", nesse caso, é um lugar físico: um *frame* do escritório da minha casa, uma espécie de labirinto dos espelhos, onde eu me vi encerrado por tanto tempo, num tempo que não passava nunca. Depois, em 2021, quando já foi possível organizar uma visita à exposição da obra de Amilcar de Castro no MuBE (Museu Brasileiro da Escultura e Ecologia), alguns alunos da Escola da Cidade se surpreenderam com o fato de que eu existisse no mundo real, fora daquele cenário no qual o meu tronco parecia estar preso, ou empalhado.

4 Franco Berardi. *Asfixia: capitalismo financeiro e a insurreição da linguagem*. São Paulo: Ubu, 2020.

Bia Vanzolini e Clarissa Mohany eram minhas companheiras semanais na organização e gestão dessas conversas, cuidando zelosamente dos convites aos participantes, da logística de tudo e da transmissão desses encontros simultaneamente em *lives* pelo Instagram e pelo YouTube.[5] Foram parceiras fundamentais na aventura em *loop* das conversas virtuais que resultam, agora, neste livro. Durante todo aquele tempo nos víamos cotidianamente, mas só através da tela. Para a edição das entrevistas, convidei Tuca Vieira para me auxiliar. Conhecido fotógrafo paulistano, Tuca é também um agudo pensador das questões da imagem e da cidade contemporâneas, e meu orientando na pós-graduação da Faculdade de Arquitetura e Urbanismo da Universidade de São Paulo (FAU-USP). Sua leitura e releitura dessas conversas lhes abriu o campo dialogal e foi fundamental na transformação das *lives* em livro. Aprofundando o diálogo, resolvemos incluir no livro um ensaio fotográfico de Tuca feito em São Paulo no auge do confinamento da pandemia. Esse ensaio não tem função ilustrativa em relação às conversas. Ele é um discurso autônomo, e potente, sobre aquilo que vimos e vivemos em 2020.

5 A lista completa de participantes do Seminário de Cultura e Realidade Contemporânea da Escola da Cidade, em 2020, é a seguinte: Helena Cavalheiro, Thiago Benucci, Giselle Beiguelman, Ronaldo Lemos, Ana Luiza Nobre, Francisco Bosco, Fernando Haddad, Ester Carro, Raquel Rolnik, Nuno Ramos, Guilherme Boulos, Bruno Dunley, Vladimir Safatle, Tainá de Paula, Michael Wesely, Patrícia Campos Mello, Paola Berenstein Jacques, Miguel Antunes Ramos, Carila Matzenbacher, Marília Gallmeister, Tiaraju Pablo D'Andrea, Renato Noguera, Ivana Wonder, Guilherme Bonfanti, Laura Carvalho, Carmen Silva, Bianca Santana, Bárbara Wagner, Benjamin de Burca e Pedro Sotero, Renata Marquez e Luiz Antonio Simas. Para este livro, procurei selecionar as conversas que, do meu ponto de vista, traziam questões cuja amplitude permanecia de interesse geral após o momento em que se deram. Além disso, algumas conversas traziam elementos que era impossível incorporar no livro, tais como imagens, filmes e músicas.

Por fim, gostaria de deixar uma pista sobre o título do livro. Ao mesmo tempo que fazem o diagnóstico da destruição radical que estamos vivendo, as conversas aqui publicadas não se furtam a confrontá-la, abrindo perspectivas críticas fundamentais para que percebamos os reais embates em jogo e possamos nos organizar para disputá-los. Pois se, por um lado, o Brasil ainda está muito longe de ter acertado contas com a sua história colonial e autoritária, por outro esse recrudescimento conservador que vivemos se organizou, em grande medida, como resposta reacionária a uma série de conquistas anteriores e recentes, e que fizeram das ruas das cidades brasileiras espaços de afirmação de liberdade e de identidades múltiplas. Aqui, como aponta Vladimir Safatle, a onda de revolução molecular que assola a América Latina, e que foi capaz, por exemplo, de produzir uma nova Assembleia Constituinte no Chile com a participação expressiva de mulheres e de povos originários, se choca e se chocará, no Brasil, com as dinâmicas de um fascismo popular que também se capilarizou.[6] Diante disso, e mais uma vez, é preciso estarmos atentos e fortes, como os manifestantes indígenas do acampamento "Luta pela vida" que tomaram a Praça dos Três Poderes em agosto de 2021 – momento em que escrevo esta introdução –, protestando com cantos e danças de celebração e de guerra contra medidas que dificultam a demarcação de terras indígenas e incentivam o garimpo nessas áreas.

Para concluir, retomo as palavras de Vladimir Maiakóvski, escritas há quase cem anos. Consternado com o suicídio de seu amigo, o jovem poeta Sierguêi Iessiênin, em 1926, ele escreve um poderoso poema orientado para o futuro, e que termina com os seguintes versos, extremamente atuais:

6 Vladimir Safatle. "Uma revolução molecular assombra a América Latina". In: *El País*, 19 maio 2021. Disponível em: brasil.elpais.com/opiniao/2021-05-19/uma-revolucao-molecular-dissipada.html.

Que o tempo
cuspa balas
para trás,
e o vento
no passado
só desfaça
um maço de cabelos.
Para o júbilo
o planeta
está imaturo.
É preciso
arrancar alegria
ao futuro.
Nesta vida
morrer não é difícil.
O difícil
é a vida e seu ofício.[7]

7 Vladimir Maiakóvski. "A Sierguêi Iessiênin", 1926. In: *Maiakóvski: poemas*. Trad. Boris Schnaiderman, Augusto de Campos e Haroldo de Campos. São Paulo: Perspectiva, 1992, p. 114.

Dois mil e vinte

Tuca Vieira

Para George Orwell, o ano da distopia totalitária era 1984. Para Stanley Kubrick, o futuro regido pelas máquinas aconteceria em 2001. A Los Angeles poluída e corrupta de Ridley Scott, com suas corporações poderosas, teria lugar em 2019. *Os doze macacos*, dirigido por Terry Gilliam, é ambientado em 2035, e fala de um futuro em que a humanidade tenta sobreviver após uma epidemia mortal.[1] *2046*, filme de Wong Kar-Wai, fala do último ano antes de Hong Kong ser incorporada definitivamente à China. O petardo literário de Roberto Bolaño, com toda sua violência tipicamente latino-americana, tem como título o enigmático ano de *2666*. E nós? Bem, pelo visto, nós sempre teremos 2020.

É claro que queremos e devemos evitar a todo custo qualquer clima apocalíptico, mas como deixar de constatar que todas essas previsões, lançadas pelo cinema e pela literatura ao longo do século XX e no início do século XXI, se realizaram, de uma forma ou de outra, nesse ano interminável? O avanço do neofascismo, as políticas de vigilância, a onipresença das redes digitais, a dependência das máquinas, o poder das corporações,

1 O filme é uma adaptação do média-metragem de ficção científica *La Jetée* (1962), de Chris Marker – uma obra-prima do cinema experimental.

a deterioração do meio ambiente, o aumento das desigualdades e da violência, para não falar da própria pandemia, com seus mais de 4 milhões de mortos ao redor do mundo, eram realidades que pareciam existir apenas nos filmes e livros de ficção científica, mas que agora temos de encarar diariamente.

É nesse contexto perturbador que surgiram as entrevistas reunidas aqui neste livro. Realizadas de forma remota ao longo de 2020, durante o Seminário de Cultura e Realidade Contemporânea da Escola da Cidade, e conduzidas pelo professor e arquiteto Guilherme Wisnik, são um testemunho histórico deste momento muito particular em que vivemos, que provavelmente marcará para sempre a nossa memória. 2020, esse número visualmente belíssimo, que parece conter o passado e o futuro na repetição infinita de seus dígitos, nos acompanhará por muito tempo.

Lembremos, dolorosamente, que aos brasileiros calhou-nos uma tripla tragédia, que nos massacra em camadas que se acumulam sobre nossas cabeças. Por cima de nossa lendária e intolerável injustiça social, baixou um governo grotesco, genocida e corrupto, com seu projeto de destruição nacional a exigir de todos nós formas redobradas de resistência. Os atuais governantes, que só ascenderam ao poder graças a um jogo inescrupuloso e ilegítimo, têm o mérito inegável de conseguir reunir o que há de pior espalhado pelo mundo – um misto bastante original de fundamentalismo religioso, neoliberalismo sádico e autoritarismo primitivo. Como se não bastasse, a isso tudo se somou uma pandemia invisível que espalha a própria morte, atingindo sobretudo os estratos mais vulneráveis da população. Um dos efeitos mais perversos desse ano de 2020, em escala global, foi a piora daquilo que era impensável piorar: a desigualdade social. Os ricos ficaram mais ricos, os pobres ficaram mais pobres, os bilionários foram passear no espaço. É difícil imaginar um cenário mais tenebroso. É como se atravessássemos um shakespeariano "inverno de nossa desesperança", desprovidos, porém, de qualquer nobreza ou envergadura moral.[2]

De fato, não tem sido nada fácil a vida daqueles que se propõem a interpretar o nosso aqui e agora. Se o Brasil já não era "para principiantes" (na frase atribuída a Tom Jobim), agora passa a ser uma entidade extremamente complexa, cujo sentido nos escapa a todo momento. Características até então consolidadas de nossa identidade vão aos poucos perdendo o sentido. Por onde anda o homem cordial? Onde estão as belezas da miscigenação? Que fazer agora com todas aquelas canções que exaltavam a alegria, a tolerância e a índole pacífica deste país? Até o Carnaval foi cancelado. Para toda uma geração (em que me incluo) que cresceu no período pós-ditadura, vai ficando cada vez mais claro o quanto estávamos enganados. Achávamos que o jogo estava ganho, que a democracia estava consolidada, mas, de repente, estávamos repetindo os velhos lemas da esquerda clássica. A luta continua, a luta é contínua. O verdadeiro golpe foi o retorno desses fantasmas adormecidos que, de tempos em tempos, voltam a assombrar a história do Brasil com a mesma fórmula perversa de conservadorismo, autoritarismo e patrimonialismo. Tenho a impressão de que em junho de 2013, em plena avenida Paulista, foram abertos os bueiros de onde ressurgiram as "subsombras desumanas" desses que agora se instalaram em Brasília. Devíamos ter prestado atenção não apenas às canções que exaltavam nosso futuro de glória, mas também às outras, alertas para nunca baixar a guarda. Escrevo isso enquanto soa em minha cabeça a "grande pátria desimportante" de *Brasil*, canção de Cazuza, interpretada por Gal Costa na abertura de *Vale Tudo* – novela de sucesso que termina com uma cena antológica em que Marco Aurélio, um homem de negócios inescrupuloso vivido por Reginaldo Faria, vai embora do país num jatinho dando uma "banana"

2 Referência ao famoso solilóquio de abertura da peça *Ricardo III* (1593).

para os que ficam. Ou *O cu do mundo*, canção de Caetano Veloso lançada logo depois da primeira eleição presidencial pós-ditadura. Um momento que deveria ser de celebração, mas que nunca enganou aqueles que de fato sentiram na pele o nosso lado sombrio: "A mais triste nação/ Na época mais podre/ Compõe-se de possíveis/ Grupos de linchadores".

Como se poderá perceber nas entrevistas, não apenas nosso futuro, mas também nosso passado está em disputa. Os momentos históricos que forjaram a história do país, sobretudo nos últimos 150 anos, como a herança da escravidão, a promessa de felicidade moderna, a ditadura militar e a redemocratização, são agora alvo de novo escrutínio, incrementado por vozes que até então não eram ouvidas. Falo dos personagens de nossa história (negros, mulheres, indígenas e moradores das periferias das grandes cidades) que sempre foram objeto de análise dos intelectuais, mas que agora decidiram inverter o jogo, fazendo justamente dessa intelectualidade o seu próprio objeto de análise e causando, com isso, diversos incômodos necessários.

No entanto, estará enganado quem pensar que estas entrevistas são apenas a constatação desse estado de fragilidade, ou um manancial de lamúrias. Sim, claro que há reivindicações, alertas, revoltas e gritos de desespero. Mas o fato é que fazer o diagnóstico da tragédia não é algo tão difícil. É o que mais encontramos nos jornais, nas conversas com os amigos e nos livros de filosofia contemporânea. O duro é apontar saídas, sugerir caminhos que nos tirem dessa enrascada. E é isso o que o leitor atento vai encontrar aqui: lampejos na escuridão, fagulhas, análises precisas, termos de negociação, dados, elaborações poéticas, proposições teóricas e ações concretas. Ou seja, o que há de mais precioso em momentos de incerteza.

As entrevistas foram realizadas numa faculdade de arquitetura, conduzidas por um professor de arquitetura, e tinham como público-alvo principal estudantes de arquitetura, o que nos faz perguntar: qual é a relação entre a arquitetura, esse saber que movimenta os materiais e concebe os espaços, e um vírus invisível que se propaga pelo ar? Como ela pode contribuir para entendermos melhor os impactos desta nova realidade num país especialmente castigado pela injustiça social? Enfim, qual o dever do arquiteto num momento em que precisamos urgentemente *projetar* um futuro melhor para a humanidade? Em busca dessas respostas, podemos partir da definição trazida por Paul Virilio, para quem a arquitetura, "antes de ser um conjunto de técnicas destinadas a permitir que nos abriguemos das intempéries, é um instrumento de medida, um saber que, ao nos colocar no mesmo plano que o ambiente natural, é capaz de organizar o espaço e o tempo das sociedades".[3]

Justamente, os entrevistados aqui reunidos estão propondo, de uma forma ou de outra, novas formas de organizar o espaço e o tempo de nossa sociedade. Provocados por Wisnik a pensar nossa realidade a partir da perspectiva arquitetônica em seu sentido mais amplo, cada um deles, dentro de sua especialidade, foi capaz de sugerir ideias e ações que, somadas, constituem um projeto de sociedade alternativo a esse que tanto nos preocupa. E não será difícil constatar, a partir da leitura destas entrevistas, que o palco (ou laboratório) principal de tais discussões é e será a cidade. As diversas disputas travadas no território urbano são causa e consequência de grande parte das transformações planetárias, impactando tanto nossa situação econômica quanto a preservação do meio ambiente. Aqui devemos dar razão mais uma vez a Giulio Carlo Argan, quando ele diz que "a forma de uma sociedade é a cidade e, ao construir a cidade, a sociedade constrói a si mesma".[4] É exatamente para esse ponto que o trabalho dos arquitetos, economistas, filósofos, políticos, artistas, jornalistas e ativistas converge.

3 Paul Virilio. *O espaço crítico*. São Paulo: Editora 34, 1993, p. 16.

4 Giulio Carlo Argan. *Arte moderna: do Iluminismo aos movimentos contemporâneos*. São Paulo: Companhia das Letras, 1992, p. 269.

Trata-se de um projeto coletivo - estamos todos tentando *construir* um novo ambiente, um novo espaço social e político. É verdade que o pensamento progressista hoje, no Brasil, se encontra disperso, ainda sob o efeito dos diversos golpes sentidos nos últimos anos. Mas é também verdade que uma vontade de ação represada está prestes a emergir com muita força, e caberá a todos nós a responsabilidade de canalizar esses desejos num projeto comum.

Mais especificamente, os entrevistados abordam os dilemas da quarentena, da vida em compasso de espera (Ana Luiza Nobre), as diversas formas de resistência física e política (Raquel Rolnik, Paola Berenstein Jacques), as tecnologias e a velocidade da comunicação em rede (Ronaldo Lemos, Patrícia Campos Mello), a cultura da periferia (Tiaraju Pablo D'Andrea), a política e o papel do Estado na democracia (Laura Carvalho, Vladimir Safatle, Fernando Haddad), as muitas formas de organização coletiva (Guilherme Boulos, Francisco Bosco, Luiz Antonio Simas), as práticas de descolonização (Thiago Benucci, Renato Noguera, Bianca Santana), a emergência das pautas afirmativas (Tainá de Paula) e o papel da arte no sentido de alimentar uma visão crítica do mundo e de nós mesmos (Nuno Ramos, Michael Wesely). São diversas vertentes de atuação que (desculpem a metáfora repisada) apontam para uma mesma luz no fim do túnel. Estamos falando aqui de futuros ainda em gestação - desejos e intenções que, mesmo oscilando entre o utópico e o factível, indubitavelmente carregam consigo a importância do gesto propositivo.

Convidado por Guilherme Wisnik a colaborar com a organização do livro, coube-me transformar as entrevistas em textos, que depois foram encaminhados aos próprios entrevistados para a aprovação final. Espero ter conseguido preservar algo da espontaneidade e da eloquência que apenas a oralidade possui. Apesar da minúcia que esse tipo de trabalho exige no sentido de preservar as ideias dos autores, posso afirmar que foi um processo prazeroso, tanto pelo mergulho no pensamento de cada um deles quanto pela certeza de estar contribuindo para o debate neste momento tão delicado de nossa existência.

Por fim, incluímos no livro uma série fotográfica que realizei em São Paulo nos meses de abril e maio de 2020. Esse foi o primeiro e dramático momento da pandemia, quando fomos orientados a ficar em casa e as ruas ficaram realmente desertas. Impelido por um sentido de dever jornalístico a registrar aquele momento histórico, percorri por alguns dias vários bairros, sempre de bicicleta, e posso dizer seguramente que nunca havia visto São Paulo daquela forma. Naqueles dias, foi possível reparar na estrutura urbana com um grau de atenção impossível num dia comum, cheio de estímulos e distrações. Mais do que pela pandemia na cidade, essa série se interessou pela cidade na pandemia, procurando registrar aquele momento único.

Além da ausência das pessoas, havia um silêncio perturbador. Era como se eu estivesse num *western* de Sergio Leone, entrando devagar numa cidade aparentemente deserta, ouvindo apenas o murmúrio do vento e os passos de um cachorro abandonado. Lembremos que esses são os meses mais bonitos na cidade, quando a luz de outono desenha sombras profundas e ressalta as cores, sobretudo o azul do céu. Era tudo claro e nítido. No contexto do livro, acredito que a série funcione como contraponto ao ambiente fechado das entrevistas. Enquanto dentro de nossas casas as relações se desenrolavam através da rede, conexões à internet, câmeras, telas fragmentadas e imagens pixeladas, lá fora o mundo era estranhamente belo e silencioso, como um presságio de uma tragédia ou de uma grande libertação.

1.

Vida de rua, outras formas de coletividade

O corpo encantado das ruas

Luiz Antonio Simas

Luiz Antonio Simas é professor, historiador, educador e compositor. Autor e coautor de vinte livros e de mais de uma centena de ensaios e artigos publicados sobre carnavais, folguedos populares, macumbas, futebol e cultura de rua. Foi vencedor do Prêmio Jabuti de Livro de Não Ficção (2016), pelo *Dicionário da história social do samba*, escrito em parceria com Nei Lopes, e finalista (2018 e 2020), na categoria crônica.

Guilherme Wisnik Simas, eu queria começar te perguntando: qual é o papel da festa e do rito na vida urbana? Isto é: que importância eles têm na construção de uma experiência acumulada da vida das pessoas nas cidades?
Luiz Antonio Simas Eu começaria dizendo que a primeira pessoa que chamou atenção para a festa, na minha vida, foi o meu avô. Ele tinha uma frase que gostava muito de dizer, que era a seguinte: "Ninguém faz festa porque a vida é boa, a gente faz festa exatamente pela razão contrária". Então a gente festeja porque a vida não é boa. E teve uma ocasião em que eu falei isso com o Martinho da Vila, e ele comentou: "Mas é exatamente isso, já pensou? Se está tudo bem você não precisa fazer festa". Mas eu comecei a me interessar profundamente pela festa porque eu estudo o Rio de Janeiro, que é uma cidade profundamente marcada pela experiência da diáspora africana. Tem um grande pensador afro-britânico, chamado Paul Gilroy, que trabalha com o conceito de Atlântico negro e diz uma coisa que eu acho que é muito importante: se toda a diáspora é um fenômeno de fragmentação, toda cultura de diáspora é um fenômeno de aglutinação. Isto é, se toda diáspora fragmenta, se toda diáspora quebra a identidade, dilacera o ser, toda cultura diaspórica opera na dimensão da reconstrução desse processo.
GW Bonito.
LAS Então as culturas da diáspora são comunitárias. E quando eu, por exemplo, estudo o samba, lembro sempre de uma frase do falecido Moura.[1] Ele falava assim: "Não foi o samba que deu origem à roda, foi a roda que deu origem ao samba." O samba existe porque existiu a roda – a roda no sentido mesmo da reconstrução da vida comunitária, que foi dilacerada pelas experiências traumáticas da diáspora e da vida urbana, que

1 Roberto M. Moura (1947-2005). Jornalista, crítico musical, produtor, diretor, professor.

opera muito numa dimensão de diluição do ser coletivo em nome da individualidade. A festa, em certo sentido, é um momento em que acontece o inverso desse processo. É quando o ser coletivo se sobrepõe a essa cultura individualista que a vida urbana enseja. E aí eu comecei a reparar numa coisa que se transformou numa obviedade: eu só poderia entender os modelos de vida que são incessantemente construídos nas cidades se eu refletisse sobre a festa a partir, justamente, dessa tensão entre o indivíduo e o coletivo. Então esse é o elemento fundamental. Eu acho que a festa opera nessa dimensão de reconstrução de coletividades diante da tendência de fragmentação do coletivo que é ensejada pelo avanço da vida urbana. A festa, para mim, tem essa dimensão.

GW Perfeito. "A tristeza é senhora/ Desde que o samba é samba é assim"... Sua resposta me lembrou dessa canção, *Desde que o samba é samba*, do Caetano Veloso.

LAS É isso, exatamente. Tem um poema do Capinam chamado "Yáyá Massemba", que foi musicado pelo Roberto Mendes, que é sobre o surgimento do samba, em que ele começa dizendo: "Que noite mais funda, calunga/ No porão de um navio negreiro/ Que viagem mais longa, candonga". O samba é filho desse candeeiro, é o filho da dor e o pai do prazer. E em "Yáyá Massemba" ele é o filho do tumbeiro. Mas é o filho do tumbeiro que se reinventa. E tem uma frase que eu escrevi num livro meu, numa certa ocasião, que diz o seguinte: "O grande mistério da festa na cidade, e do samba inserido na festa, é a capacidade que ele teve de transformar a chibata (que dá no corpo) na baqueta (que dá no couro do tambor), para reinventar a vida a partir da música e da dança". Então a festa tem essa dimensão incessante para mim, de reinvenção de vida.

GW E a questão do "corpo encantado", que dá título a esta conversa? Como é que o encantamento entra na festa?

LAS Olha, entra por uma dimensão muito simples, porque, estudando as culturas afro-brasileiras – e mais particularmente as culturas de terreiro –, a gente repara numa coisa curiosa: para as culturas de terreiro não existe a morte tal como a gente concebe o fenômeno da morte, existe a vida e existe a não vida. E a morte, para as culturas de terreiro, não é um conceito, é uma espiritualidade. Ela é a espiritualidade da não vida que pode nos acometer o tempo inteiro. Então, se a gente leva isso em consideração, parte do princípio de que para essas culturas há vivos que estão mais mortos do que os mortos, e existem mortos que estão mais vivos do que os vivos, porque o contrário da vida não é a morte, é o desencanto. E o contrário da morte não é a vida, é o encantamento, e essa é uma dimensão curiosa, porque é uma dimensão que trabalha com a ideia do ser e joga tudo para uma questão ontológica. O *cogitum* cartesiano fala num "penso, logo existo", mas a gente pode estender isso para ideias do tipo: vibro, logo existo; bato tambor, logo existo; danço, logo existo; converso, logo existo; brinco, logo existo; jogo bola, logo existo, e (por que não?) morro, logo existo. Sim, porque, se você vai numa umbanda do Rio de Janeiro, de São Paulo, numa jurema sagrada do Nordeste, de repente você vai ver um caboclo que morreu no século XVI, marchando, interagindo e conversando com as pessoas. Você diria o quê? Que ele está morto? Ontologicamente ele não está morto. É o ser que está aí, então ele é um ser sendo, como a gente costuma dizer, aquela coisa do *Dasein* heideggeriano, do estar-aí, é a condição do caboclo, do ser sendo. Então, me parece que isso é muito interessante de a gente observar, inclusive na cidade, porque a cidade pode ser uma máquina de mortandade, de não vida, uma máquina de desencanto, e o corpo entra nisso. Por que eu falei de corpo encantado? Porque o João do Rio escreve um livro seminal chamado *A alma encantadora das ruas*, que é uma referência, e eu comecei a trabalhar com a ideia de que a rua tem corpo também, porque no fim das contas a experiência colonial é uma experiência que opera a aniquilação do corpo: é o corpo domesticado dentro da lógica do trabalho, o corpo feminino dentro da lógica reprodutiva ou a serviço da virilidade do macho, é o corpo heteropatriarcal domesticado dentro de uma cultura da curra, são todos os corpos domesticados dentro de um paradigma do pecado. Mas existem os corpos encantados, que transitam por uma dimensão que é uma dimensão realmente de reconstrução do sentido do ser pela beleza do mundo, e a cidade produz isso incessantemente também. Eu gosto muito de falar isso, e eu falo n'*O corpo encantado das ruas*,[2] e também em outros textos, que o que mais me fascina na vida urbana é a capacidade incessante de produzir terreiro, porque o terreiro nas concepções religiosas afro-brasileiras não é um espaço de fixidez ligado ao rito religioso apenas. É qualquer território praticado na dimensão do encantamento do mundo. Então a Marquês de Sapucaí, no Rio de Janeiro, é uma avenida horrorosa, inóspita, que não tem árvore, mas, quando uma escola de samba dobra o cotovelo da pista e começa a desfilar, o espaço ali fica terreirizado, encantado. É a dimensão da prática do espaço, da transformação do território funcional num terreiro. Então, uma coisa que me motivou n'*O corpo encantado das ruas* foi tentar pensar a rua e a cidade a partir da incessante terreirização, lembrando que o primeiro terreiro é sempre o corpo. O corpo é o primeiro terreiro. A primeira condição que nós temos para transitar para uma dimensão de encantamento do mundo é dada pelo corpo. Então, a partir daí é que eu fui pensando o corpo encantado das ruas.

GW É por isso, então, que muitos corpos vêm sendo seguidamente reprimidos nas cidades, não é? Você acha que a imensa regressão política que a gente vive hoje no Brasil se deve em parte ao espaço de protagonismo que os corpos conquistaram recentemente nas ruas?

2 Luiz Antonio Simas. *O corpo encantado das ruas*. Rio de Janeiro: Civilização Brasileira, 2019.

LAS Eu tenho bastante convicção disso, eu acho que passa muito por aí, sim. Eu acho o seguinte: o primeiro ataque que o colonialismo faz é um ataque ao corpo. Você ataca o corpo, ataca a língua, e se a gente for pensar num projeto colonial, ele é epistemicida, ele aniquila formas de conhecimento. Mas ele também é semiocida, como diz o professor Muniz Sodré: ele opera no semiocídio, na aniquilação do ser e das possibilidades da linguagem. Ao mesmo tempo, ele é corporicidade, porque ataca e aniquila as potencialidades do corpo, exacerbando uma dicotomia que está muito presente no pensamento racionalista produzido pelo Ocidente, que é a da separação absoluta entre o corpo e o espírito, ou o corpo e o intelecto. É como se o corpo fosse o lugar do instinto, e o intelecto fosse a única possibilidade que você tem de se aproximar da compreensão do mundo. Mas a coisa não é exatamente assim, porque outras culturas pensam o ser de uma forma integrada. Vamos pegar, por exemplo, o zen-budismo, para não ficar falando só de terreiro. O zen-budismo compara o ser a uma onda. O corpo é uma onda, e o intelecto, o espírito, é a água. Acontece que uma onda é constituída de água, e você não pode separar as duas coisas. A onda só está ali porque a água está ali, então a atividade do corpo é uma atividade que vem acompanhada da atividade intelectual. Tem também aquela história segundo a qual um discípulo pergunta para o mestre zen: "Como posso atingir a iluminação?". Aí o mestre se vira e fala: "Você já terminou de jantar?". "Sim", ele responde. "Então lave a sua tigela", ideia que carrega um sentido interessante... Ou seja, você não vai atingir a iluminação tentando aniquilar a sua praticidade, a cotidianidade presente nos seus atos e no seu corpo, em nome de uma outra coisa. Está tudo integrado, e me parece que o que acontece é o seguinte: o projeto colonial é um projeto aniquilador dos corpos, porque ele precisa domesticar os corpos dentro de uma lógica normativa, heteropatriarcal, branca, adequada à submissão dos corpos ao tempo do trabalho. Mas esses corpos estão aí, e têm adquirido protagonismo. Corpos que escapam à dimensão do colonial, e que têm adquirido protagonismo. E há uma reação efetiva a esse protagonismo, eu não tenho dúvida em relação a isso. Tanto que, quando falam do projeto fascista deste governo, eu digo que é preciso olhar mais para trás: é um projeto do século XVII. Algo muito similar ao imaginário que cerca, por exemplo, o bandeirantismo, que é a prática de promover acúmulo de capital, aniquilar índio, destruir quilombos, submeter mulheres... Então, na verdade, a gente está no século XVII. O que está acontecendo no Brasil hoje é uma guerra colonial, e como esses corpos têm adquirido protagonismo, esse instinto bandeirante, essa coisa bruta, essa coisa que não comporta alteridade, que não comporta a diferença, quer aniquilar os corpos e os saberes. Mas tem jogo... A gente está jogando, porque, como diria Besouro Mangangá no samba que o Império Serrano vai levar para a avenida, "a vida é rinha". Então é jogo, é o jogo que está aí.

GW Essa perspectiva que você traz é muito importante para as discussões de arquitetura e de urbanismo. Nós, arquitetos, idealizamos muito a praça e o parque como sendo os lugares públicos por excelência. Mas você fala mais da rua, e eu acho que tem uma diferença muito importante entre a praça e a rua. Eu queria te ouvir um pouco sobre essa diferença.

LAS É porque, em certo sentido, a praça é resultado do desencantamento da rua.

GW Sim.

LAS O Marques Rebelo, que foi um grande cronista da cidade do Rio de Janeiro, dizia que toda cidade é formada por várias cidades, e essas diversas cidades que formam a cidade disputam entre si o tempo todo. Então a cidade é uma disputa, é um jogo. Eu estudei bastante os cronistas da rua, desde aqueles do final do século XIX. Li esse pessoal todo, e é curioso como, lendo todos os cronistas da rua, e lendo muita coisa que foi escrita sobre a rua, percebo que, a rigor, existem duas percepções sobre a rua. Há os que encaram a rua como um ponto de passagem, e há os que encaram a rua como um ponto de parada. Há os que encaram a rua como um ponto que tem que ser pensado a partir da lógica da circulação de mercadorias, e há os que encaram a rua como um espaço disponível para que as pessoas exerçam a cidade. E é muito curioso, porque eu peguei muitos discursos sobre urbanização no Rio de Janeiro onde as praças eram pensadas para proporcionar o encontro, já que a rua não é o lugar para as pessoas se encontrarem. Então houve um processo constante de ataque à rua, ao imaginário da rua, considerando-a como uma coisa perigosa. Construiu-se um imaginário da rua como algo que ameaça a boa ordenação urbana, como algo que ameaça os corpos que param por ali. Na própria espiritualidade você tem a linha dos povos de rua, das macumbas, das umbandas, vistos com muito medo, com muito preconceito: a rua como um lugar da Pombagira. Ninguém fala de uma Pombagira que é da praça. A Pombagira é da rua, da encruzilhada... Então é curioso, porque eu acho que o primeiro pressuposto é o reencantamento da rua. Hoje nós temos ruas no Rio de Janeiro que são prioritariamente pensadas a partir da circulação do automóvel. Eu vi, na cidade do Rio, um processo contínuo de diminuição das calçadas. O João Nogueira, um grande sambista, gostava de dizer que ele não era um sambista nem de botequim nem de praça, mas de calçada, porque ele gostava de bater perna, de andar. Então me parece que essa discussão sobre as praças é crucial, mas eu acho que a gente tem que colocar a rua em discussão também, porque, se você admite que o lugar de encontro da cidade é o parque ou a praça, você está partindo do pressuposto de que a rua não é, e, portanto, está integrando a rua ao desencanto, largando a rua de mão. É como se você dissesse o seguinte: "A gente pensa na praça, a gente pensa no parque, a rua é isso mesmo". Mas eu acho que não. Acho que a gente tem que pensar a cidade a partir do parque, da praça e tudo mais, mas é necessário que a gente pense a cidade também a partir do que a gente faz com a rua e do que a gente faz na rua. Então esses corpos que transitam na rua me interessam muito. Como o João do Rio falava que a rua tinha alma, e eu acho que a alma não é desprovida de corporeidade, eu resolvi fazer *O corpo encantado das ruas*, que, aliás, foi um livro que surgiu primeiro por causa do título, porque eu sempre impliquei com a "alma encantadora"... Eu dizia: "Mas tem o corpo encantado".

GW Esse raciocínio é muito importante e esclarecedor. Acho que essa idealização da praça e do parque, muitas vezes, espelha uma concepção muito europeia e idealizada. E a sua defesa da rua nos coloca diante de uma situação muito mais rente à nossa experiência própria, brasileira africana.

LAS Impressionante como a rua acaba sendo um signo, também, de distinção social. Você vê, por exemplo, prédios que colocam as suas grades tomando a calçada, querendo afirmar, a partir da calçada, que ali mora gente de posse. Então é interessante que a rua também opera numa dimensão que demonstra todas as contradições, as tensões sociais, o jogo dessas urbanidades tensas que a gente tem. Eu me preocupo muito quando percebo que essa idealização da praça vem acompanhada da entrega da rua, pois acho que a rua tem que ser disputada também. Eu vou contar uma história que cruza com a arquitetura. Teve uma ocasião, já há muito tempo, em 2009 ou 2010, em que eu fui convidado por uma amiga, que é professora de história, para falar à turma dela sobre Rio de Janeiro e samba. Mas eu imaginei que era uma turma de final de ensino médio (que era num colégio no Morro da Providência), e quando eu entrei em sala me apavorei, porque eram crianças de dez e onze anos. Eu não fazia a mais vaga ideia do que eu ia fazer com aquelas crianças ali, que não estavam dispostas a me escutar, com razão. É evidente que tem coisa mais importante para fazer do que ficar escutando um sujeito que apareceu ali, e, quando eu percebi que eu não tinha o que falar com elas, eu disse: "Eu sou formado em história. O que vocês estão aprendendo em história?". Aí tinha um garoto que eu identifiquei como o satanás da sala, que é aquela figura que, se você se aproxima, consegue criar uma rede de proteção social para que a turma não te engula. Aí eu virei para o garoto e perguntei o que eles estavam estudando, e ele mostrou o caderno. Estavam estudando a Grécia... É uma loucura, no currículo de história de uma criança de quinta série, estudar Atenas. E eles estavam estudando a ágora. Aí eu perguntei o que é uma ágora, e ninguém me respondeu. Ninguém queria saber o que era uma ágora. Aí eu virei e falei: "Olha, vocês não lembram o que é uma ágora? Mas vocês sabem que aqui perto tem um botequim". Aí todo mundo falou que tem botequim no Morro da Providência. "Pois muito bem", eu continuei, "vocês podem pensar o botequim como uma ágora, porque naquele botequim as pessoas discutem o cotidiano, sabem quem morreu, quem brigou, sabem onde é que está faltando água e qual foi o resultado do futebol" – como diria o Noel Rosa no samba em parceria com o Vadico. Então o botequim é uma ágora carioca. Daí eu acabei escrevendo até um pequeno texto chamado "Ágora carioca", e depois fiz um projeto de educação pública que se chamou "Ágoras cariocas", de ocupação de espaço urbano para a gente discutir a cidade. Então é curioso, porque de certa forma isso também implica uma discussão sobre a rua, uma discussão sobre sociabilidades urbanas. O botequim está inserido nisso, a quitanda também, e a rua vem sendo desencantada. Eu cresci numa rua em que você tinha quitanda, barbearia, açougue. O meu pai, por exemplo, é barbeiro e cabeleireiro. Ele tinha uma barbearia e um salão de cabeleireiros de rua. Isso tudo foi sendo desmobilizado, porque a quitanda virou hortifrúti, os salões, as barbearias se deslocaram para dentro dos shoppings, os açougues viraram butiques de carne.

GW Se elitizaram e esterilizaram.

LAS São espaços de construção de sociabilidade que vão se perdendo. Então, pensar a rua, e pensar a dimensão do encantamento da rua, é muito importante. Eu acho muito importante a gente discutir e lutar pela rua também. E uma coisa não exclui a outra: a rua, o parque e a praça.

GW Exato. É engraçado imaginar o que seria a encruzilhada da praça, né? É uma espécie de contradição absoluta.

LAS Contradição! Mas, ao mesmo tempo, a encruzilhada, numa dimensão encantada, é o lugar onde você se coloca à disposição para ser alterado pelo outro ou pela outra. A encruzilhada é o espaço do encontro, tanto que as pessoas costumam confundir encruzilhada com labirinto. O labirinto é o lugar em que você está perdido. A encruzilhada, eu costumo dizer, é o destino ideal. Uma vez eu escrevi um artigo no *Globo* respondendo ao que tinham falado, que o Brasil estava numa encruzilhada. Então eu disse o seguinte: "Não está não, e é uma pena! Deveria estar na encruzilhada". A encruzilhada é a disponibilidade para a alteridade, para transitar por dimensões mais plurais do ser. Então, ainda que concretamente a praça não possa ser uma encruzilhada, a ontologia da praça, o ser da praça, pode ser sim um ser encruzilhado. Basta que a gente frequente a praça também com a disponibilidade para o encantamento do mundo, para ir a uma outra dimensão da experiência cotidiana do ser.

GW Claro. Nesse sentido, pensando na sua imagem, acho que o Brasil está muito menos na encruzilhada do que numa espécie de beco sem saída. É bem diferente, não?

LAS Encruzilhada é isso, é a disponibilidade do caminho, é a disponibilidade da alteridade. A encruzilhada é o lugar em que você sabe que a sua conformação como ser só é possível se você respeitar intransigentemente a conformação do outro como ser, porque a encruzilhada é o terceiro. É um dos poderes de Exu, porque Exu é o Ibaquetá. Exu não está nem na primeira nem na segunda cabaça, está numa terceira, que no fim das contas é o resultado do encontro entre as duas. Então essa é uma questão que eu acho que é muito interessante, e a gente tem que levar isso para refletir sobre cidade, e sobre uma porção de outras coisas.

GW Você diria que Exu é o orixá da cidade, por esse papel de comunicação e de atravessamento por meio da encruzilhada?

LAS Eu acho que o Exu é um orixá do mercado. Mas não o mercado financeiro, evidentemente. O mercado pensado na dimensão das trocas incessantes que acontecem na cidade, das trocas incessantes que acontecem na feira, porque Exu é esse fluxo. Exu é um sistema de mundo. Eu escrevi um livro, com o meu parceiro Luiz Rufino, chamado *Fogo no mato: a ciência encantada das macumbas*.[3] Ali a gente fala um pouquinho de Exu. *O corpo encantado das ruas*, na verdade, é um livro sobre Exu. Porque um dos poderes de Exu é ser Bará, que é o dono do corpo, o Elegbara, que é o dono do poder do corpo encantado, o dono do poder mágico. Então *O corpo encantado das ruas* é um título de Exu. Na verdade, isso é uma brincadeira do livro, e Exu aparece em todos os capítulos, ainda que eu não revele sempre quem é ele. Então há essa dimensão exusíaca da disponibilidade para a troca, para o intercâmbio, para o encontro, para o movimento. E tem um oriqui de Exu que eu sempre digo que é muito parecido com um fragmento de Heráclito, que é aquela ideia de que a rua é o lugar em que você espera o inesperado. Exu é um orixá da cidade. Ele opera mesmo nessa dimensão dos fluxos urbanos, dos fluxos dos corpos, da capacidade ou da incapacidade de comunicação. Tudo isso está presente nessa dimensão exusíaca no mundo.

GW Ele é um primo de Hermes?

3 Luiz Antonio Simas; Luiz Rufino. *Fogo no mato: a ciência encantada das macumbas*. Rio de Janeiro: Mórula, 2018.

LAS A gente pode cruzar. Eu acho que Exu já se sustenta sem essas aproximações, mas acho que dá para fazer uma aproximação dessas, tanto que eu tenho um texto n'*O corpo encantado das ruas* em que eu falo do exusíaco e oxalufânico no Carnaval, e faço até uma brincadeira dizendo que a civilização que nos deu Exu e Oxalufã não precisa ficar correndo atrás de Apolo e Dioniso, porque Exu e Oxalufã são tão complexos, são tão interessantes, têm uma dimensão tão fascinante – que é tanto de oposição quanto de complementaridade –, que a gente pode pensar um pouco a partir deles, e não de outros. Mas ele é um Hermes, sim. Eu acho que a gente pode pensar em cima desse encontro. Exu é sensacional. Quando você pega o Oswald de Andrade, por exemplo, falando da antropofagia, existe um caminho de Exu que é muito interessante para a gente pensar a cultura na cidade. É o caminho da terceira do Enugbarijó, a boca que tudo come, porque Exu, no Benim, é representado fumando um cachimbo e tocando uma flauta. E o que dizem os sacerdotes de Exu no Benim é que ele fuma o cachimbo como quem ingere tudo o que a boca pode comer. Ele é o Enugbarijó, é a boca que tudo come. Mas, ao mesmo tempo, ele devolve aquilo de outra maneira. Então é por isso que aquilo que ele ingeriu, como o fumo do cachimbo, é devolvido como a sonoridade da flauta. Já é uma outra perspectiva, que é fascinante, porque é cultura. É o canto da cultura, e são os fluxos urbanos. E esses fluxos urbanos todos pertencem à ordem do exusíaco. Exu é muito interessante para a gente pensar a cidade.

GW Nunca tinha pensado essa relação de Exu com a antropofagia, tal como colocado por Oswald.

LAS É interessante, porque as coisas cruzam mesmo. Quando eu falo que a gente tem que trazer Exu para o debate, eu não falo para trazer Exu para negar o cânone ocidental. O meu interesse não é negar nem repudiar o cânone, é encantar o cânone. Então as coisas são da ordem do encontro.

Pixinguinha não existiria sem Bach, e ao mesmo tempo Bach foi redimensionado na dimensão da altíssima beleza pelo Pixinguinha.

GW Olha, que maravilha! Justamente dentro desses cruzamentos e aproximações entre cosmovisões afro-brasileiras e o cânone ocidental, eu li hoje (porque a Paola Berenstein Jacques me passou) um excelente texto seu que relaciona o "anjo da história", de Walter Benjamin, com Exu, isto é, com a ideia de que Exu acerta a pedra que lança hoje no pássaro que já voou ontem.[4] É maravilhosa essa ideia.

LAS É um oriqui de Exu. Os oriquis, para quem não é versado exatamente nisso, são pequenas sentenças sobre os orixás, muito próximos dos aforismos. Existe um oriqui de Exu que é esse da pedra. Eu traduzi esse oriqui da seguinte maneira: eu falo que, no tempo sem tempo que o tempo tem, Exu acerta a pedra que não lançou no pássaro que já voou. Por quê? Porque esse oriqui é, na verdade, duplo: fala de uma das coisas no texto, da outra não. Uma fala o seguinte: ele acerta o pássaro ontem com a pedra que lança hoje. E o outro oriqui fabuloso é o que diz que Exu é aquele que em pé é da altura do fogareiro, mas sentado ele é imenso, e bate com a cabeça no teto. É um oriqui maravilhoso para você pensar a dimensão de espacialidade. Isso é um negócio extraordinário. E, quando eu li Walter Benjamin, na faculdade, fiquei pensando em Exu como um teórico da história. Eu cresci num terreiro. A minha avó era uma mãe de santo, e eu já conhecia isso porque de fato esse é o oriqui que fala da dimensão que a gente tem que dar à disputa pelo passado, porque você não disputa a construção do futuro se o passado não for disputado. Até porque a própria noção de tempo é espiralada. Então as

4 Luiz Antonio Simas. "O anjo da história e a pedra de Exu (para ler ouvindo Mangueira/2019)". Disponível em: biroscabrasileira.blogspot.com/2020/10/o-anjo-da-historia-e-pedra-de-exu.html.

coisas estão acontecendo concomitantemente: o passado está acontecendo agora. Por isso Exu é aquele que acerta o pássaro que voou lá atrás com a pedra que ele lança hoje, porque é a pedra presentificada, é a pedra que nós temos. Então essa disputa pelo passado coloca em xeque as noções de progresso. Reconstruir uma história dos vencidos, escutar os rumores... Tanto que eu nem gosto, na minha função como historiador, de falar em documento histórico. Eu costumo dizer que a história não nos apresenta documento, ela apresenta vestígios. E aí Exu dá essa dica genial. Ele resolveu, num aforismo, quinhentas páginas de livro. Acerta um pássaro ontem com a pedra que lança hoje. É fundamentalmente isso que acontece. Então, essa percepção de que nós temos um passado imenso para construir é interessante. Eu gosto muito dessa ideia, porque ela subverte aquela outra, de que nós temos um futuro enorme a construir. Eu diria mais: a grande tarefa do Brasil não é construir o futuro, e sim o passado.

GW Exato. Fazendo esse raciocínio, no texto, você escreve: "Os inimigos combatem a memória dos mortos para impedir novas vidas". É bem disso que se trata. E a gente não tem como deixar de pensar no presidente fazendo a apologia da ditadura, ou na dificuldade que houve para a Comissão da Verdade conseguir fazer o levantamento dos nossos mortos, coisa que não foi feita no Brasil, diferentemente de outros países da América do Sul. Então esse prestar contas com o passado está permanentemente em construção, e em silenciamento.

LAS Sim, e daí vem a questão da disputa pelo passado, da construção do passado. Isso é crucial, porque o nosso projeto civilizatório foi ancorado no genocídio do indígena, no genocídio e na submissão dos corpos negros à lógica do trabalho – a carne mais barata do mercado –, na morte de teorias do conhecimento, na morte de cosmogonias, na aniquilação de saberes. Isso precisa ser encarado. Então não há nenhuma possibilidade de construção de futuro se não houver disputa pelo passado. Eu até falo, nesse texto, que em 2019 eu tive a oportunidade de conversar muitíssimo com o meu amigo Leandro Vieira na montagem do desfile da Mangueira. A gente conversou muito sobre esse enredo. Nos encontramos uma tarde longuíssima num botequim aqui no Rio de Janeiro, chamado Bode Cheiroso, em que o Leandro me apresentou a ideia belíssima do enredo que ele estava tendo.

GW Que é o da Marielle Franco, não é?

LAS Isso. Na verdade, a proposta do enredo é rediscutir, repensar o passado, porque senão você não constrói presente nem futuro. Então é um enredo que redimensiona a abolição, porque a abolição, canonicamente, é contada a partir da centralidade da princesa Isabel, e no enredo de Leandro a abolição é contada a partir de personagens que lutaram contra a escravidão, como Chico da Matilde, que é pouquíssimo falado nas escolas, e que é o Dragão do Mar de Aracati, o jangadeiro que liderou uma insurreição contra o tráfico negreiro. E aí o samba vinha dizendo, num trecho muito bonito: "Não veio do céu/ Nem das mãos de Isabel/ A liberdade é um dragão no mar de Aracati". Essa dimensão toda é fundamental para a gente discutir o Brasil mesmo, para a gente debater. Temos que enfrentar isso tudo, essa memória que é sistematicamente apagada pelos donos do poder. É a memória dos nossos mortos. Essa é uma disputa que a gente tem que fazer.

GW Esse é o navegante negro que tem por monumento as pedras pisadas do cais?

LAS Não. O navegante negro é o João Cândido, que liderou a Revolta da Chibata, de 1910, e que, naquele samba, o Aldir Blanc compara ao Dragão do Mar, dizendo que o João Cândido era o Chico da Matilde reencarnado. Ele começa dizendo que "Há muito tempo nas águas da Guanabara/ O Dragão do Mar reapareceu/ Na figura de um bravo feiticeiro/ A quem a história não esqueceu".

GW Entendi.

LAS Então essas histórias são cruciais. Vou te dar um outro exemplo disso. Eu dei, uma vez, duas palestras para um curso de pós-graduação aqui no Rio, em cima de um livro que eu escrevi em 2012. E foi muito curioso, porque o Benjamin é um autor muito caro para mim. Eu acho que eu li o Benjamin com consistência, e continuo lendo... Eu sou muito inspirado pelo Benjamin. Mas é curioso que, quando eu li a primeira vez as teses do Benjamin sobre a história, e ele fala da necessidade de escovar a história a contrapelo – e escovar a história a contrapelo é perceber as histórias que a história não conta –, eu me recordei de um ponto lindíssimo de macumba que eu ouvia muito desde garoto, que era o *Pedrinha miudinha*. Porque ele tem um trecho que fala assim: "Pedrinha miudinha de Aruanda/ Lajedo tão grande/ Tão grande de Aruanda/ Três pedras, três pedras/ Lá na minha aldeia/ Uma é maior, outra é menor/ A miudinha é que me alumeia/ A mais pequena é a que me alumeia". E aí, quando eu li o Benjamin, eu falei: Porra, mas o caboclo, esse é um pouco do caboclo da laje, o caboclo está falando da história a contrapelo". São três pedras na minha aldeia, uma é maior, outra é menor, mas é a miudinha que alumeia; então é aquela ali, a gente tem que conferir a historicidade às pedras miúdas. E o ponto lança um enigma: são três pedras na minha aldeia, uma é maior, outra é menor, a mais pequena é a que me alumeia, qual é a terceira, então? A terceira somos nós. Sou eu, é você, e nós estamos diante das pedras. E eu vou te ser sincero: eu acredito muito na construção de uma cidade que passa pelas pedras miúdas, como uma política cotidiana que atente para as miudezas e para a historicidade que está presente nos corpos da cidade. Eu acho que é ali que você vai reconstruindo cotidianamente a possibilidade de vida. Então eu levo isso como teoria do conhecimento, não tenha dúvida.

GW Eu tenho aqui uma pergunta que chegou do público, que diz assim: "Pensando na cultura de rua e na formação das brechas urbanas dentro do tensionamento da perspectiva de vida, lugar de encontro e território funcional, como você vê o encantamento funcionar dentro de uma cidade como São Paulo, tão heterogênea, em comparação ao Rio, que talvez seja uma cidade mais homogênea, com um cenário de praias e favelas inseridas no meio urbano?".

LAS Eu acho que uma primeira coisa é a seguinte: cultura de fresta é um conceito que eu uso muito, mas que eu tenho sempre muito medo que as pessoas confundam com jeitinho brasileiro, que é um fetiche. E não é isso. Quando eu falo de cultura de fresta, eu estou inserindo essas culturas numa circunstância histórica, em que o Brasil ergue muros contra os subalternizados, mas esses muros apresentam fissuras. E nas fissuras, ou nas brechas, nas frestas desse muro, nós vamos observar que ocorrem reconstruções incessantes de modos de vida. Então como é que na precariedade você constrói isso? O Sartre falava uma coisa que depois o grande professor Milton Santos falou numa outra dimensão, que é a ideia da sabedoria da escassez. E isso não é romantizar o precário. É crucial que a gente não caia no engodo da romantização do precário, mas é que a circunstância da escassez te coloca na dimensão da reinvenção do mundo. Ao mesmo tempo, a experiência da fartura pode te colocar na dimensão de não inventar mais nada... Por isso é que eu acho que da fartura não vai surgir nada. Eu não acredito que surja nada interessante da elite brasileira. Mas essa pergunta sobre São Paulo eu não sei... O Rio é heterogêneo demais também. O encantamento é a afirmação da vida contra a morte. Eu acho que o encantamento é isso, é entender que o contrário da vida não é a morte, é a não vida, e a não vida pode nos acometer na experiência cotidiana. Mas eu acho que a dimensão do encantamento está na miudeza, cruza muito com essa resposta que eu dei da pedra miúda. Ela está na prática miúda do cotidiano das pessoas, na construção de cotidianidade. Até porque tem um detalhe: ninguém resolve que vai se encantar e se encanta. Isso pertence à ordem da experiência do ser sendo. Isso é *Dasein* heideggeriano: estar-aí. Eu não vou descer da minha casa dizendo: "Eu vou ali para a praça porque agora eu vou me encantar". Não é assim que a banda toca. Eu acho que essa é uma experiência fundada na concretude do vivenciamento da experiência urbana da cidade. É o estar-aí. É você se colocar disponível para o que vai acontecer. Então isso vai estar presente no samba, na brincadeira, na rua, no encontro, na quitanda, nas práticas cotidianas de vida que podem levar o ser a uma dimensão de experiência no mundo que dialoga com a beleza. E isso pode estar onde a gente não imagina, porque essa experiência do encantamento se produz no amiudamento.

GW Muito bom.

LAS Eu acho que amiudar-se é fundamental para experimentar a cidade.

GW Eu queria terminar levando esta conversa para uma espécie de desvio de encruzilhada. É uma pergunta de brincadeira, um pouco sacana, para terminar... Você acha que essa sua proximidade com o tema benjaminiano da história dos vencidos tem alguma relação com o fato de você ser botafoguense?

LAS A resposta seria sim! Você brincou, mas é uma resposta séria. O Botafogo, para mim, é a minha condição ontológica. Porque, como botafoguense, eu não almejo a vitória, eu almejo a existência. Essa é a questão fundamental, porque a vitória é circunstancial, mas a existência é uma tarefa cotidiana. Então eu acho que esse espírito antitriunfalista do botafoguense explica muito a minha percepção da história, não tenha dúvida nenhuma. Eu tenho um compromisso com o antitriunfalismo, eu não sou uma figura que goste de grandes triunfos. Eu não gosto de história grande, eu gosto de história miúda. Dei uma entrevista agora, que saiu hoje na *Trip*, em que falei que o coroa que joga sueca na minha praça me interessa mais do que o Napoleão Bonaparte. Eu não estou dizendo que ele é mais relevante que o Napoleão Bonaparte para a experiência da humanidade, mas estou dizendo que esse velho desvela para mim certos mecanismos de vivenciamento da cidade que me interessam muito no meu fazer, na minha escrita. Mas a sua pergunta é ótima, e a minha resposta é sim.

Entrevista realizada em 2 de dezembro de 2020.

O anjo da história e a queda do céu

Paola Berenstein Jacques

Paola Berenstein Jacques é professora da Faculdade de Arquitetura da Universidade Federal da Bahia (UFBA), pesquisadora CNPq e coordenadora do Laboratório Urbano (PPG-AU/UFBA). Publicou, entre outros livros, *Estética da ginga* (2001), *Maré, vida na favela* (2002), *Apologia da deriva* (2003), *Corpos e cenários urbanos* (2006), *Corpocidade* (2010), *Elogio aos errantes* (2012), *Gestos urbanos* (2017), *Fantasmas modernos* (2020) e *Pensamentos selvagens* (2021); e as coleções *Experiências metodológicas para a compreensão da complexidade da cidade contemporânea* (2015) e *Nebulosas do pensamento urbanístico* (2021), entre outras.

Guilherme Wisnik Você está lançando *Fantasmas modernos*, que é o primeiro volume[1] do seu novo trabalho, *Montagem de uma outra herança*, composto de duas partes. Pensando em articular essas duas partes, você falou em ler aqui trechos do Davi Kopenawa e do Walter Benjamin, que podem nos ajudar a entender a sua tese por detrás dos livros. Como articular essas duas ideias?
Paola Berenstein Jacques Nesse trabalho - publicado em dois volumes - junto duas heranças que tentei reivindicar na minha tese de titularidade, duas heranças ligadas, coimplicadas. Uma outra herança dos modernos "vencidos", como diria Walter Benjamin, dos impuros, dos marginais, dos heterodoxos, embora modernos. E também uma herança selvagem ou "em estado selvagem", como dizia Lévi-Strauss. Uma herança do pensamento não domesticado.

Tentei buscar, como está no cartaz de nossa conversa hoje, uma "imagem de pensamento" (que também é uma noção benjaminiana) que pudesse dar conta dessas duas heranças, que são coexistentes, coimplicadas em uma só imagem. Fizemos então uma sobreposição de um quadro do Paul Klee de 1920, que pertencia ao próprio Benjamin, com um desenho do Orlando Naki Uxima, do povo yanomami, feito a partir de uma solicitação da fotógrafa Claudia Andujar, que levou papel e caneta colorida para a floresta. Normalmente esses desenhos yanomami são feitos nos corpos e nos artefatos, mas nesse caso é um desenho no papel.

Vou ler os dois textos que inspiraram esse título.[2] Sei que são textos bem conhecidos, que muitos talvez já tenham lido,

1 Paola Berenstein Jacques. *Fantasmas modernos: montagem de uma outra herança* (v. 1). Salvador: Edufba, 2020. O volume 2 é *Pensamentos selvagens: montagem de uma outra herança*. Salvador: Edufba, 2021.

2 [Nota da Entrevistada] Alguns meses após esta conversa, li um texto do Luiz Antonio Simas, com título bem próximo - "O anjo da história e a pedra de Exu" -, que pareceu complementar meu argumento. Simas retoma um conhecido

mas acho importante justamente pensar neles dois juntos. Da mesma forma que a gente fez essa imagem sobreposta,[3] os dois textos podem servir de detonador para pensarmos juntos. O primeiro é "O anjo da história", como é conhecida a tese, a "imagem de pensamento" ou aforismo IX, do texto do Walter Benjamin que se chama "Sobre o conceito de história". É uma espécie de testamento, o último texto que ele escreveu, um pouco antes de se matar na fronteira entre a França e a Espanha, em 1940, fugindo dos nazistas: "Há um quadro de Klee que se chama *Angelus Novus*. Representa um anjo que parece querer afastar-se de algo que ele encara fixamente. Seus olhos estão escancarados, sua boca dilatada, suas asas abertas. O anjo da história deve ter esse aspecto. Seu rosto está dirigido para o passado. Onde nós vemos uma cadeia de acontecimentos, ele vê uma catástrofe única, que acumula incansavelmente ruína sobre ruína e as dispersa a nossos pés. Ele gostaria de deter-se para acordar os mortos e juntar os fragmentos. Mas uma tempestade sopra do paraíso e prende-se em suas asas com tanta força que ele não pode mais fechá-las. Essa tempestade o impele irresistivelmente para o futuro, ao qual ele

oriqui – os oriquis são como as "imagens de pensamento" benjaminianas – de Exu: "Atirando uma pedra hoje,/ Mata um pássaro ontem" (Antonio Risério. *Oriki orixá*. São Paulo: Perspectiva, 2012, p. 128). Simas escreveu: "A percepção de Benjamin sobre a necessidade de disputar o passado para acender a chama do presente e pavimentar futuros cruza com um dos *orikis* mais famosos de Exu – o orixá do movimento, do poder do corpo, da alegria e das grandes transformações: Exu acerta a pedra que lança hoje no pássaro que já voou. Por princípio, os *orikis* abrem múltiplas possibilidades de interpretação e operam no campo poderoso em que a poética aconchega-se no mistério para sugerir ações permanentes de vida. O que Benjamin chama de 'Anjo da História', nós podemos chamar de 'Pedra de Exu'". Texto publicado em 8 de outubro de 2020 no blog *Birosca brasileira*. Agradeço a Silvana Olivieri, que me enviou o texto do Simas.

3 Imagem sobreposta realizada por Dilton Lopes e Ramon Martins.

vira as costas, enquanto o amontoado de ruínas cresce até o céu. Essa tempestade é o que chamamos de progresso".[4]

Vou engatar direto no texto do Davi Kopenawa com o Bruce Albert, *A queda do céu*: "A floresta está viva. Só vai morrer se os brancos insistirem em destruí-la. Se conseguirem, os rios vão desaparecer debaixo da terra, o chão vai se desfazer, as árvores vão murchar e as pedras vão rachar no calor. A terra ressecada ficará vazia e silenciosa. Os espíritos xapiri, que descem das montanhas para brincar na floresta em seus espelhos, fugirão para muito longe. Seus pais, os xamãs, não poderão mais chamá-los e fazê-los dançar para nos proteger. Não serão capazes de espantar as fumaças de epidemia que nos devoram. Não conseguirão mais conter os seres maléficos, que transformarão a floresta num caos. Então morreremos, um atrás do outro, tanto os brancos quanto nós. Todos os xamãs vão acabar morrendo. Quando não houver mais nenhum deles vivo para sustentar o céu, ele vai desabar".[5]

Eu quis juntar esses dois trechos porque, apesar de haver uma série de diferenças temporais e de contexto entre eles, quando a gente os coloca lado a lado percebe que ambos fazem uma crítica contundente da noção de progresso e chamam atenção para o momento de perigo no presente. Eles deixam entender também que o que está em vias de desaparecimento ainda resiste em forma de lampejos que ainda sobrevivem, que mantêm uma sobrevida que pode emergir em outros tempos, em outros momentos de perigo. No primeiro texto, as ruínas se acumulam até o céu. O anjo está com as asas abertas, o vento do progresso o afasta para o futuro, mas as ruínas vão para o céu. E, no outro texto, os

4 Ver Walter Benjamin. *Obras escolhidas I. Magia e técnica, arte e política*. São Paulo: Brasiliense, 1985, p. 226.

5 Davi Kopenawa; Bruce Albert. *A queda do céu: palavras de um xamã yanomami*. São Paulo: Companhia das Letras, 2015 [2010], p. 6.

xamãs e os espíritos xapiri precisam sustentar essa queda do céu. Então, a minha pergunta é a seguinte: seriam então as ruínas, os cacos, os restos, os resquícios, as reminiscências, essas sobrevivências, essas emergências desses lampejos que contêm os germes de algo a vir? Os germes de outros devires possíveis? Hoje estamos todos vivendo um desses momentos de perigo, e me parece que seria muito importante que ficássemos mais atentos aos lampejos dessas sobrevivências e reminiscências de outros tempos, que emergem exatamente nesses momentos de perigo. As reminiscências lampejam em momentos de perigo como alguns corais que, logo antes de morrer, passam a ter cores fluorescentes, fazendo o mar brilhar no escuro. Precisamos estar atentos a esses lampejos que, por vezes, são fracos, como os dos vaga-lumes. Precisamos reaprender a ver os vaga-lumes, que só conseguimos perceber no escuro. Quando tem muita luz em volta, não conseguimos ver, os holofotes nos ofuscam.

Dos vaga-lumes eu lembro deste livro que adoro do Didi-Huberman, *Sobrevivência dos vaga-lumes*. Posso ler um trecho rápido?

GW Pode, claro.

PBJ "Os vaga-lumes, depende apenas de nós não vê-los desaparecerem. [...] Devemos, portanto, [...] nos tornar vaga-lumes e, dessa forma, formar novamente uma comunidade do desejo, uma comunidade de lampejos emitidos, de danças apesar de tudo, de pensamentos a transmitir. Dizer *sim* na noite atravessada de lampejos e não se contentar em descrever o *não* da luz que nos ofusca. Não vivemos em apenas um mundo, mas entre dois mundos, pelo menos. O primeiro está inundado de luz, o segundo atravessado por lampejos".[6]

6 Georges Didi-Huberman. *Sobrevivência dos vaga-lumes*. Belo Horizonte: Ed. UFMG, 2011, p. 154.

Então, esses lampejos atravessam o outro mundo, mas essa luz dos holofotes é muito forte e, por vezes, não nos deixa ver, só conseguimos percebê-los no escuro.

GW Você falou da imagem desses lampejos, desses corais, e eu pensei no canto do cisne também. É como se fosse o momento de última manifestação de alguma coisa, que acaba sendo muito intensa. Essas imagens que você traz funcionam para iluminar a ideia de brecha, de referências que estão como que escondidas, outras heranças que a gente precisa escavar. E que heranças são essas? Até onde eu entendo, nesse primeiro volume do seu trabalho, chamado *Fantasmas modernos*, você vai buscar outras heranças modernas, e é importante ressaltar que não são heranças não modernas, nem pós-modernas.

PBJ Profundamente modernas...

GW Porém ofuscadas pela leitura dominante que foi feita das vanguardas. E você, ao contrário, escolhe personagens que foram muito críticos à ideia de progresso. E é aí que você se encontra com a perspectiva benjaminiana, que se volta contra a ideia hegeliana da história como uma sequência de etapas que levam ao progresso lá na frente. Esse seria um alinhamento com a história dos vitoriosos, enquanto Benjamin busca uma outra história, a dos vencidos, a história escovada a contrapelo. Mas então diga para nós: quem são os personagens dessa escavação que você faz? Que heranças são essas?

PBJ A Jeanne Marie Gagnebin, professora da PUC-SP e especialista em Benjamin, conta a anedota de um estudante que entendeu essa ideia de "escovar a história a contrapelo" quando ele teve que escovar o cachorro a contrapelo para pegar as pulgas. É também como catar piolho na cabeça da criança: tem que fazer a contrapelo para catar esses seres pequenininhos. Aby Warburg também falava do pequeno, do micro, que "Deus se esconde nos detalhes".

Nesse livro me esforcei para apresentar um outro pensamento moderno, crítico a essa crença inabalável no progresso veloz da humanidade, estritamente associado de forma acrítica à ideia de um progresso técnico. Esse outro pensamento já propunha um outro caminho possível, mas que foi dramaticamente bloqueado pela ascensão do nazismo e dos fascismos. Essas vanguardas modernas críticas estão na Europa (mas aqui também), no entreguerras, sobretudo entre 1920 e 1930. Aquele momento de ascensão do nazismo e dos fascismos acontece em todos os lugares, inclusive aqui, com os integralistas e depois o Estado Novo, e mesmo antes, a partir de 1930. Oswald de Andrade, por exemplo, passa a ser perseguido ali. Há toda a perseguição aos comunistas, e também um sentimento antissemita muito forte. Me parece haver um momento de interrupção ali. O que eu quero propor é que esse outro caminho pode ser retomado, que podemos reivindicar novamente como herança esse outro moderno, esse outro pensamento moderno. Em particular num momento como o de hoje, no país e no mundo, neste novo momento de perigo, quando as lutas antifascistas tornam-se novamente urgentes. Então, o trabalho *Montagem de uma outra herança* tem a intenção de mostrar que uma herança – qualquer herança – é sempre uma montagem, uma construção. A intenção era desnaturalizar aquilo que herdamos, e explicitar o que a gente escolhe herdar. Não é, obviamente, o caso de trocar uma herança, uma "tradição" – e eu uso o termo "tradição" exatamente para tensionar a ideia de moderno – por outra, mas propor um exercício de montagem de uma possibilidade, entre outras, diferente daquela que hoje é tida como natural, única, oficial, hegemônica, vencedora. O importante é mostrar que há sempre uma outra possibilidade, diferente daquela já conhecida por todos. Então, o trabalho nesses dois volumes também é um exercício de montagem. A montagem, portanto, é tanto o *modus operandi* quanto um objeto de estudo e fio condutor do livro.

GW Tensionando uma versão hegemônica que ligou o discurso da modernidade às vanguardas construtivas, que apostaram na racionalidade técnica, na ideia de progresso? Então você traz à luz o surrealismo, o dadaísmo e outras vanguardas que ficaram associadas a um certo irracionalismo, e que têm uma compreensão mais trágica da história e uma proximidade com a vida cotidiana? É isso?

PBJ Tem a crítica do progresso, isso é claro, na defesa de uma história não linear, não teleológica. Mas, sobretudo, no caso do campo da arquitetura e do urbanismo, e também da arte, penso numa crítica à pureza. E mais, uma crítica a qualquer tipo de separação rígida. Uma tentativa de pensar em termos de coexistência, interpenetração ou liminaridade (como prefere Benjamin), o que pode parecer confuso, irracional, mas na verdade é uma outra racionalidade um pouco mais complexa. Mas profundamente moderna. A imagem que uso, sempre a partir de Benjamin,[7] é a do caleidoscópio, que você vai girando, e vão se formando novas imagens com os mesmos cacos. É uma multiplicidade de possibilidades a todo tempo, e não há uma fixação. As coisas estão sempre em movimento. Isso gera, obviamente, uma impureza, que era muito difícil de ser aceita por essas outras vertentes modernas, que saíram das mesmas vanguardas, mas caminharam no sentido da pureza, da técnica, da funcionalidade. Então a ideia era reivindicar, para o campo da arquitetura e do urbanismo, essa herança impura das vanguardas da época do entreguerras. Todas elas, mas sobretudo os surrealistas. Eu tento fazer isso usando esses restos, "os farrapos, os resíduos", como dizia Benjamin,[8] dessa outra herança moderna. Ou as sobrevivências, como dizia Aby Warburg,

7 "O 'moderno' é tão variado como os diferentes aspectos de um mesmo caleidoscópio". Walter Benjamin. *Passagens*. Belo Horizonte: Ed. UFMG, 2006, p. 58.

8 "Método deste trabalho: montagem literária. Não tenho nada a dizer. Somente a mostrar. Não surrupiarei coisas valiosas, nem me apropriarei de formulações espirituosas. Porém, os farrapos, os resíduos: não quero inventariá-los, e sim fazer-lhes justiça da única maneira possível: utilizando-os". *Ibid.*, p. 502.

dessa outra "tradição". Eu coloco de propósito isso como uma "tradição" para atrapalhar a historiografia mais conservadora, mais linear. Reivindicar uma herança significa também atualizá-la criticamente, recriá-la, recompô-la, remontá-la a partir desses fragmentos heterogêneos da memória coletiva, de um outro passado, e, assim, reinventar também outras possibilidades de futuro. Tem uma questão muito forte nessa dimensão do futuro. Para que a gente possa desejar um outro futuro possível, um outro devir, um outro porvir, seria preciso buscar e remontar essas "tradições escondidas", como dizia Hannah Arendt, para que a gente possa desejar uma outra herança possível. Para que a gente possa transformar a nossa própria filiação e, assim, transmiti-la de uma outra forma.

GW A que vertentes do surrealismo você se refere?

PBJ São vários surrealismos. Eu trato mais desse do entreguerras, que vem da literatura, de *Nadja*, do Breton, de *O camponês de Paris*, do Aragon, e do próprio Walter Benjamin, que tem um momento profundamente surrealista, como em *Rua de mão única*. E, no nosso caso, do movimento antropofágico, que está também muito próximo desses surrealistas franceses. São vários pequenos movimentos ligados ao surrealismo, em vários lugares diferentes, e que a gente ainda conhece muito pouco.

GW É bonita essa articulação para falar de imaginar outros futuros, porque, se a visão historicista, evolucionista, pensa que as etapas históricas vão ficando para trás, vão sendo canceladas à medida que o tempo avança, essa visão benjaminiana seria como um palimpsesto, aquele pergaminho que vai deixando marcas à medida que vai sendo reutilizado. Quer dizer, no nosso presente, essas outras heranças também estão presentes como marcas, como traços. Achar essas outras heranças é abrir espaço para ver o que ainda está aqui, e, ao fazer isso, podemos imaginar outros futuros.

PBJ A primeira questão é sempre entender a história como uma construção e uma montagem. O Patrick Geddes diz que existe uma grande diferença entre hereditariedade (quando os nossos ancestrais nos determinam) e herança (quando nós mesmos escolhemos os nossos ancestrais). No caso, escolhi uma outra "ancestralidade" moderna, uma herança de uma outra "tradição", profundamente moderna, mas que foi interrompida, esquecida ou apagada pela história oficial (o *status quo*) do movimento moderno. Isso aconteceu sobretudo no campo da arquitetura e do urbanismo, em que a maioria dos historiadores era ligada ao movimento moderno e seguiu a vertente mais purista, formalista, funcionalista. Mas eu queria fazer um desvio. Posso fazer um desvio?

GW Claro que pode. Nosso tema são os desvios...

PBJ Voltando à história dos vencidos e dos vencedores, eu acho importante pensarmos que não se trata da substituição de uma história pela outra, e hoje vemos muito essa ideia da substituição. O interessante me parece ser exatamente a coexistência. É óbvio que os vencedores têm que desaparecer um pouco para que os vencidos possam aparecer, mas não se trata de substituir um pelo outro. É essa coexistência que gera uma tensão potente.

O desvio que eu queria fazer é uma triangulação entre o Walter Benjamin, o Davi Kopenawa e o Caetano Veloso. Acho que todo mundo conhece a canção *Um índio*, do Caetano. Ele diz que "Um índio descerá de uma estrela colorida, brilhante/ De uma estrela que virá numa velocidade estonteante/ E pousará no coração do Hemisfério Sul/ Na América, num claro instante". Veja: um "claro instante", como um lampejo, um relâmpago benjaminiano. E segue: "Depois de exterminada a última nação indígena" – como o Kopenawa dizia no texto que citei –, "E o espírito dos pássaros, das fontes de água límpida/ Mais avançado que a mais avançada das mais avançadas das tecnologias/ Virá! [...] E aquilo que nesse momento se revelará

aos povos/ Surpreenderá a todos não por ser exótico/ Mas pelo fato de poder ter sempre estado oculto" – está lá a pequena pulga oculta na brecha –, "Quando terá sido o óbvio". Ele já está lá, mas permaneceu oculto. Esses germes estão aqui, estão o tempo todo aqui. O mais interessante do Caetano é que ele joga os povos indígenas para o futuro. O Ailton Krenak fala sobre essa música. Posso ler?

GW Por favor!

PBJ Numa entrevista de 1991, ele diz o seguinte: "O Caetano Veloso tem uma música bonita, aquela que fala do índio, onde ele canta que um dia um índio descerá com a mais fina das tecnologias. Unindo a tradição indígena com a mais moderna das tecnologias. Ele descobriu, com essa música, que o que o povo da floresta, que o que os índios trazem como conhecimento, é o que há de ser mais importante. E que vão ter descoberto que isso era o óbvio, e que estava sempre ali e ninguém viu".[9] Tem algo nisso do que você chamou de palimpsesto, dessas camadas de tempos heterogêneos que coexistem, e que estão todos aqui. São tempos distintos, mas que coexistem. O Krenak virou uma espécie de xamã da quarentena para todo mundo. Ele próprio representa um tipo de sobrevivência, desde a Assembleia Constituinte, quando ele pintou o rosto de preto.

Eu cheguei a sonhar com isso outro dia. Já não sei mais se ele falou isso numa dessas *lives* ou se eu sonhei. Mas eu me lembro dele dizendo que, para os indígenas, o futuro está atrás, porque é o que não se vê, o que não se conhece, é o desconhecido. E o passado está na nossa frente, porque é o que já é conhecido. Se lembramos da "imagem de pensamento" do Benjamin, do anjo da história que está sendo carregado pela

9 Entrevista de Ailton Krenak a Txai Terri Valle de Aquino, originalmente publicada no jornal *A Gazeta*, de Rio Branco (AC), em março e abril de 1991. Republicada em: Sergio Cohn (org.). *Encontros: Ailton Krenak*. Rio de Janeiro: Azougue, 2015, pp. 116-147.

tempestade do progresso, olhando para trás, para as ruínas do passado, e que não vê o futuro porque está sendo levado de costas pelo vento nas asas, é a mesma imagem. E o Krenak fala nessas ideias para "adiar o fim do mundo". Outro dia a Suely Rolnik resolveu provocar dizendo que era melhor "adiantar o fim do mundo", porque este mundo está um horror, e é melhor vislumbrar logo outros mundos possíveis. Ela fala muito de "futuros em germe". Me parece que precisamos estar atentos para ver esses futuros "em germe". Isso tem muito a ver com os vaga-lumes, que a gente só vê quando abaixa um pouco a intensidade da luz, porque senão o holofote nos ofusca, como escreveu o Didi-Huberman, e a gente não consegue ver. E isso tem relação também com aquela ideia de se escovar a contrapelo e procurar o que é bem pequenininho. Esses germes de futuro, ou "futuros em germe", como diz a Suely, estão aqui e agora, no meio deste enorme drama que a gente está vivendo. A gente precisa ver, conseguir enxergar, encontrar algo nessas brechas. Para mim, os germes estão nesses cacos.

O Krenak lançou agora um livreto, *O amanhã não está à venda*, com essa ideia de futuro, dos povos indígenas no futuro. Oswald de Andrade também fazia isso. Depois dele, o Caetano. E o Eduardo Viveiros de Castro também faz isso a partir de Oswald, dizendo que a antropofagia teria a ver com essa ideia de jogar os povos indígenas para o futuro, que essa seria a nossa verdadeira contribuição anticolonialista. Não seria uma teoria nacionalista de volta às raízes, do indianismo, mas uma teoria revolucionária que inverte ideias evolucionistas que ainda são correntes, segundo as quais os índios estariam no passado, no "atraso". Essa inversão tenta mostrar que não, que os nossos povos originários, os ameríndios, são o futuro. Eles são as nossas sociedades do futuro. Eles sabem o que nós, "brancos" como diz o Krenak ou, como diz o Kopenawa, "povos da mercadoria", não sabemos, que é viver simplesmente e conservar o planeta para evitar nossa própria extinção. Enfim, o Lévi-Strauss dizia que o mundo começou sem a espécie humana e que acabará sem ela. Somos todos muito antropocêntricos ou, como diz a Suely, "antropofaloegologocêntricos".

GW Esse óbvio oculto do Caetano é também um pouco freudiano, um pouco aquela história de que o "rei está nu". Ou seja: aquilo que está lá, que é tão evidente, mas ninguém vê. E só vai ser visto depois, quando já estiver morto, sacrificado. Uma das questões que permeiam a ideia da "queda do céu" é que, para os povos ameríndios do Brasil, o mundo já teria acabado várias vezes. Então, de alguma forma, para nós que estamos vivendo a iminência do fim do nosso mundo, aprender com eles talvez fosse bom, porque eles são povos que já carregam a experiência do fim do mundo.

PBJ O mundo deles está acabando pelo menos desde 1500. A cada epidemia, por exemplo, eles são os primeiros a morrer.

GW Exatamente. São cinco séculos de fins de mundo sucessivos. E você citou a Suely Rolnik, dizendo que, como isto aqui já está muito ruim mesmo, é melhor acelerar o fim, no sentido de inventar outros mundos, começar outras coisas. Nesse sentido, eu te faço uma pergunta meio óbvia, mas inevitável: esta pandemia pode nos proporcionar alguma revisão dessa ordem?

PBJ Gostaria de dizer que sim. Mas vou voltar ao Caetano, porque a *live* do aniversário dele me fez muito bem. Eu já estava escutando os discos tropicalistas londrinos dele, e nessa *live* me caiu uma ficha quando ele cantou *Nine out of ten*: "*I'm alive and* vivo, muito vivo, vivo, vivo". Quando ele cantou isso, "*I'm alive*", me fez pensar que essa inflação de *lives* na pandemia, além dos eventos que já estavam programados, pode estar ligada a um desejo de conversarmos e dizermos uns aos outros que estamos vivos. Apesar de tudo, ainda estamos vivos. Acho que os povos indígenas falam isso há quinhentos anos: "Apesar de tudo que vocês fizeram, nós ainda estamos vivos". Com o genocídio em curso no país, com tantas mortes diárias, tantos absurdos que a gente vê a cada dia, me parece que estar vivo, se manter vivo hoje, afirmar e defender a vida, todas as vidas sem distinção ou hierarquia, já é uma forma de resistência. Como era também na época do exílio do Caetano, quando ele fez essa música em Londres, onde estavam também o Oiticica, o Gil e outros tropicalistas. Precisamos com urgência "retropicalizar" o nosso país. O país está muito conservador, precisamos nos perguntar: como podemos retomar o "desbunde" como forma de resistência? Ou melhor, de re-existência (como diz o Zé Celso) e de insurgência, como eles fizeram durante a ditadura militar. Acho que está faltando isso. Consigo ver uma resistência mais do tipo CPC[10] neste momento, mas não consigo ver tanta insurgência na linha do desbunde, da contracultura. Precisou aparecer o Caetano, com quase oitenta anos de idade, para me fazer reviver isso. É fundamental resistir a essa tragédia toda com alegria. É muito difícil, eu sei, mas é preciso. O Oswald de Andrade escreve várias vezes no "Manifesto Antropófago" uma frase que, para mim, é fundamental: "A alegria é a prova dos nove". Eu acho que isso nos ajuda neste momento de re-existência. Se vai ser diferente ou não vai, não estou tão preocupada. Se pensarmos nesses termos da história como uma montagem, sem essa noção de princípio, meio e fim, ou de passado, presente e futuro linear, percebemos que esses tempos estão todos aí. O importante é ficar atento, "ficar atento e forte, sem tempo de temer a morte".[11]

10 O Centro Popular de Cultura (CPC) foi uma organização de intelectuais, artistas e estudantes de esquerda que pregava uma "arte popular revolucionária". Foi extinta, juntamente com a União Nacional dos Estudantes (UNE), com o golpe militar de 1964.

11 Caetano Veloso. *Divino maravilhoso*, 1969: "É preciso estar atento e forte/ Não temos tempo de temer a morte/ Atenção para a estrofe e pro refrão/ Pro palavrão, para a palavra de ordem/ Atenção para o samba-exaltação/ Atenção/ Tudo é perigoso/ Tudo é divino maravilhoso/ Atenção para o refrão/ É preciso estar atento e forte/ Não temos tempo de temer a morte".

O Oswald vem com essa questão antropófaga, depois ele para, entra para o Partido Comunista, é perseguido, sai, e depois da guerra volta com a antropofagia. Logo que ele retoma a antropofagia, escreve um texto que se chama "Virar índio". Eu acho que ali ele deixa esse convite a pensarmos um devir índio, um devir indígena do mundo, um devir selvagem. Vários pensadores hoje estão falando nisso. Ontem mesmo eu li um texto na revista *Piseagrama* que se chama "Tornar-se selvagem", que é bonito. O texto é de Jerá Guarani, e diz que "tornar-se selvagem não é algo que pode acontecer rápido, de um dia para outro, mas algo que implicaria momentos de muita dedicação e de muito trabalho por parte de vocês, não indígenas".[12] A gente pode pensar nisso, nesse "tornar-se selvagem", ou estado selvagem das cidades: um "tornar-se selvagem" das cidades ou devir indígena urbano. Não uma herança ou outra, mas as duas juntas, coimplicadas. Uma e outra. O interessante é essa complexidade da coexistência, essa tensão. Essa "outra herança moderna", e essa "herança em estado selvagem" que está aí, e para a qual não estamos dando tanta atenção. Essa seria a montagem mais interessante para herdarmos, e podermos fabular, a partir delas, outros futuros possíveis.

GW O Wellington Cançado, um dos editores da *Piseagrama*, esteve no Seminário Internacional da Escola da Cidade recentemente e trouxe questões nessa direção, sobre o devir floresta das cidades.

PBJ Sim, mas não no sentido de acabar com as cidades, de ser contra as cidades. O que tem que acabar é a separação cultura/cidade ou natureza/floresta, acabar com essa mania de ser uma coisa *ou* outra. Nesse sentido, eu sou profundamente deleuziana. Tem que sempre ser *e*, uma coisa *e* outra, uma coexistência. Não se trata de natureza e cultura separadas. São

12 Jerá Guarani. "Tornar-se selvagem". In: *Piseagrama*, n. 14, Belo Horizonte, 2020, pp. 12-14.

as duas coisas juntas, florestacidade, naturezacultura, modernosselvagem. Aqui na UFBA temos uma plataforma de ações que se chama Corpocidade,[13] numa palavra só, exatamente para mostrar que não há separação possível entre corpo e cidade. O problema é a separação, não é a cidade. Estou falando isso porque existe essa tendência de puxar só para o outro lado, dizendo que "tem que acabar com as cidades", voltar ao campo, às florestas. Não se trata de uma volta, um retorno. A experiência urbana é fundamental, essa experiência, no mesmo espaço, das diferenças, dos diferentes, dos dissensos. Mas a questão seria: como pensar as cidades de outra forma, sem essa separação dicotômica? Aí é que está o nosso grande desafio.

GW Agora já entramos no volume dois do seu trabalho, o *Pensamentos selvagens*. Como é que essa herança antropofágica entra no raciocínio da escavação de outras heranças modernas, uma vez que aqui no Brasil, na história do nosso modernismo, a antropofagia não é marginal?

PBJ Não é marginal no campo das artes, mas no campo do urbanismo, por exemplo, pouca gente leva a sério *A cidade do homem nu*, do Flávio de Carvalho, que está diretamente relacionado a essa ideia. É importante pensar a antropofagia como essa possibilidade de devorar, inclusive essa própria ideia antropocêntrica. Mais do que uma coimplicação ou imbricação entre o pensamento moderno e o pensamento em estado selvagem, uma devoração permanente de um pelo outro. Essa proposta da antropofagia nos ajuda, porque ela tem essa pressuposição de uma radical devoração do outro, dos vários outros, de suas ideias. É uma forma de alteridade antropófaga que devora qualquer ideia de identidade única. Eu acho também que estamos vivendo um momento de exacerbação de políticas identitárias muito fechadas, e a antropofagia provoca essa devoração crítica de qualquer tipo de imposição, fixação ou

13 Ver: www.corpocidade.dan.ufba.br.

padronização. Não há possibilidade de termos uma identidade única, e eu acho interessante retomar isso, reler o Oswald hoje. O Viveiros de Castro tem feito isso, ele fala bastante do Oswald e dessa ideia de devoração. Ele pensa a própria ideia de antropologia como uma antropofagia. Até porque a antropologia também esteve muito ligada a essa noção de antropocentrismo. Então a grande questão está nessa multiplicidade de diferenças, nesses vários outros, e de que forma a gente pode incorporar, presentificar essa multiplicidade que é sempre impura, que às vezes é caótica, que às vezes parece irracional. O Oswald, nos anos 1920 e 1930, estava, como nós hoje, vivendo um momento de perigo. Havia os integralistas, um namoro com o fascismo, e ele estava indo contra todas as propostas nacionalistas daquele momento, que inclusive estão voltando com força agora; já voltaram. Ele estava indo contra, sobretudo, algumas ideias que, até hoje, ainda são importantes em alguns campos, como o nosso, de arquitetura e urbanismo. Ideias de pureza, de originalidade, de autenticidade, de identidade fixa, de origem como gênese. Ele já estava ali, no final dos anos 1920, ou seja, há quase cem anos, debatendo essas questões todas.

GW É muito importante essa reivindicação que você faz de uma tradição antropofágica tropicalista como sendo capaz de iluminar o nosso presente e o futuro. Você falou da alegria como prova dos nove, tanto para um projeto de alegria que está presente no índio "desenvolvido tecnologicamente" como para a destruição dos discursos unívocos. Essa é uma herança que hoje está muito espremida entre o cerceamento da liberdade, à direita (que vem pelos governos e pelo moralismo geral), e esse discurso identitário muito monolítico, à esquerda, que, de alguma forma, se contrapõe a essa visão mais paródica, mais carnavalesca, que está nessa tradição. Esse esclarecimento é muito importante.

PBJ Para mim, a grande questão é como sair da dicotomia, do binarismo e da separação. Precisamos sair dessa lógica redutora. A gente tem que se tropicalizar, desbundar, tem que retomar esse lugar, um lugar muito importante, que já foi ocupado por Oiticica, Gil, Caetano, Tom Zé... Não era o lugar do pessoal da esquerda mais tradicional, que estava preocupado se podia ou não podia usar guitarra e microfone porque era coisa de norte-americano, essa censura das pequenas coisas. Hoje não vale a pena mesmo a gente se dividir, se separar. Tem que ser tudo junto, misturado, geleia geral. Não estou conseguindo ver isso hoje; tínhamos que tentar fazer isso emergir de alguma forma. Mas é algo que está aqui, sabemos que está. O germe está aqui. Temos que, de alguma forma, fazer isso emergir. E não deve ser por separação, por enclausuramento, por substituição de uma coisa ou outra. A ideia de devoração do Oswald nos ajuda muito, porque o "pensamento selvagem" seria esse pensamento outro. Não é exatamente o pensamento do outro, mas um pensamento enquanto potência de alteridade. É esse "homem nu", de que o Oswald falava: "Não existe nada fora da devoração. O homem nu compreenderá". O Flávio de Carvalho vai propor *A cidade do homem nu* a partir daí. E, mais do que o "homem nu", era um homem desnudado, despido, que se relaciona com o des-coberto, que se des-cobre, como dizia o Zé Celso. Com isso há toda uma volta dessa discussão do "descobrimento", da invasão das terras dos povos indígenas. Não sei se você lembra do poema do Oswald que dizia: "Quando o português chegou/ Debaixo duma bruta chuva/ Vestiu o índio/ Que pena!/ Fosse uma manhã de sol/ O índio tinha despido/ O português".[14]

GW Sim, gosto muito! O poema se chama "Erro de português".

PBJ A questão é essa. Como a gente faz para despir o "português"? Toda discussão da "descolonização permanente do pensamento", como diz o Eduardo Viveiros de Castro, passa

14 Oswald de Andrade. *Obras completas VII. Poesias reunidas*. Rio de Janeiro: Civilização Brasileira, 1971, p. 177.

por aí, por despir. E por despir a gente mesmo, despir todo mundo, tirar esse ranço colonial e colonizado. O Flávio dizia que os arquitetos das Américas precisavam se despir, apresentar-se nus, sem os tabus, sem os preconceitos, e livres para o raciocínio, para o pensamento. Ele achava que esse "novo homem da América" era o homem desnudado: o homem (no sentido de humanidade e não de gênero) despido de todos os preconceitos dos "civilizados". O homem moderno, mas que reconhece o pensamento em estado selvagem e segue essa ideia da vida como devoração permanente. E essa cidade do homem desnudado poderia nos levar também a pensar o urbanismo como potência de alteridade, que é o mais interessante, a cidade como potência de alteridade, no sentido de ser devorado pelo outro, de se deixar ser devorado pelos vários outros. Não uma alteridade que procura uma pureza, uma identidade única. O contrário: um processo, em movimento, de devoração permanente.

GW Um autor muito importante para as leituras urbanas que você faz, e também para os situacionistas, é o Michel de Certeau, com a recuperação da ideia de vida cotidiana na experiência da cidade. O que toca diretamente nessa questão da alteridade que você está trazendo agora. Isso tensiona muito a herança mais conhecida da modernidade, que é o urbanismo moderno, da Carta de Atenas, que parte da ideia de tábula rasa, de demolir o existente, porque o existente não é dotado de valor nenhum, e propõe começar do zero, fazer de novo. Mas, ao contrário, quando o urbanismo é pensado como alteridade, ele sempre vai tentar aprender com o outro, e o outro já existe, o outro está aqui.

PBJ Sim, e são vários outros. Muitos outros. Não tem um único outro. Na antropofagia, como você devora o outro, não tem essa separação, é uma contaminação o tempo todo. Então o outro não é mais o outro, nem você é mais você como antes. Vira outra coisa. O Oiticica falava que "a pureza é um mito". A grande questão da arquitetura e do urbanismo modernos, da história oficial, hegemônica, é manter a pureza como um pressuposto. E essa devoração, esse outro pensamento moderno, não apenas admite a impureza, como a provoca. A fricção com a alteridade só pode existir a partir desse princípio da impureza, porque, na hora em que um antropólogo chega na floresta, ele vai automaticamente ser contaminado e contaminar em todos os sentidos, inclusive o epidemiológico. Ninguém sai puro dessa história, não há pureza que resista à alteridade radical. O interessante é entender essa impureza como uma potência, ao contrário de um pensamento que considera a pureza, a identidade, o original como valores a serem perseguidos.

A questão da coexistência das camadas de tempos passa por aí também, e isso é importante. O Benjamin diz que a imagem do passado se dá no momento de fricção, entre o agora e o outrora. Quando surge essa memória involuntária, surge algo ali que pode nos ajudar no presente, que interrompe essa história da catástrofe, da tragédia. Daí voltamos ao anjo da história. Há algo de temporal nisso, sobre como articular esse passado se apropriando dessas reminiscências. Esses "outros" têm essas reminiscências também, de uma outra vida urbana. Então eu acho que existe algo aí determinante para a gente aprender a reconhecer esses lampejos de passado no presente, esses lampejos de outros futuros, esses lampejos de esperança. São lampejos ambivalentes, ambíguos, confusos, mas fazem pulsar a vida, essa sobrevida. Neste momento é importante arriscar e apostar que esses breves lampejos possam fazer emergir, despertar ou incitar outras possibilidades ainda não dadas. Possibilidades errantes, outros desejos erráticos também, à deriva, desconhecidos, interrompidos ou adormecidos. Desejos de outros devires urbanos possíveis.

GW Isso que você falou agora me lembrou uma outra canção do Caetano chamada *Livros*, em que ele canta: "Porque a frase, o conceito, o enredo, o verso/ E, sem dúvida, sobretudo o verso/ É o que pode lançar mundos no mundo".

PBJ Exato.

GW São vários mundos.

PBJ Vários mundos coimplicados, que estão todos aqui coexistindo. E não precisamos, de forma nenhuma, substituir um por outro, eleger um só. O mais interessante é essa fricção entre os mundos. É dessa fricção que sai uma faísca, que provoca o lampejo, que dá o que Benjamin chama de relâmpago. O relâmpago que vai formar uma constelação.[15] É a partir daí que esses germes de futuro, ou "futuros em germe", podem emergir, neste momento tão difícil que vivemos. Precisamos procurar isso, conseguir ver os lampejos.

GW Temos tido aqui, neste seminário, muitas conversas ótimas, mas também depressivas, por conta dos temas da política brasileira e da Covid-19. Mas hoje, tratando dessa mesma realidade, você traz uma perspectiva de tentar se desamarrar, para pegar esses lampejos e imaginar outros futuros.

PBJ A alegria é a prova dos nove!

GW Muito bom. Eu vou fazer uma última pergunta que, na verdade, veio do chat: "Em época de Covid, por onde devem ser as derivas?".

PBJ Esse é o nosso grande desafio agora. Estamos dentro de casa e adoramos a experiência corporal nas cidades. Mas mesmo assim estamos aqui, conversando virtualmente. Vamos ter que inventar muita coisa, mas pensando sempre nessa

15 [Nota da Entrevistada] A formulação é frequente nos textos de Walter Benjamin, como em *Passagens*: "Não se deve dizer que o passado ilumina o presente ou que o presente ilumina o passado. Uma imagem, ao contrário, é aquilo que o Outrora encontra, num relâmpago, o Agora, para formar uma constelação". Ou nas teses sobre o conceito de história: "Articular historicamente o passado não significa conhecê-lo 'como ele de fato foi'. Significa apropriar-se de uma reminiscência, tal como ela relampeja no momento de um perigo". Walter Benjamin. *Op. cit.*, p. 224.

não separação, nessa não compartimentação. Agora mesmo estamos misturando público e privado de uma maneira absurda, é meio complicado. Mas alguma coisa interessante pode emergir daí. Procurem os lampejos, que eles vão aparecer. No momento de perigo a gente tem que saber ver esses lampejos, saber ver como fazer essas derivas, mesmo com distanciamento físico. Porque não se trata de distanciamento social, é um distanciamento físico. Neste momento, há uma grande rede de solidariedade que se montou, principalmente nas áreas mais vulneráveis da cidade, que mostra exatamente essa proximidade solidária. Há uma proximidade solidária muito importante, as pessoas começaram a se articular. É um momento importante para nos articularmos, para construirmos, imaginarmos juntos esses devires outros, e atentarmos juntos para esses lampejos. Vamos aproveitar que está escuro para tentar ver, juntos, os vaga-lumes.

Entrevista realizada em 19 de agosto de 2020.

2.

Processos de descolonização, novas emergências

O jeito yanomami de pendurar redes

Thiago Benucci

Thiago Benucci é arquiteto e professor, mestre em antropologia social pela Universidade de São Paulo (PPGAS-USP) e graduado em arquitetura e urbanismo pela Associação Escola da Cidade (AEC), instituição onde leciona atualmente.

Guilherme Wisnik Thiago, na sua dissertação de mestrado[1] você relaciona o conceito de arquitetura para os Yanomami ao ato, ou "jeito", de pendurar redes. Trata-se de uma concepção mais leve, ou menos perene, do construir, certo? Seria um modo radicalmente não tectônico de pensar a arquitetura?
Thiago Benucci Acho que, antes de responder a essa sua primeira pergunta, algo deve ser notado a partir de sua própria formulação. Em minha dissertação recém-defendida, e intitulada *O jeito yanomami de pendurar redes*, o que eu faço com o conceito de arquitetura não é procurar um correspondente no pensamento yanomami, mas, ao contrário, é parte de um esforço tradutório que não pretende transpor ou projetar nas práticas do viver e do morar yanomami nossas próprias categorias, critérios ou disciplinas como forma de validar as práticas alheias. Pelo contrário, entendo a arquitetura como perspectiva, como um ponto de vista e um ponto de partida explicitamente situado em nosso pensamento, decorrente inclusive de minha formação acadêmica e profissional, mas que aponta para outro pensamento, para outra arquitetura, se é que podemos ainda chamar assim. Dessa forma, a tradução do conceito de arquitetura para "o jeito de pendurar redes" é o que dá os contornos iniciais do trabalho e, ao mesmo tempo, é uma espécie de metáfora sobre ele próprio, do ponto de vista de sua amarração conceitual e também política. Com isso, o que a dissertação almeja é criar e possibilitar um diálogo entre o pensamento yanomami e o nosso, diálogo esse que é construído através de uma reinvenção da nossa própria imaginação conceitual a partir dos termos, dos problemas e das práticas da imaginação conceitual yanomami.

1 Thiago Magri Benucci. *O jeito yanomami de pendurar redes*. Dissertação de mestrado, São Paulo, Programa de Pós-Graduação em Antropologia Social da Faculdade de Filosofia, Letras e Ciências Humanas da Universidade de São Paulo, 2020 (orientação de Pedro de Niemeyer Cesarino).

Dito isso, podemos entender "o jeito de pendurar redes" como uma invenção de uma tradução para um problema nosso, a arquitetura, mas visto a partir da (ou com a) imaginação conceitual e a criatividade espacial yanomami. "Pendurar redes", nesse sentido, é de fato uma concepção mais leve e menos perene do construir e também do habitar. Penso eu, inclusive, que seja essa uma das lições mais profundas que pude tirar dessa experiência de trabalho e de reflexão. Tais concepções, no entanto, devem ser cuidadas para que não soem como supostos modelos de cura importados para nossos próprios males, por exemplo aqueles relacionados ao problema do Antropoceno, cuja natureza violenta e a durabilidade extensiva de nossos materiais, tecnologias e formas de construir e viver desvelam e refletem nosso profundo impacto sobre a Terra. Consciente das diferenças radicais de pensamento que tais práticas nos ensinam, no entanto, creio que podemos aprender com a leveza da arquitetura yanomami uma série de outras possibilidades de fazer e de pensar em arquitetura. Ou, no mínimo, de pensar, reconhecer e valorizar outras formas de arquitetura.

Assim, não diria que se trata de um modo radicalmente não tectônico, dado que as construções naturalmente se constituem de sua contraparte concreta, edificada. No entanto, trata-se talvez de uma tectônica de ordem mais perecível, adaptada radicalmente ao meio, extremamente biodiversa, passível de transformações exemplares e estratégicas e, ainda, com uma singular capacidade de habitar a incerteza dos tempos, variando entre moradas mais estáveis e menos estáveis, grandes aldeias e casas coletivas até pequenos, ágeis e leves acampamentos no mato, por exemplo tendo em vista um refúgio no mato contra a epidemia de Covid-19.

Mas há uma outra dimensão da tal "arquitetura yanomami" potencialmente "radicalmente não tectônica", como você disse, que são as moradas dos espíritos auxiliares dos pajés, construídas virtualmente no peito dos pajés através da iniciação xamânica e das sessões de pajelança. Essas casas, que nos relatos são descritas como enormes, brilhantes, límpidas e altíssimas, entretanto, tensionam a própria natureza tectônica da arquitetura, já que se constituem num plano virtual e através de uma outra perspectiva. Ou seja, naquele plano em que, da perspectiva dos espíritos, o corpo do pajé é visto como casa, logo, como uma certa arquitetura recursiva e ubíqua, onde o corpo do pajé é simultaneamente visto como corpo e como casa. As casas dos espíritos, contudo, são sobretudo associadas aos lugares tectônicos por excelência, como as rochas e os picos rochosos que afloram nas altas montanhas e serras da floresta. Ou, ainda, o próprio corpo do pajé, visto como casa-montanha. Com isso, o que o pensamento yanomami provoca é também uma reflexão propriamente tectônica da arquitetura, mas aliada e simultânea a um plano virtual dos espíritos xamânicos, de certa forma, e, num sentido oposto, complementar ou extremado da própria arquitetura construída no mato ou nas clareiras domésticas.

GW Aproveitando essa ideia, você poderia descrever a dialética (seria dialética uma boa palavra?) entre as aldeias e os assentamentos nômades na floresta (tapiris)?

TB Acredito que dialética não seja uma boa palavra, primeiro porque é excessivamente carregada e arraigada no pensamento filosófico ocidental, e segundo porque esse pêndulo entre as aldeias mais estáveis e os acampamentos menos estáveis nas florestas não configura uma oposição ou uma contradição propriamente dialética. Quero dizer, com isso, que se trata de duas formas que podem se desenrolar de forma simultânea, e não necessariamente contraditórias entre si.

Explico isso dando um exemplo recente da região do alto rio Marauiá, onde trabalho desde 2016. Até 2020, no contexto da pandemia de Covid-19, fazia quase duas décadas que os Yanomami dessa região não exerciam uma prática espacial conhecida por *wayumɨ*, cuja tradução poderia ser "sair para o mato". Trata-se, em poucas palavras, de uma estadia prolongada de alguns meses na floresta, em acampamentos temporários tipo tapiri, onde os grupos vivem sobretudo da caça e da coleta de frutos da floresta.

São diversas as razões que podem estimular uma "saída de *wayumɨ*", como se diz misturando o português com o yanomamɨ: desde o interesse em aproveitar uma determinada época frutífera de colheita até como meio de evitar um conflito no âmbito familiar da aldeia ou entre aldeias inimigas. Em 2020, entretanto, os Yanomami do Marauiá reativaram o *wayumɨ* através de outra de suas funções, que é fugir de epidemias e afastar-se ainda mais do contato e do contágio, refugiando-se na floresta, dessa vez não pelo sarampo, tal como há algumas décadas, mas pelo novo coronavírus, que assolou o mundo, e entre os Yanomami é associado ao ser maléfico das epidemias (Xawarari). Com o avanço da epidemia pelo rio, os grupos yanomami saíram de suas aldeias, deixando-as completamente esvaziadas, e migraram para o mato, onde passaram alguns meses até que, recentemente, retornaram pouco a pouco às aldeias. Tradicionalmente, ou mais antigamente, esse movimento pendular entre meses de estadia na floresta e meses habitando as clareiras domésticas nas aldeias mais estáveis é algo convencional e, variando as motivações ou os contextos, é ou era feito de forma sistemática e regular.

Com a pandemia do coronavírus, no entanto, tal prática, que estava meio adormecida nessa região – dadas as várias condições que levam as aldeias a sedentarizar-se atualmente, por exemplo as decorrentes do contato e sobretudo dos serviços de saúde e educação promovidos pelo Estado nas aldeias –, é retomada e, de certa maneira, também reinventada. Passou a configurar-se, assim, como uma estratégia de resistência ou uma prática espacial de resistência, poderíamos dizer. Mas, mais do que isso, essa retomada evidencia algo que, se estava apenas latente, não quer dizer que estava esquecido, mas, pelo contrário, que é um movimento estrutural entre as formas yanomami e indígena, de um ponto de vista mais geral, de habitar. Ou seja, trata-se justamente dessa variação entre formas mais estáveis e formas menos estáveis, aliadas às condições sociopolíticas ou sociocósmica de um determinado espaço e tempo. Estas variam, essencialmente, entre arquiteturas de aldeias e de casas mais estáveis, maiores e mais bem construídas, no sentido de sua durabilidade, e as menos estáveis, através das formas mais breves, ágeis e perecíveis, como os tapiris na floresta.

Assim, são duas formas de habitar que não se opõem, mas que, potencialmente, são condições de existência uma para a outra. Em um conflito familiar, por exemplo, é a possibilidade de sair para o mato o que pode garantir que o grupo se mantenha coeso, evitando, com isso, uma ruptura e permitindo que a casa se mantenha enquanto tal, com sua respectiva configuração familiar, perto de suas roças domésticas, num mesmo local comum etc. Caso contrário, o conflito pode se tornar insuportável e, no pior dos casos, o grupo e a casa podem vir a separar-se, dividindo-se em dois ou mais novos grupos e novas aldeias, passando assim a momentos e tempos de mais incerteza e de mais instabilidade, eventualmente recorrendo a viver de modo temporário em acampamentos no mato, por exemplo, até que as roças e as casas sejam devidamente aprontadas. Ou seja, trata-se de uma forma de habitar que elabora seus próprios meios políticos e também espaciais de manutenção de uma certa estabilidade, sempre delicada, e que faz isso também através de uma variação entre formas mais temporárias e menos temporárias de habitação. Retomando a pergunta anterior, penso que é também assim que se constitui uma certa leveza de tal forma de habitar, no sentido de sua transitoriedade e mobilidade, portanto.

GW Na dissertação você fala da construção yanomami como um "pisar leve sobre a terra", pensando que as redes flutuam, não tocam o solo. Você acha que existe aí um éthos da singeleza e da discrição? Uma espécie de consciência da necessidade de não intervir excessivamente sobre o planeta?

TB "Pisar leve sobre a terra" é uma expressão que eu empresto do Ailton Krenak.[2] Originalmente, no argumento desse pensador indígena, o "pisar leve" está associado ao que nós chamaríamos de um "baixo impacto ambiental" relacionado aos modos de vida dos povos indígenas e, portanto, a uma espécie de lição que deveríamos aprender ou, no mínimo, respeitar quando diante desses povos e de suas formas de existência. "Pisar leve", nesse sentido, se opõe aos "rastros da destruição" deixados pelos brancos (os não indígenas) ao longo de seus caminhos e trajetórias, tal como diria o Davi Kopenawa Yanomami. Em meu trabalho, a expressão adquire ainda um sentido complementar, pois a associo mais especificamente às formas "leves" de construir e habitar.

Nesse sentido, as redes, como você pontua, são exemplares, mas não é apenas em torno delas que esse possível éthos da singeleza e da discrição poderia ser pensado. Mais do que esses atributos, inclusive, poderíamos pensar na questão da efemeridade ou da impermanência como aquilo que confere certa leveza a tal modo de existência e, mais especificamente, à arquitetura yanomami. O problema da permanência e da impermanência, ou do imperecível e do perecível, é em muito refletido através das narrativas míticas e xamânicas yanomami, e também em torno dos procedimentos e rituais funerários. A questão poderia ser organizada esquematicamente da seguinte maneira: a permanência, ou o

2 Ver, por exemplo, Ailton Krenak; Amanda Massuela; Bruno Weis. "O tradutor do pensamento mágico" (entrevista com Ailton Krenak). In: *Cult*, n. 251, 2019. Disponível em: revistacult.uol.com.br/home/ailton-krenak-entrevista/. Acesso em: 26 jan. 2021.

imperecível, está associada aos seres-imagem, os "espíritos" (*hekura pë*), infinitos e imortais, e às suas casas (*hekura pë yahi pɨ*), duras e duráveis (associadas às rochas e montanhas, por exemplo), enquanto a impermanência, ou o perecível, é associada à humanidade atual e seus corpos e casas, moles e frágeis como a própria madeira. Essa distinção é marcada no pensamento yanomami, inclusive de forma gramatical, através de diferentes classificadores nominais para rochas e elementos de madeira. Mas essa oposição é especialmente refletida nas narrativas míticas que descrevem o processo de separação dos seres (entre espíritos, humanos e animais) e de constituição da humanidade primeira, distinguindo-se dos antepassados humano-animais, no que diz respeito tanto aos corpos quanto às casas.

Não entrarei em detalhes sobre esse ponto, mas o que vale destacar é que há um pensamento sobre a questão da permanência, e de seu revés, que é continuamente atualizado, dos mitos à vida cotidiana, em torno dos problemas da finitude, da transitoriedade e da morte. Essa questão, por exemplo, é muito marcada no ritual funerário chamado *reahu*, no qual todos os rastros da pessoa - potencialmente do seu corpo à sua casa - devem ser destruídos, queimados no fogo, a fim de manter a devida separação entre vivos e mortos, já que a permanência material do falecido e de suas coisas poderia criar interferências incômodas e perigosas.

Além disso, voltando à sua última pergunta, sobre uma certa consciência perante o planeta, isso é um ponto fundamental e constantemente alertado pelos pajés e lideranças yanomami de diferentes maneiras, o que inclusive se amarra com as questões que levantei anteriormente. Isso, pois o que os pajés fazem por excelência é estabelecer um diálogo, uma mediação e uma diplomacia com os espíritos *hekura*. Estes podem ser importantes aliados para curar uma doença, por exemplo, mas são também potencialmente perigosos e podem se tornar enfurecidos diante das excessivas e violentas intervenções humanas, especialmente aquelas causadas pelos brancos (*napë pë*).

Adriano Pukimapɨwëteri, liderança yanomami do alto Marauiá, certa vez me contava sobre como os espíritos ficaram furiosos diante da destruição pelos brancos de suas casas-montanhas e de suas florestas e, com isso, alertavam, mediados pelos pajés, que, se assim eles continuassem, poderiam cortar os suportes do céu, findando definitivamente com a humanidade presente. A diplomacia dos pajés, portanto, trata de gerar um equilíbrio possível com tais espíritos, apesar da sanha antropocêntrica e destrutiva dos brancos.

Tal consciência, para usar a palavra que você empregou, portanto, se reflete também na arquitetura em um sentido muito concreto: as construções são feitas com materiais da floresta, e não com minérios escavados das profundezas, que abalam a terra e a relação com seus espíritos protetores; são ainda extremamente biodiversas, distintas da monocultura construtiva e destrutiva do Ocidente. E, portanto, são perecíveis, desmancham-se ou resumem-se a cinzas quando diante de uma morte ou mesmo de uma mudança de aldeia, e em poucos anos o que brota ali, naquele mesmo terreno, é floresta, novamente. Isso tudo para te dizer que sim, creio que há um éthos da singeleza e discrição, mas não só, pois é também da efemeridade, da finitude, da vida e do cuidado.

GW Mais uma vez na dissertação, você escreve que para os Yanomami o *xapono* (casa-aldeia) não é apenas uma estrutura física que abriga as pessoas, ele é o que "constitui o idioma da coletividade, o pano de fundo da socialidade vivente". Pode explicar melhor essa ideia?

TB Essa pergunta toca em um aspecto essencial da arquitetura yanomami, ao menos pela forma como eu a tenho pensado, que é a ideia de viver junto. A ideia é simples e num primeiro momento até um pouco óbvia: o *xapono* só faz sentido enquanto tal quando habitado e quando vivido junto. O *xapono*, portanto, é resultado de uma reunião de pessoas em torno de uma mesma clareira doméstica, aberta num trecho de floresta em conjunto com as roças ao redor ou nas proximidades, e construído num trabalho coletivo e familiar. É através dessa reunião sempre instável, pois depende de uma manutenção contínua das relações, que o *xapono* se faz e é feito. Ele próprio também é instável, num certo sentido, já que também depende dessa manutenção da sociabilidade, caso contrário é abandonado e outro ou outros são feitos, dando continuidade a esse ciclo.

Assim, um bom jeito de explicar essa ideia é através de sua oposição radical, a partir de uma figura mítica associada ao espírito-fantasma dos mortos, Pore. Em diversos relatos e narrativas míticas sobre essa figura, seu *xapono* (sua casa-aldeia) é descrito de forma estranha, com uma certa desconfiança, como um lugar vazio - dado que Pore morava praticamente só, apenas com seu filho - e silencioso, estranhamente silencioso. Vazio e silêncio, portanto, são o oposto da sociabilidade de um *xapono* pleno e vivo. Além disso, relatam que Pore não tinha fogo e nenhuma fumaça era vista saindo de sua casa, de modo que sua morada era fria e a comida que oferecia era crua e ruim. Nesse sentido, resumindo aqui um pouco do argumento, o *xapono* de Pore corresponde a uma certa reflexão sobre uma negação da humanidade, dado que contraria o devido conjunto de costumes morais e propriamente domésticos, sendo assim como um anti-*xapono* por excelência.

Há também um outro modo de pensar sobre esse idioma da coletividade a partir de outro conjunto de mitos. Isso foi algo que eu entendi conforme lia e relia os mitos yanomami (publicados e alguns que eu mesmo escutei e registrei), nos quais eu buscava alguma narrativa que descrevesse as origens do *xapono*, o "verdadeiro", o primeiro ou algo assim. Esse tipo de narrativa sobre as casas ancestrais, ou sobre como determinado grupo aprendeu a construir um certo tipo de casa ou maloca, pode ser encontrado nas mitologias de diversos grupos indígenas das terras baixas da América do Sul, mas escapava da minha compreensão nas narrativas yanomami. No entanto, e aos poucos, isso foi adquirindo uma certa clareza para mim. São inúmeros mitos que descrevem as antigas casas do tempo dos ancestrais, o tempo mítico da indistinção entre humanos e animais, e o que se lê é que todo mundo morava em *xapono*. Alguns eram em cima das árvores, como o do povo Esquilo, outros debaixo do rio, como o do povo das águas, e, de diferentes formas, todos tinham e todos moravam em *xapono*. Cada um à sua maneira, mas sempre um *xapono*; ou seja, não um modelo estanque e originário, mas uma variação em torno de um mesmo tema, sendo, portanto, partilhado por todos. Assim, os mitos yanomami não versam sobre um *xapono* primeiro ou prototípico, mas, ao contrário, demonstram uma profusão de *xapono* possíveis, como se todos os mitos fossem sobre ele, ainda que nenhum seja propriamente dele. Configura-se, assim, um idioma comum através de uma forma de moradia essencial, ainda que com múltiplas variações: o *xapono*.

Por fim, tem também um sentido complementar, em que, se no tempo mítico o *xapono* era partilhado de forma comum entre as espécies ancestrais, com a transformação e a distinção entre animais e humanos, os últimos passaram a ser diferenciados dos demais e caracterizados em si pela forma específica do seu modo de habitar, isto é, vivendo em clareiras domésticas na floresta e em casas construídas no *xapono*. O melhor jeito de contar isso é lembrando uma passagem do livro *A queda do céu*, no qual Kopenawa diz: "[...] os animais nos consideram seus semelhantes que moram em casas, ao passo que eles se veem como gente da floresta. Por isso dizem de nós que somos 'humanos caça moradores de casa!' (*yanomae thë pë yaro yahi thëri thë pë*)", em oposição, assim, aos "animais habitantes da floresta" (*urihi thëri yaro pë*).[3] Nesse sentido, são as casas que caracterizam a natureza da humanidade atual e, também, fazem do *xapono*, em suas múltiplas configurações, mais do que uma conjunção de moradas, o idioma, o modelo e o modo da socialidade propriamente humana.

GW Parece que os conquistadores, incluindo-se aí os missionários, entenderam muito bem que a melhor forma de destruir um modo de vida era (e é) mudar a forma de viver, substituindo-se as casas comunais por casas individuais, não é?

TB Esse procedimento é, realmente, parte do *modus operandi* da atuação missionária desde os jesuítas. Atualmente isso é algo que por vezes tem contornos mais sutis e menos visivelmente violentos. Antigamente, entretanto, tal método era deliberado e abertamente exposto. Os Dessana do alto rio Negro, por exemplo, tiveram suas icônicas malocas comunais praticamente extintas logo na década de 1950 pela atuação sistemática e violenta dos missionários salesianos. Desse momento, transbordam relatos de padres, bispos e monsenhores bradando abertamente contra as ditas "casas do diabo". As malocas eram assim tidas como "perigosas", como espaço da "promiscuidade", palco de "danças orgiásticas que duravam dois dias e duas noites seguidas", e do temível "gás carbônico", de modo que as primeiras iniciativas dos missionários se concentram em destruir as moradas tradicionais e promover a construção de casas individuais, aos moldes – precários, diga-se de passagem – da dita civilização. O mote era, em suma: "ser bonzinho, rezar sozinho".[4]

3 Davi Kopenawa; Bruce Albert. *A queda do céu: palavras de um xamã yanomami*. São Paulo: Companhia das Letras, 2015 [2010], pp. 473/679, nota 14.

4 Os trechos e expressões citados têm como fonte: Kazys J. Béksta. *A maloca tukano-dessana e seu simbolismo*. Manaus: Secretaria de Estado da Educação e Cultura, 1988.

Sobre esse assunto é importante lembrar também de uma conhecida passagem do livro *Tristes trópicos*, de Claude Lévi--Strauss, em que o antropólogo descreve esse *modus operandi* dos missionários salesianos na sua atuação entre os Bororo, no Brasil Central. Tomo a liberdade de citar o autor, cujo relato e argumento são precisos: "A distribuição circular das cabanas em torno da casa-dos-homens é de tal importância, no que se refere à vida social e à prática do culto, que os missionários salesianos da região do rio das Garças logo aprenderam que o meio mais seguro de converter os Bororo consiste em lhes fazer trocar sua aldeia por outra onde as casas são colocadas em fileiras paralelas. Desorientados em relação aos pontos cardeais, privados da planta que fornece um argumento a seu saber, os indígenas perdem rapidamente o sentido das tradições".[5]

O que esse breve depoimento demonstra, portanto, é o fato de que a arquitetura – ou a transformação ou catequização através da arquitetura – é uma ferramenta e uma arma potente e perigosa, dado que ela própria é, em suma, importante e fundamental, ou seja, "é a planta que fornece um argumento a seu saber". Em outras palavras, a arquitetura é o chão comum sobre o qual, e com o qual, a vida se desenrola e se faz. E justo por isso, pela centralidade que ocupa, é onde reside uma perigosa dimensão farmacológica da arquitetura, como disse certa vez o arquiteto israelense Eyal Weizman, isto é, como sendo tanto o remédio quanto o veneno.[6] E isso é importante nós lembrarmos, sempre.

GW Outra coisa: você diz que o meio do *xapono* é disforme, uma contrageometria, por mais que formalmente ele possa

5 Claude Lévi-Strauss. *Tristes trópicos*. São Paulo: Companhia das Letras, 1996 [1955], pp. 206-207.

6 Eyal Weizman; Yesomi Umolu. "Eyal Weizman and Architecture as Political Intervention". In: *Walker*, 2012. Disponível em: walkerart.org/magazine/eyal-weizman-architecture-confronts-politics. Acesso em: 29 jan. 2021.

ter um desenho geométrico. Pode explicar essa ideia? E, aproveitando, pode relacionar esse vazio do meio do *xapono* com o espaço intermediário entre ele e o interior da casa, isto é, o avarandado que faz essa transição?

TB Essa ideia sobre o "meio do *xapono*" como uma contrageometria é complexa, e pode haver muitas entradas para ela. Assim, sugiro adentrarmos por um caminho que a conecte com sua pergunta anterior, sobre a atuação colonial e missionária.

Citei casos dos Bororo e dos Dessana, cujos relatos são de amplo conhecimento, mas poderia ter citado casos entre os Yanomami, inclusive entre os grupos yanomami com os quais eu trabalho no rio Marauiá, ou com grupos relacionados a eles, da região do rio Maturacá. Em ambos, a atuação missionária não foi tão explicitamente violenta, com o extermínio total das malocas e casas coletivas, por exemplo. E isso, possivelmente, tanto por uma questão da época (dado que o contato e a aproximação missionária com os Yanomami decorreram algumas décadas depois, nos anos 1960, após fortes pressões internacionais contra a atuação no alto rio Negro, com os Dessana por exemplo) quanto pelo perfil dos padres que lá estiveram – lembrando que nesses casos também carecemos de registros e documentações qualificadas desse tipo de atitude, o que não as exclui por completo. No entanto, não se deve descartar nas leituras sobre os processos de transformação do espaço e das formas das casas entre os Yanomami uma interferência considerável do contato e da ação missionária.

Na região do Maturacá, por exemplo, onde consta uma presença histórica mais intensa da missão salesiana em relação ao Marauiá, há alguns registros da imposição de uma reorganização espacial radical. Conta-se, assim, que a partir de 1971, com a chegada de um novo padre italiano na missão, os indígenas foram forçados a deixar de habitar as casas coletivas (*xapono*), que eram associadas a práticas pecaminosas e imorais, e foram induzidos a viver em casas unifamiliares, reclusas das demais por fechamentos laterais e cobertas por telhas de alumínio distribuídas pelos próprios salesianos.[7]

Essa reorganização espacial na região do Maturacá não me parece ter sido de imediato e também puramente imposta, ou seja, sem qualquer agência dos próprios Yanomami em relação ao assunto. Mas o que quero apontar, para além da transformação das casas coletivas em unifamiliares - oposição essa que também poderia ser complexificada -, tem a ver com a forma do *xapono*. Isso porque se convencionou em certa literatura antropológica dizer que as casas-aldeia yanomami são redondas ou se constituem ao redor de uma clareira e um pátio circular, um terreiro de chão batido, completamente limpo e ao redor do qual as casas ou a grande casa se apresentam em círculo. A definição é genérica o bastante, mas corre o risco de uma simplificação exagerada, dado que pressupõe uma geometria que, de fato, não é partilhada pelo pensamento yanomami. Assim, a manutenção do círculo enquanto forma "original", digamos, não se apresenta como um problema claro para alguns subgrupos, e especialmente para aquelas aldeias que, sob pressões diversas, passaram por movimentos de sedentarização, crescimento populacional significativo, interferência direta de construções e instituições do Estado, transformação das moradas e mesmo possíveis imposições pelos missionários tais qual a citada anteriormente.

No Maturacá, então, podemos dizer que os atuais *xapono* de lá, comparados com essa descrição sumária, são totalmente "disformes", para usar o termo de sua própria pergunta, como se se pegasse um círculo, um anel de cipó com as mãos, por exemplo, e o esticasse afastando uma mão da outra, num

7 Gustavo Hamilton Menezes. *Yanomami na encruzilhada da conquista: contato e transformação na fronteira amazônica*. Tese de doutorado, Brasília, Universidade de Brasília, 2010.

gesto completamente orgânico, mantendo o vazio central, mas não como um círculo ou algo afim. Não é isso, no entanto, algo que simplesmente desqualifica esses espaços habitados como um *xapono*, especialmente desde a perspectiva yanomami, até onde eu pude compreender. E isso mesmo que os próprios tenham sofrido mudanças e transformações radicais, crescendo a ponto de as seções familiares, algo que anteriormente era equivalente a uma fatia da casa coletiva ocupada por um mesmo grupo familiar e seu afins, serem atualmente consideradas como verdadeiros "bairros", tal como na cidade de São Gabriel da Cachoeira, relativamente próxima dali.

Encurtando um pouco esta conversa, e tomando como exemplo esse caso do Maturacá, o que eu proponho, assim, é pensar na ideia de que o *xapono* não é restrito a uma forma geométrica específica, mais ou menos circular – lembrando que geometria é, de fato, um problema estrangeiro aqui. Ao contrário, sugiro compreendê-lo como um modelo conceitual em que o "meio do *xapono*" (*xapono heha*) opera como elemento lógico e relacional, gerador de sentido às múltiplas configurações da casa-aldeia, e como aquilo que abre espaço, fundamentalmente, à sociabilidade yanomami.

Atento à tradução feita pelos próprios Yanomami do termo *xapono heha*, pode-se notar que, mais do que uma forma política e geométrica em particular – como a noção grega de *méson* ("meio"), definindo o que é público em oposição ao privado, materializada no espaço geométrico e democrático da *pólis* pela cidade centralizada na praça da ágora[8] –, o que a tradução para "meio do *xapono*" sugere é um centro, não geométrico nem vazio, mas um espaço intermediário entre as casas e as distintas seções familiares, marcado pela plenitude das relações inscritas no espaço. Essa plenitude, no entanto, é tanto

8 Sobre isso, ver, por exemplo, Jean-Pierre Vernant. *Mito e pensamento entre os gregos*. Rio de Janeiro: Paz e Terra, 1990 [1988], p. 252.

produzida e mediada quanto entrecortada pelas relações de influência e de posição marcadas pelo parentesco e pela aliança, através da constante dinâmica de agregação e desagregação.

Além do mais, trata-se de um espaço liminar entre as relações humanas e extra-humanas agenciadas pelos pajés, através do diálogo e do engajamento com os seres-imagem *hekura*, os "espíritos". É nesse sentido que podemos compreender o *xapono* e o meio do *xapono* para além do círculo como modelo físico ou formal, isto é, para além de uma diferença extensiva e geométrica, mas como um modelo conceitual que permite uma reunião, de forma intensiva, em torno de algo e com alguém.

É dessa oposição entre o intensivo e o extensivo, a partir desse pensamento sobre o meio do *xapono*, portanto, que surge a ideia de uma contrageometria. A diferença entre o extensivo (o geométrico) e o intensivo (das relações, das afecções) do meio do *xapono*, assim, se faz mais clara com este breve paralelo com o que propuseram Gilles Deleuze e Félix Guattari em *Mil platôs*. O assunto é complexo e difícil de encurtar, por isso faço recurso aqui à parte do meu próprio texto da dissertação e também a uma citação direta da obra citada como forma de organizar e expor o raciocínio.

Assim dizem os filósofos: "Se há uma 'geometria' primitiva (protogeometria) é uma geometria operatória [intensiva] em que as figuras nunca são separáveis de suas afecções, as linhas de seu devir, os segmentos de sua segmentação: há 'arredondamentos,' mas não círculo, 'alinhamentos,' mas não linha reta, etc. Ao contrário, a geometria de Estado [extensiva], ou melhor, a ligação do Estado com a geometria, se manifestará no primado do elemento-teorema, que substitui formações morfológicas flexíveis por essências ideais ou fixas, afectos por propriedades, segmentações em ato por segmentos predeterminados".[9]

9 Gilles Deleuze; Félix Guattari. *Mil platôs. Capitalismo e esquizofrenia* (v. 3). São Paulo: Editora 34, 2015 [1980], p. 97.

No entanto, meu argumento é que, diferentemente do que pressupõem Deleuze e Guattari, trata-se aqui menos de uma protogeometria que de uma contrageometria, já que esta (a "primitiva") não antecede a outra (a "de Estado", democrática). O meio do *xapono*, ao contrário da forma fixa ou ideal, é potencialmente disforme, no sentido geométrico (ou contrageométrico), mas não no sentido relacional. Neste, o *xapono heha* é, de certa forma, o negativo, o resultado (nunca concluso, mas contínuo), a expressão espacial das conjunções e disjunções, dos conflitos e das alianças, dos movimentos e da permanência, das contingências e das estratégias.

Enfim, respondendo ainda à segunda parte de sua pergunta, sobre o espaço intermediário entre a casa e o meio do *xapono* – a soleira ou o "avarandado", como você disse –, é nessa área de soleira ou umbral, chamada também de "o pátio da casa" (numa tradução aproximada de *hato nahi heha*), que se tem a visão integral do círculo de casas do *xapono*, e é de onde se emitem as vozes dos diálogos *kãwãamou*, que são falas de aconselhamento emitidas pelas lideranças e anciãos, organizando a vida e as relações no (e do) *xapono*. Nela, também, é por onde se circula para ir de um lado a outro do *xapono* e onde costumam estar localizados os bancos dos pajés, utilizados nas sessões de pajelança *hekuramou*. Os bancos são estreitos e baixos e permitem que, durante o *hekuramou*, estes se sentem como se estivessem de cócoras. Em outras ocasiões, os bancos são de uso comum, circulam pelas diferentes áreas do interior da casa e, inclusive, de uma casa à outra. Nesse sentido, entende-se também a forma alternativa pela qual esse espaço de soleira pode ser nomeado, algo traduzível como o "lugar onde se senta" (*tikeorewë*).

A área de soleira – ou "lugar onde se senta" ou "o pátio da casa" –, assim, condensa o caráter liminar e de passagem, no que diz respeito tanto ao espaço arquitetônico quanto às agências xamânicas caracterizadas pelas capacidades de conexão e mediação com os "espíritos" (*hekura*). Se no espaço arquitetônico do *xapono* o estado liminar é o que marca a passagem entre o claro e o escuro, ou o dentro e o fora, na ação xamânica a mediação se dá entre o visível e o invisível, ou o humano e o extra-humano. Esse estado liminar mediado pela ação xamânica é expresso espacialmente no âmbito da iniciação xamânica *taamayõu*. Nessa, para possibilitar e estimular a migração dos primeiros *hekura*, que são chamados e invocados desde os picos rochosos até o corpo do pajé aprendiz, situado nos bancos da soleira da casa, os pajés mais experientes tratam de traçar um "caminho dos espíritos", delineando-o com os próprios pés em movimento ou, eventualmente, sulcando um rastro linear que atravessa o pátio central do *xapono* e adentra o interior da casa, atravessando essa área liminar da soleira.

Além de liminar, é essa a área onde a vida se desenrola, digamos assim, com mais intensidade. Diferentemente do meio do *xapono*, cujas atividades são muito concentradas em determinadas etapas do rito funerário ou em poucos usos cotidianos – o futebol dos jovens à tarde, após o trabalho no mato ou na roça, por exemplo, ou algumas brincadeiras de criança –, essa área de soleira é onde parte das atividades que mais animam a vida cotidiana do *xapono* ocorre. Pajés cantando e cheirando paricá, jovens reunidos em torno desses, pessoas e bichos circulando de um lado para outro, homens fazendo flechas, mulheres tecendo cestos, técnicos de saúde fazendo atendimentos de rotina, reuniões e assembleias do povo do *xapono*, enfim, essa é a área onde a vida pública – digamos assim – acontece, e não no meio do *xapono*, como seria de se imaginar. Assim, se o meio do *xapono* é esse espaço intermediário entre as casas e as distintas seções familiares – como uma marca tanto da conexão quanto do afastamento, isto é, aquela distância devida para que a sociabilidade se constitua e se mantenha –, o espaço da soleira, esse avarandado, é o espaço liminar do encontro, do diálogo e do cotidiano.

Entrevista realizada em 7 de janeiro de 2021.

De Frantz Fanon a Black Lives Matter

Renato Noguera

Renato Noguera é professor do Departamento de Educação e Sociedade (DES), do Programa de Pós-Graduação em Educação, Contextos Contemporâneos e Demandas Populares (PPGEduc), do Programa de Pós-Graduação em Filosofia (PPGFil) e da Universidade Federal Rural do Rio de Janeiro (UFRRJ). Atua como pesquisador no Laboratório de Estudos Afro-Brasileiros e Indígenas (Leafro), coordena o Grupo de Pesquisa Afroperspectivas, Saberes e Infâncias (Afrosin) e tem doutorado em filosofia pela Universidade Federal do Rio de Janeiro (UFRJ). Também é ensaísta, roteirista e dramaturgo.

Guilherme Wisnik Renato, Frantz Fanon era francês, nascido na colônia da Martinica e, portanto, um negro de um país branco, vivendo uma situação de deslocamento. A obra dele pode nos ajudar a discutir a questão decolonial, os ativismos negros de ontem e de hoje e a diferença desses ativismos em relação a um marxismo mais tradicional, baseado na luta de classes. Há uma ideia bastante presente nos textos dele de que a colonização não é apenas uma atividade de opressão militar e econômica, mas é também responsável por traumas na constituição do sujeito. Essa conexão psíquica da colonização me parece uma reflexão muito original, e eu gostaria que você nos falasse um pouco mais sobre isso.

Renato Noguera Uma das obras mais emblemáticas de Fanon é *Pele negra, máscaras brancas*.[1] Ele coloca o colonialismo como elemento central para entendermos como a sociedade funciona, como o sistema-mundo funciona. Fanon diz que o processo de colonização produz uma alienação do sujeito e ele pensa a raça como uma categoria-chave para entender esse processo. Fanon é um leitor de Marx, de Freud, de Sartre, de Hegel. Ele dialoga com a filosofia, com o existencialismo, tem um diálogo muito forte com o marxismo. Mas vai pensar a raça como uma categoria inescapável para entendermos como a sociedade se estrutura. Ele faz uma crítica à posição da Europa como centro gravitacional para entendermos as sociedades humanas modernas e contemporâneas e um deslocamento para pensarmos o processo de colonização.

O *Pele negra, máscaras brancas* é uma obra muito lida, tem prefácio de Sartre e é criticado pela Hannah Arendt. Ela afirma que o livro fala muito da violência, que seria quase um elogio à violência. Mas não é isso o que ele diz. Para mim, um fator importante é compreender a violência como uma linguagem, ou seja, o letramento do processo de colonização se dá pela

1 Frantz Fanon. *Pele negra, máscaras brancas*. São Paulo: Ubu, 2021.

violência. E tanto o colonizador quanto o colonizado se tornam adictos dessa linguagem. Fanon fala de uma sociogênese do fenômeno do racismo. *Pele negra, máscaras brancas* é uma metáfora explícita sobre como se tornar humano: a população negra colonizada precisaria justamente pegar uma máscara branca para ser humanizada, para ser reconhecida como gente. Ele reconhece um processo sistemático de animalização, está muito preocupado com isso.

Outro trabalho interessantíssimo é *Os condenados da terra*, que tem a ver com a presença dele na Argélia, com seu trabalho como diretor de um hospital psiquiátrico, e como homem engajado no processo de libertação do país. Ele faz uma leitura muito interessante que influencia a obra do filósofo contemporâneo camaronês Achille Mbembe, autor de *Crítica da razão negra* e de *Necropolítica*, na medida em que há uma cartografia, uma geografia que determina que alguns já nascem condenados, já nascem numa danação eterna. Ele percebe que há um tipo de geopolítica que traça uma divisão entre os brancos europeus, que são os donos, aqueles capazes de herdar um certo paraíso, e aqueles africanos, os não brancos, não europeus, marcados por um não lugar. Ele faz uma provocação a Freud, dizendo que Édipo não poderia se manifestar num contexto cultural diferente, e isso, inclusive, traz outros estudos *a posteriori*, como *Édipo africano*. Ele faz um debate para entender que existem elementos culturais distintos.

Fanon é um meteoro, homem que morre muito jovem, aos 36 anos de idade, mas que deixa uma grande obra. Agora as peças de teatro dele estão sendo traduzidas para o português. Ele tinha relação com Sartre, com Simone de Beauvoir, teve uma passagem pela revista *Les Temps Modernes*. Ele, de alguma forma, responde a Hannah Arendt. Ela entende que ele está falando de uma violência gratuita e, para ela, política não se faz por violência, mas pela via do projeto civilizatório. Porém, Fanon está dizendo que o projeto civilizatório da modernidade colonial ocidental se impõe pela violência. A violência não é um acaso, é uma palavra de ordem. Não há como a gente pensar para além da violência, ou pensar fora da violência.

Portanto, a resistência anticolonial não tem como operar fora dessa língua, que é a língua que a metrópole entende, a língua da violência. Esse é o regime sob o qual todos vivem. E a violência, ao mesmo tempo, é uma substância viciante. A metrópole goza, de alguma forma, pelo exercício da violência. Então, o fim da violência só pode ocorrer se a gente desfaz essa fronteira entre metrópole e colônia. Com isso, Fanon acaba influenciando tanto os discursos pós-coloniais, através de pessoas como Homi K. Bhabha e outros, como os decoloniais, que são os estudos latino-americanos, o grupo Modernidade/Colonialidade. Ramón Grosfoguel, Aníbal Quijano, Catherine Walsh são leitoras e leitores famosos. Ele faz uma crítica radical, vai analisar o racismo e falar da necessidade de uma praxe revolucionária como único antídoto. Em *O ano cinco da revolução argelina,* ele vai falar sobre isso.

É muito interessante o trabalho dele como psiquiatra, e é pouco citado, inclusive entre os psiquiatras do movimento antimanicomial. Há uma invisibilização de Fanon na medida em que ele tem um conjunto de práticas que, muitas vezes, assustava as enfermeiras, os enfermeiros, os trabalhadores do hospital. Muitos pacientes desapareciam junto com o diretor, o psiquiatra-chefe e, dali a pouco, voltavam sujos de lama, porque tinham ido participar de uma partida de futebol. Fanon pensava que o que está em jogo no processo de alienação, no processo de sofrimento psíquico, tem relação direta com a colonização. O colonizado vive essencialmente essa alienação por conta do modelo civilizatório do colonizador, que impõe, desde o início, uma menos-valia sobre aquele que é colonizado, que precisa usar uma máscara branca, que precisa se disfarçar para poder se tornar humano, se tornar alguém.

GW Ele nasceu na Martinica, que era território francês. Portanto, aprendeu que era francês, mas, ao chegar à França, se sente estrangeiro. Isso tem uma relação direta com a questão da raça e da cor, dando a ele uma perspectiva dessa relação de estranhamento, do eu e do outro, do não pertencimento e a capacidade de entender o problema das máscaras. Imagino que o processo de superação desses traumas estaria em conseguir remover essas máscaras. É isso?

RN Além de nascer na Martinica, que era um protetorado francês, o que está em jogo é a questão da raça. O colonizado branco que falasse francês com pouco sotaque poderia se passar por francês. Mas um colonizado negro, ainda que falasse um francês impecável, seria visto como "outro". Fanon relata algo no livro: quando um menino aponta para ele e, meio assustado, diz que está vendo um negro. Fanon se assusta com o grito, e a mãe do garoto diz: "Não chame ele assim, ele é civilizado". Então, está em jogo justamente o não lugar, que já é dado de partida.

Isso serve para Fanon pensar o marxismo, também com Sartre, que conhecia bem as reflexões de Fanon. Ele vai pensar também a psicanálise, conhece os escritos de Freud. Entende que existe um processo de elaboração política fundamental para compreendermos as alternativas. Todo o processo de enfrentamento é um processo político, é um processo de engajamento. E ele vai pensar até contra o próprio Hegel. Vai entender que, para a população negra, a relação senhor/escravo de Hegel não tem escapatória, porque não tem lugar de partida. O escravo está sempre no lugar de inumanidade.

Há uma coisa curiosa. Nos anos 1950 e 1960, Fanon estourou e foi muito comentado. Mas, no Brasil, intelectuais como Clóvis Moura, Florestan Fernandes, Octavio Ianni, Roger Bastide e Sérgio Milliet, que conheceram Fanon, não falaram a respeito dele. O trabalho do Antonio Sérgio Alfredo

Guimarães mostra isso. Não se falava do Fanon, não há publicação. Ou seja, na mesma época em que havia uma efervescência em torno dele, Paris havia comentado, Hannah Arendt, Sartre, Simone de Beauvoir tinham falado dele, a revista *Les Temps Modernes* comentava, não havia uma linha sequer do Florestan Fernandes (orientador do Fernando Henrique Cardoso), que tinha trabalhos a respeito disso. A recepção do Fanon se dá através de ativistas negros e negras, que fazem uma discussão sobre ele nos congressos em que participavam. É importante falar do Wilson Tibério, que participou do Primeiro Congresso de Escritores e Artistas Negros, em 1956, na França. Não como um intelectual ou acadêmico, mas como ativista, ele fala do Fanon. Então, isso é muito importante dizer. Por que esse silenciamento? Parece que há nessa injustiça cognitiva uma questão estritamente racial, uma questão clássica, que tem a ver com o racismo, com certo narcisismo de branquitude que colocou Fanon nessa penúria, nesse não lugar. Esse intelectual acabou não aparecendo. O Geraldo Campos de Oliveira, que é um outro intelectual brasileiro, pensador da Associação Cultural do Negro, nos anos 1950, que também viajou para encontros de movimentos negros, também falava a respeito disso. É para a gente pensar o porquê.

GW Muitos, naquele momento, talvez considerassem que a luta pela questão dos negros seria equivalente à luta de classes, o que estaria dentro de uma perspectiva mais "universalista" de direitos, relacionada à questão dos pobres. Porém, isso revela uma cegueira muito específica para essas questões que o Fanon aponta, quando mostra que a luta dos pobres e a luta dos negros não são necessariamente as mesmas. Há particularidades, sobretudo relacionadas à questão das diferenças entre os países colonizados e os países que foram metrópoles. Essa percepção que você traz mostra uma cegueira que havia no ambiente cultural brasileiro até muito recentemente, o que é bastante significativo sobre a nossa história, já que somos um

país cuja escravidão se manteve e se perpetuou em grande medida ao longo da nossa modernização.

Você falou de Édipo e eu me lembrei de um trabalho da artista Grada Kilomba que vi na Pinacoteca de São Paulo. Ela é uma artista afro-portuguesa que refaz o mito de Édipo na forma de áudio, mas o deslocando para uma questão racial e mostrando o quanto as coisas não se encaixam.[2] Imagino que esse trabalho tenha uma grande influência fanoniana.

RN Eu conheço o livro dela *Memórias da plantação*. Eu me lembro também de uma imagem do silenciamento que ela usa muito: uma máscara que só tinha um espaço para respirar, como se as pessoas escravizadas não tivessem direito à palavra.

GW Mas haveria como acabar com a violência colonial sem uma nova violência? Entendo que há um paradoxo nesse ponto. Um pensamento como o da Hannah Arendt, ou do Habermas, postula uma política do diálogo. Mas acho que o Fanon aponta justamente os pontos cegos dessa posição, já que a ideia de uma política civilizatória dialogal supõe uma sociedade igualitária. Quando o Fanon desvela essa violência inerente à própria sociedade de um capitalismo colonial, ele mostra que, uma vez que a guerra e a violência são intrínsecas a esses processos, elas só podem ser combatidas em seus próprios termos. Concorda?

RN Em *Os condenados da terra* e em O *ano cinco da revolução argelina*, Fanon escreve a esse respeito e desenha bem a questão. O Estado soberano tem o controle territorial e o monopólio da força, que torna esse Estado capaz de proteger a sua população. Mas em *Os condenados da terra* ele fala do racismo e diz que o colonizado se torna um inimigo interno, ou seja, ainda que haja um inimigo externo, o Estado tem agora, também, um inimigo interno e contra esse inimigo ele volta as suas armas. O Estado opera numa lógica de crime,

2 Grada Kilomba. *Illusions Vol. II, Oedipus* (2018).

na qual ele tem licença para operar sem projeto civilizatório. Quando o Haiti faz o seu processo revolucionário, Napoleão manda as tropas para acabar com aquela revolução. O que a Revolução Haitiana queria era igualdade, liberdade e fraternidade. Mas o que o Exército francês faz é tentar acabar com esse processo de emancipação do Haiti. Esses são os "condenados da terra", que não têm direito a viver no que seria o modelo civilizatório francês, que, afinal, não era para todo mundo, era só para os brancos.

É nesse sentido que, para pensar além da violência, nós temos que operar um letramento político fora da violência. E, para esse letramento político se dar fora da violência, ele tem que garantir alguns direitos básicos fundamentais estabelecidos. Essa é uma questão-chave. Fanon não diz isso com essas palavras, mas ele inspira esse debate. O racismo é o grande obstáculo para qualquer tipo de sociedade que se deseje democrática. O racismo é estruturalmente o maior empecilho para podermos viabilizar um processo democrático.

E há ali, em Fanon, o rascunho de uma ideia que vai aparecer em Achille Mbembe. Esses corpos, as pessoas africanas, os afrodescendentes (que é uma categoria que aparece na Conferência de Durban, que é contra o racismo, a xenofobia e todas as formas de discriminação) são pessoas-mercadoria, que não têm direito algum, que não têm direito a uma vida com toda a dignidade. Estes são os colonizados e eles nunca se tornarão os colonos. É isso que está em jogo.

Eu fico pensando aqui numa hipótese, que a gente pode pensar com o Fanon. Para atuar fora da violência, é necessário que o Estado reconheça ou baixe as armas, que fale outra língua. Porque, no momento, parece que ele só entende essa linguagem, não consegue falar de outra maneira, ou escutar de outra forma.

GW O próprio Fanon foi para a luta armada pessoalmente na Argélia, não?

RN Ele participou. Os martinicanos são convocados para a Segunda Guerra Mundial, e Fanon teve uma grande decepção depois de 1945, quando eles foram tratados como se nada fossem, como não franceses. Aí, ele percebe que a melhor forma de atuar - isso já no final dos anos 1950 - é justamente como alguém que opera com a revolução, num processo de emancipação. Então, ele é um revolucionário. Ele estava junto aos rebeldes argelinos. Depois fica doente, e morre cedo por leucemia. Mas ele lutou de todas as formas que eram possíveis, ajudando, apoiando, fazendo as relações, estabelecendo contatos, cuidando das pessoas.

O projeto da psiquiatria fanoniana busca reconhecer que aquela alienação, ou aquela loucura, era efeito de um processo de colonização. Aquela inadequação tinha relação direta com a imposição de um modo de subjetividade francês que nem os argelinos nem os outros colonizados tinham condições de alcançar. Havia essa dissintonia, e ele estava muito preocupado com o projeto político de emancipação, que passa por uma desalienação, por uma ruptura com o sofrimento psíquico que tinha o racismo como elemento central naquele contexto.

GW Você poderia falar um pouco mais das relações de Fanon com a psicanálise? Ele torna possível uma psicanálise decolonial?

RN Essa é uma questão delicada. Deleuze e Guattari vão dizer, em *O anti-Édipo*, que Fanon é aquele que vai inspirar a esquizoanálise ao fazer um tipo de deslocamento crítico em relação a Freud, reconhecendo os elementos sociais, históricos e culturais para a compreensão do aparelho psíquico. Para Freud, o mal-estar na cultura, o mal-estar na civilização, passa muito pelo complexo de Édipo, pelo processo de castração, por uma relação de princípio de prazer e princípio de realidade. Ou seja, na sociedade em que a gente vive, não há como realizar todo o nosso desejo, nossa pulsão tem que ficar represada. Fanon diz que isso tem a ver com o modelo civilizatório. E nem todos os modelos civilizatórios são necessariamente assim, há outras possibilidades. Ele concorda com Freud em muitos aspectos, acha importante pensarmos uma filogênese, uma psicogênese, compreender o fenômeno psíquico dessa maneira que Freud aponta. Mas ele entende que uma certa universalização é um tanto controversa. Ele coloca em xeque essa universalização do Édipo. E isso é a chave (e é justamente o que chama a atenção de Deleuze e Guattari), é o ponto de partida para pensar uma esquizoanálise, ou seja, uma psicanálise crítica.

Portanto, ele talvez seja aquele que inspira uma crítica da psicanálise que vai racializar algumas discussões, que vai fazer com que a gente pense a partir dos elementos culturais. Há elementos culturais distintos que podem dar outros contornos para as relações. Uma sociedade com família burguesa nuclear estabelece uma determinada relação entre pai, mãe e filho. Mas em sociedades tradicionais africanas, em algumas culturas, por exemplo, uma criança não é só responsabilidade da mãe ou do pai. Sobonfu Somé, burquinense, falecida em 2017, uma pessoa que me influenciou, vai comentar isso muito bem.[3] No contexto dos Dagara, de Burkina Faso, e de vários países da África Ocidental, a criança não tem só o pai e a mãe para recorrer. Há outras pessoas adultas que participam do processo de criação. Há uma complexidade nessa situação, outros modelos de sociedade.

A partir de Fanon, podemos talvez falar de uma psicanálise decolonial. Isso pode ser pensado, há um movimento hoje nesse sentido, colegas psicanalistas têm se interessado pelo assunto. Os estudos decoloniais, até por inspiração fanoniana, têm procurado denunciar a injustiça cognitiva, o racismo epistêmico, essa colonialidade do saber. É como naquela velha história das duas palestras sobre gastronomia. Num palco, há um ator que é um homem branco com sotaque francês.

3 Sobonfu Somé. *O espírito da intimidade*. São Paulo: Odysseus, 2003.

Ele fala o mesmo texto que uma mulher negra com sotaque do Nordeste. Eles falam para duas plateias parecidas, de cinquenta a cem pessoas com o mesmo perfil. Disseram a mesma coisa, ensaiaram da mesma forma, usaram o mesmo tom. Mas, no final das contas, a avaliação do ator branco com sotaque francês é melhor. Fanon está denunciando exatamente isso. Há uma vantagem absurda, que talvez seja um resquício daquele "pacto narcísico da branquitude", um pacto narcísico de um projeto de colonização europeu para transformar o mundo numa relação entre colonizadores e colonizados. Ou seja, a modernidade – acho que é isso que os decoloniais compreendem com a leitura do Fanon – se instala como um processo de violência militar e simbólica baseada no conceito de raça, e estabelece essa separação entre aqueles que serão condenados e os que ficarão livres.

GW Uma das bandeiras dos movimentos negros entre nós é a condenação da ideia acomodatícia ou romantizada do mulato na sociedade brasileira. Isso remonta a Gilberto Freyre, a *Casa-grande & senzala*, mas também a Mário de Andrade, que postulou o Aleijadinho como "gênio nacional" muito pela questão da mulatice. Por muitas décadas, no Brasil, houve um investimento social e cultural em favor da ideia de um país miscigenado. Os movimentos negros mais recentes acusam o que há de perverso nisso, uma vez que essa visão poderia obliterar a defesa mais explícita de um ponto de vista negro, por oposição ao lugar do branco, e acobertar toda a violência histórica implicada no próprio surgimento do mulato, pensando aqui nos estupros das escravas pelos senhores de engenho.

Caetano Veloso, no programa *Conversa com Bial*, abordou esse assunto. Influenciado por Jones Manoel, ele citou o livro de Mércio Pereira Gomes *O Brasil inevitável*,[4] que diz que a

4 Mércio Pereira Gomes. *O Brasil inevitável: ética, mestiçagem e borogodó*. Rio de Janeiro: Topbooks, 2019.

formação étnica do mulato brasileiro não se deu predominantemente através da relação violenta do senhor branco com as mulheres escravas, mas através de relações difusas entre afrodescendentes e indígenas, pelas cidades do interior do país. Nessa perspectiva, a miscigenação não seria unicamente o resultado de uma opressão histórica, mas algo entranhado na própria vida do país. Caetano aparentemente trouxe isso como forma de reafirmação do aspecto positivo da cultura miscigenada. Como você vê isso?

RN Esse não é um debate fácil. Essa questão é uma pedrada. Miscigenação é uma espécie de mistura, e eu me pergunto se a gente pode misturar o que é igual. Eu fico pensando se na relação entre uma mulher inglesa e um homem nascido na Irlanda vai nascer um filho "mestiço", ainda mais se ela pertencer à nobreza. Se um banto, casando com uma iorubá, vai gerar uma pessoa "mestiça". Então, a ideia de miscigenação talvez não ajude muito. Eu penso raça mais no sentido de fenótipo, ou seja, uma construção socio-histórica. Podemos fazer um corte muito simples, do tipo *casting* de cinema: que tipo de personagem a gente poderia fazer no século XVIII? Um fidalgo? Um comerciante filho de português? Um escravizado que se rebelou e montou um quilombo? Isso pode nos ajudar a pensar o modo socio-histórico que permite que o Neymar sofra racismo, que receba um xingamento que o Kaká, por exemplo, não receberia. O Neymar e o Kaká podem ter pai e mãe com o mesmo tom de pele. São 36 tonalidades de pele negra de pessoas passíveis de sofrer racismo. Podemos ter na história do Brasil muita conjugalidade, muito encontro amoroso entre as pessoas negras que foram escravizadas e a população indígena. Acho que isso realmente aconteceu. Como houve também muito estupro e muita violência. Não sei se dá para medir quantitativamente isso.

Há uma carta do Willie Lynch, um mercador do Caribe, que fala sobre algo que vai ser chamado de "colorismo" mais tarde. Fala que é importante para o senhor de escravos colocar o grande contra o pequeno, o mais claro contra o mais escuro, a mulher contra o homem, o homem contra a mulher, o jovem contra o velho, o velho contra o mais novo. Na Etiópia, por exemplo, há várias tonalidades de pele negra, como também há tonalidades de pele diferentes entre as populações da Europa. Os russos são um pouco mais claros, outros são mais corados. Há uma variedade de cores de cabelo, de tons de pele, de formatos de rosto e de nariz. Na Etiópia há pessoas menos pigmentadas, outras mais escuras, sem que tenha havido relação inter-racial. Então, tem toda essa variedade. Mas acho que hoje, como marcador, a gente pensar em fenótipo, em conceito socio-histórico, por raça, ajuda muito. Eu não tenho nenhuma ideia romântica, nenhuma ideia fetichizada disso que a gente chama de miscigenação. São relações inter-raciais, relações de conjugalidade entre as pessoas. Mas o que está em jogo é o fenótipo, é o marcador, é isso que determina se uma pessoa sofre racismo ou não. Para usar um exemplo do futebol, é o que determina se a pessoa vai ser técnico, dirigente ou apenas jogador. No ano de 2020, o único presidente negro de um time de futebol do Brasil era o Tiãozinho, da Ponte Preta. Todos os presidentes, e quase todos os técnicos, dos 770 clubes de futebol das séries A, B, C e D, eram brancos nessa ocasião. Isso mudou?

Para mim, isso é um fator fundamental para entendermos que não há miscigenação "certa". Em termos técnicos, não existe miscigenação. Não é uma boa categoria, não existe pureza. Portanto: existe mistura? O que está em jogo é o fenótipo, é o que abre as portas dos espaços de monopólio da gestão dos recursos para a vida. Falar em miscigenação é controverso nesse aspecto, misturar pressupõe coisas diferentes. O IBGE fala em pretos, pardos, amarelos, indígenas e brancos. Somando pretos e pardos conseguimos ter um marcador político muito interessante, a população negra. Os indígenas são mais de trezentos povos diferentes, os amarelos são os nipodescendentes, os asiáticos. Isso dá uma dimensão. Por que o jogador de futebol Neymar sofreu racismo no dia 13 de setembro de 2020 e tantas outras vezes? Eu não tenho dúvida. Neymar não poderia fazer o papel de d. Pedro II ou d. Pedro I se ele fosse ator. Poderia fazer papel de um escravizado talvez, mas não papel de um fidalgo, porque não havia fidalgo com essas características. E esse cenário se reproduz. O futebol é um território muito negro, de jogadores negros, mas poucos desses jogadores são depois alçados ao cargo de técnico de futebol, não por falta de competência, mas por falta de oportunidade. E uma parcela ainda menor consegue cargos de gestão, de promoção.

O Fanon acertou: o papel da branquitude seria de ordem intelectual; de articulação; de gestão; de planejamento cartográfico; de projeto estratégico de curto, médio e longo prazos. Ao corpo negro caberia o uso da força, das habilidades físicas, não intelectuais. Você pode ser jogador, mas ser técnico é diferente. O técnico que deu mais certo no Brasil no último ano foi um português, um europeu. Esse fascínio pelo branco europeu acabou ajudando o desempenho do técnico. No frigir dos ovos, quem ocupa qual lugar? Como a gente é lido socialmente? Então, não tenho fantasia em torno dessa coisa que seria a miscigenação, nem uso o termo "miscigenado". Tecnicamente falando, qualquer humano é "misturado". Mas o que conta é o papel que você pode fazer. Qual é o seu personagem no século XIX? O que eu poderia ser?

GW A pergunta era uma pedrada, e a sua resposta foi excelente. Você desconstrói a ideia de miscigenação. Leio agora duas perguntas recebidas pelo chat: "Para alguém que é racista, mas acha que não é, que livro você recomendaria?" e "O que você indicaria como introdução aos estudos decoloniais?".

RN Há um texto do qual eu participei chamado *Racismo: uma questão de todos nós.*[5] É um texto curto, para o grande público, bastante didático. Tem *O genocídio do negro brasileiro,*[6] do Abdias do Nascimento, um mestre para esse debate. *O sortilégio da cor*[7] também é um texto maravilhoso de introdução, para nos ajudar a pensar esse tema.

O racismo não é uma questão cognitiva, isso é importante dizer. Racismo é uma questão político-afetiva. O racismo é uma prática social na qual nós somos socializados. E eu concordo com a tese que diz que, como o racismo só beneficia as pessoas brancas, tecnicamente só as pessoas brancas podem ser racistas, ainda que pessoas negras possam ser instrumentos de uma macroestrutura da qual elas fazem parte. Mas só as pessoas brancas podem operar o racismo de um ponto de vista mais profundo. É importante dizer isso para podermos promover um debate qualificado. O racismo está entranhado na sociedade brasileira.

Lélia Gonzalez tem um trabalho muito bacana, e agora todos os textos dela saíram organizados num livro só. Ela diz que temos que colocar a sociedade brasileira no divã para compreendermos essa questão racial. As pessoas brancas têm que ver o privilégio que elas têm. Eu me lembro de uma cena com um colega de mestrado. A gente estava caminhando em São Carlos, interior de São Paulo. Eu tinha 23 anos, ele tinha 24. E ele dizia que nunca tinha sido revistado pela polícia. Mas, dali a pouco, veio um carro da polícia, parou e revistou a gente. Para ele foi a primeira vez, mas para mim, não, porque já tinha passado por essa experiência várias vezes. Ele disse: "Nunca

5 Renato Noguera. *Racismo: uma questão de todos nós*. Rio de Janeiro: Fundação Roberto Marinho, 2018.

6 Abdias do Nascimento. *O genocídio do negro brasileiro: processo de um racismo mascarado*. São Paulo: Perspectiva, 2016.

7 Elisa Larkin Nascimento. *O sortilégio da cor: identidade, raça e gênero no Brasil*. São Paulo: Selo Negro Edições, 2003.

aconteceu comigo isso". E eu disse a ele: "É porque você é branco, cara".

GW E que reflexões você faz a respeito dos temas da arquitetura e da cidade?

RN Eu tenho me interessado muito pela cidade. Eu estive numa banca e acabei coorientando um estudante de arquitetura e urbanismo, meio por acaso. Ele estudava a cidade, o samba, cartografia, a pequena África, a constituição daquela região no Rio de Janeiro. Eu tenho conversado muito com o Nêgo Bispo, o Antônio Bispo dos Santos. Ele fala de "cosmofilia" e de "cosmofobia". Tem uma ideia de cidade-quilombo, que seria uma cidade inteligente, uma cidade porosa, uma cidade que promove biointeração, uma cidade mais orgânica do que sintética. Ele fala dessas categorias. É um cara muito interessante para o pessoal que trabalha com urbanismo, com cidade. Eu fiz algumas especulações, em textos curtos, a respeito de uma cidade-aldeia, cidade-quilombo. Talvez a grande saída fosse fazer a cidade virar um quilombo, uma grande aldeia, uma cidade que conversa com o fluxo das coisas, que permite que a água entre na terra, que faça com que as casas não entrem em tensão com o meio ambiente, com a natureza. As tecnologias culturais dos povos quilombolas, dos povos indígenas, dos povos africanos, dos afrodescendentes são muito interessantes. Esses povos faziam e fazem as coisas de outras maneiras. Eles não enchem tudo de cimento para virar uma piscina. Tem que deixar um espaço para a água entrar, para a água conversar com a terra. Para mim, a revolução (pensando aqui novamente com o Fanon) não se dá somente dentro do sistema que aí está. A gente tem que mudar a cara da cidade, mudar o mapa da cidade, pensar a mobilidade, a forma de percorrer e ocupar a cidade. Será que as tecnologias dos quilombolas e dos indígenas podem nos ajudar a pensar como ocupar o espaço, como reformular as cidades?

GW Eu queria te perguntar sobre o movimento Black Lives Matter. Estamos no meio de uma pandemia, num momento crítico do ponto de vista da saúde. Mas também do ponto de vista político, com vários países vivendo sob regimes autoritários de direita, e com a política sendo hackeada pela tecnologia. E, no entanto, o movimento mais expressivo que surge neste contexto mundial não é um movimento tradicionalmente político, no sentido de uma revolta de esquerda contra regimes opressivos. São movimentos negros de revolta contra assassinatos, contra o racismo, contra a opressão do ponto de vista racial que, através dessa lente, acaba atingindo uma dimensão política fortíssima. Como você explica que, neste contexto, a questão racial seja a principal responsável por canalizar grande parte da insatisfação que pulsa no mundo?

RN Isso não me surpreende. O movimento negro talvez seja, tanto no Brasil quanto nos Estados Unidos, a grande vanguarda dos movimentos sociais. O movimento das mulheres negras é muito importante. Isso acontece porque raça é um elemento estruturante do sistema-mundo moderno em que a gente está. Se a gente não mexe com isso, a gente não consegue resolver nenhum tipo de desigualdade. Não consegue operar.

O Estado comete crimes, as forças policiais têm várias maneiras de eliminar as pessoas, de produzir chances de morte. O movimento negro lida com uma dimensão que é o limite da vida. Isso é muito radical. E tem uma coisa que é da ordem dos projetos políticos, da ordem da cosmovisão. Para além da exclusão, e de um enquadramento que é colocar as máscaras brancas na pele negra, o racismo tem um aspecto de apagamento das tecnologias políticas e culturais de emancipação. São modelos afetivos que a gente poderia experimentar e incluir no repertório de alternativas para enfrentar os problemas de hoje. Mas, devido ao racismo, que não é apenas injustiça estética, mas também injustiça epistemológica, esse tipo de conhecimento não entra no jogo.

Vou dar um exemplo clássico aqui sobre masculinidade não violenta. Os povos zulus têm uma coisa em comum com os guaranis: nas suas cosmovisões, as mulheres têm sangue frio, e os homens têm sangue quente. Os homens são potenciais bombas para a sociedade, podem destruir outros homens, as mulheres e a sociedade inteira. Então, esses homens passam por um tipo de ritual quando começam a ter pelo no rosto (no caso dos zulus) ou quando a voz engrossa (no caso dos guaranis). Esse ritual faz com que eles cresçam equilibrados, sem colocar a comunidade em risco. A Sandra Benites, minha professora, uma antropóloga guarani, curadora, uma pessoa maravilhosa, me ensinou que lá o feminicídio não faz sentido, porque o homem, para casar com uma mulher, tem que passar por uma harmonização que não opere com a violência. É uma tecnologia cultural que não produz masculinidade tóxica. Então, acho que o Black Lives Matter vai além da sobrevivência dos corpos negros e fala, também, da sobrevivência de sabedorias ancestrais que podem nos ajudar. A gente não vai jogar no lixo as tecnologias do Ocidente, de forma nenhuma, estamos aqui com algumas delas. A gente tem que fazer um intercâmbio real, e não uma diluição do que é não europeu num caldeirão, e chamar tudo de Ocidente. A gente tem o desafio enorme de manter vivas outras maneiras de fazer as coisas.

Por exemplo, não havia órfãos nos contextos tradicionais, isso não era possível. A invenção do órfão é uma invenção europeia. Não estou falando disso de modo romântico, como um fetiche, como se a gente tivesse uma saída mágica, uma panaceia nos povos tradicionais. Não é isso. Mas a gente aprende muito pouco com essas estruturas, a gente não usa quase nada dessas culturas, que podem ser revolucionárias. Então, o Black Lives Matter, para mim, é um clamor para além dos corpos, trazendo aquilo que esses corpos têm de memória ancestral. Memória muito rica, das etnias africanas, de várias tradições. Então, eu não me espanto. O Black Lives Matter é um movimento para além de salvar um corpo, é a manutenção de projetos de uma ancestralidade. O filósofo sul-africano Mogobe Ramose ensina que temos que nos comunicar com quem vai chegar e com quem já esteve aqui. Uma pessoa viva de verdade se comunica com o passado e com o futuro. E como eu converso com o futuro? Deixando este lugar mais bonito do que quando o recebi. Isso é um princípio tradicional africano que, na língua suaíli, falada do Egito até Moçambique, é chamado de *kuumba*, que podemos traduzir para "criatividade". Ou seja, eu recebo uma coisa e deixo-a melhor do que quando a recebi.

Entrevista realizada em 23 de setembro de 2020.

Mulheres negras: resistência e cuidado

Bianca Santana

Bianca Santana é jornalista e escritora. Tem doutorado em ciência da informação pela Escola de Comunicação e Artes da Universidade de São Paulo (ECA-USP). Publicou os livros *Continuo preta: a vida de Sueli Carneiro* (2021) e *Quando me descobri negra* (2015). Atua como colunista na revista *Gama* e é integrante da Casa Sueli Carneiro.

Guilherme Wisnik Você é ativista de movimentos negros e de mulheres, e é também escritora. Portanto, é alguém que trabalha tanto no campo político, da sociedade, da realidade mais ordinária, quanto no campo da imaginação de mundos, de outros mundos. A nossa conversa vai girar entre esses polos. Eu queria começar te perguntando sobre o título do seu livro, *Quando me descobri negra*.[1] Por que foi preciso se descobrir negra, e como se deu esse processo?

Bianca Santana Desde criança, eu sempre soube que não era branca. Isso estava muito explícito nas minhas relações e no cotidiano. Mas onde eu cresci, na periferia norte de São Paulo, na Cohab Fernão Dias, era um pouco como na música dos Racionais MC's: "E a maioria por aqui se parece comigo". Então era todo mundo parecido, e a questão racial não estava tão colocada. Depois eu fui fazer ensino médio, fiz escola técnica no Liceu de Artes e Ofícios, que na época era gratuito, e tinha um vestibulinho. Ali eu comecei a perceber a desigualdade de forma mais intensa do que eu percebia antes, mas eu ainda colocava tudo na conta de uma desigualdade de classe. Quando eu cheguei à universidade e vi muitas pessoas brancas, porque eu estudava jornalismo na Cásper Líbero e ciências sociais na USP, eu tive um impacto: "Nossa, então essas pessoas que eu conhecia das novelas realmente existem". Descobri que existe gente muito branca, e existe gente muito rica. E ali eu comecei a sentir uma tensão racial, que foi verbalizada depois que eu entrei pela primeira vez na sede da Educafro, que é um cursinho popular e do movimento negro. Ali na Educafro eu fui me oferecer para ser professora voluntária, e senti uma cumplicidade no coordenador de curso, que falou: "Vai ser muito bom para os nossos alunos verem uma professora negra, como eles, que estuda em boas universidades". Ali eu ouvi que era negra. Algo que ainda não estava

1 Bianca Santana. *Quando me descobri negra*. São Paulo: Sesi, 2015.

assimilado foi verbalizado para mim naquele momento. Mas é uma percepção que vai chegando na forma de fragmentos ao longo da vida.

GW Quer dizer, isso se tornou uma realidade para você na hora em que foi nomeado?

BS Sim, é como se nomeasse algo que já existia, mas que estava totalmente desorganizado. Ali, de repente, havia um nome, um grupo, havia algo a buscar. Eu ganhei referências teóricas para estudar, um movimento do qual me aproximar. Isso organizou percepções difusas que ficavam só no âmbito da negatividade, ou do não lugar. De repente, você descobre: "Sou negra". E o que é ser negro? Aí, pela primeira vez, eu li Lélia Gonzalez, li Sueli Carneiro, e fui percebendo tudo o que existe de potência na negritude e em ser mulher negra. Então foi um presente muito grande.

GW Então, pelo que eu estou entendendo, na sua família isso nunca foi algo muito elaborado nem valorizado.

BS Pelo contrário. O meu nome é Bianca, que significa "branca" em italiano.

GW Nossa. É mesmo.

BS Nada poderia condensar mais o projeto de branqueamento da minha família do que o meu nome. A minha avó materna, uma mulher preta que veio do Nordeste para São Paulo nos anos 1950. Ela colocava o braço da minha mãe ao lado do braço dela, e o meu braço junto, e mostrava com muito orgulho como a pele da família foi clareando ao longo das gerações. Isso é muito triste, mas esse foi um projeto de país. Na minha casa era um não tema, era uma pergunta que não podia ser feita. Eu sabia que eu não era branca, mas a minha avó prendia o meu cabelo assim, bem amarrado para trás, porque ela falava que era para não ficar "igual essas neguinha". Na hora em que ela falava isso desse jeito, eu pensava: "Mas eu não sou essas neguinha?". Só que não podia perguntar, não havia um ambiente aberto para eu fazer essa pergunta. Seria malcriação, e eu era obediente. Eu sou obediente ainda hoje.

GW Caramba, a sua própria avó fazia isso? O livro, então, é uma elaboração dessa questão e dessa condição?

BS Quando eu estudava jornalismo na Cásper, um professor fez uma proposta para que a gente escrevesse um texto sobre a nossa origem, a nossa identidade mais profunda. Nesse tema de sala de aula, eu escrevi um texto chamado "Quando me descobri negra", e esse é um dos textos que compõem o livro. Então esses textos foram sendo escritos ao longo dos anos, a partir de uma investigação, e retratando alguns episódios. Além do convite desse professor, em 2013 eu joguei búzios, e o Taata, o pai de santo, entre outras coisas, me disse: "Você precisa publicar um texto por semana, mas não esses textos que você fica escrevendo sobre educação, jornalismo. Você tem que escrever sobre as suas experiências, os seus sonhos, as suas vivências". E na hora eu pensei que deu errado, o orixá errou, o búzio errou, o pai de santo errou, não sei. Uns dias depois eu recebi um convite do Huffington Post, que estava vindo para o Brasil, para ter um blog. E na hora em que eles fizeram esse convite eu soube que eles vieram junto com a Editora Abril, e eu já tinha trabalhado para a Abril – e fui remunerada para isso. "E agora vou escrever um blog de graça para eles?". Mas então eu lembrei do Taata e falei que tudo bem, porque era um jeito de eu criar uma rotina de escrita. E o convite para publicar esse livro veio a partir do blog, porque a editora Renata Nakano lia as minhas postagens e perguntou se eu não queria organizar aqueles textos num livro, além de escrever novos. Essa foi um pouco a história do livro.

GW Eu queria saber se o engajamento nos movimentos negros e nos movimentos feministas, como dois movimentos distintos e paralelos, é diferente do engajamento em movimentos de mulheres negras.

BS É bem diferente. A minha primeira experiência militante foi num movimento de educação de pessoas adultas. Depois eu tive uma experiência de movimento feminista a partir da Marcha Mundial das Mulheres, que tinha a questão racial colocada, mas não com a mesma intensidade que tem no movimento negro e no movimento de mulheres negras. Depois, quando eu fui para o movimento negro, eu percebi o machismo de que muitas autoras já falaram. A Lélia Gonzalez fala de um "sujeito político mulher negra", que compartilha as lutas de classe junto com a esquerda e com os diversos movimentos sociais, compartilha a luta contra o racismo junto com os homens negros e compartilha a luta feminista, antimachista, antipatriarcal com o movimento feminista. Mas, nesses três lugares, essas mulheres não são um sujeito relevante, a gente não é protagonista nessas lutas. No movimento de mulheres, em geral, num movimento feminista, as questões das mulheres negras ficaram historicamente preteridas. No movimento negro, os homens reproduzem os diversos machismos da sociedade. E a gente também tem falado amplamente sobre o racismo e o machismo nos movimentos sociais. Então, essa ideia de as mulheres negras, aqui no Brasil, a partir das décadas de 1970 e 1980, se organizarem como um sujeito político específico chamado mulher negra, e a partir daí ter um movimento social próprio, foi uma construção muito importante. E eu cheguei nela tardiamente. Eu conheci a Marcha das Mulheres Negras de São Paulo, por exemplo, depois do meu envolvimento com o movimento negro a partir da Educafro e, depois, a partir da Uneafro. Então eu fiz um caminho longo até chegar no movimento de mulheres negras e até mesmo no movimento negro.

GW Você falou do machismo dentro dos movimentos negros. E o racismo dentro dos movimentos feministas também está presente?

BS Sim, embora hoje já esteja muito melhor do que já esteve, graças ao movimento de mulheres negras. É muito difícil, hoje no Brasil, ter algum grupo que se autodeclara feminista que não coloque raça como um eixo de discussão prioritário, ou que não priorize a luta antirracista. Mas isso é uma conquista histórica do movimento de mulheres negras. Quando a gente estuda a história do movimento, vê que no encontro de Bertioga,[2] em 1985, que foi um encontro feminista importante que aconteceu no Brasil, você tinha as mulheres negras pautando as questões raciais, e só quem aderia a essa conversa eram as próprias mulheres negras (as mulheres brancas não estavam a fim dessa conversa). Depois disso, em 1987, teve o IX Encontro Nacional Feminista, em Garanhuns, Pernambuco, e a mesma coisa aconteceu. Então as mulheres negras decidiram que elas precisavam de um Encontro Nacional de Mulheres Negras. Já que essa não era uma pauta no feminismo, elas fizeram um encontro próprio. Então aconteceu, em 1988, o encontro de Valença,[3] o primeiro encontro de mulheres negras no Brasil, que reuniu mais de quatrocentas mulheres do país todo - mulheres que eram do movimento feminista, dos movimentos sociais diversos, dos diferentes partidos políticos, que começavam a se identificar com esse sujeito político com demandas próprias e tinham o desejo de constituir um movimento social específico.

A partir daí elas vão pautando o feminismo. E tem marcos históricos importantes. Em 2004, quando acontece a I Conferência Nacional de Políticas para as Mulheres, no governo Lula, você tem uma aliança de parentesco entre mulheres negras e indígenas. Isso foi um marco importante. O que eu ouço dizer, uma vez que eu não estava lá, é que as feministas, as mulheres brancas, ficaram muito incomodadas. Elas falavam: "Mas o

2 O III Encontro Feminista Latino-Americano e do Caribe (Eflac) foi realizado em Bertioga (SP), entre 31 de julho e 4 de agosto de 1985, após as edições de Bogotá, na Colômbia (1981), e Lima, no Peru (1983).

3 O I Encontro Nacional de Mulheres Negras (ENMN) foi realizado entre os dias 2 e 4 de dezembro de 1988, em Valença (RJ).

caminho não é bem esse", "Por que vocês estão querendo se separar?". E teve um pacto, uma aliança de parentesco entre mulheres negras e indígenas. Esse texto está disponível na rede, é muito interessante.[4] A partir daí, na II Conferência Nacional de Políticas para as Mulheres, em 2007, elas começaram a pleitear que um dos eixos de atuação das políticas para mulheres fosse o eixo racial - é o eixo 9 da conferência. E os bastidores são de muita disputa. Não foi simples. As mulheres não queriam incluir raça como um eixo essencial. Mas as mulheres negras venceram aquela luta política, e a partir daí as políticas públicas para mulheres têm sempre que considerar raça como um tema prioritário. Isso acabou gerando um efeito social importante. A gente tem visto isso nas discussões públicas, nos movimentos diversos. Hoje, quem se declara feminista no Brasil dificilmente não pontua as desigualdades que existem intragênero, entre as próprias mulheres.

GW Na entrevista que você fez com a Sueli Carneiro publicada na revista *Cult*,[5] você pergunta a ela sobre a questão do feminismo ou "mulherismo". Como é essa diferença?

BS A noção de feminismo nasce no Norte do mundo, na Europa e nos Estados Unidos, no século XIX. E há uma crítica de diversos setores, especialmente de mulheres africanas, a esse feminismo que não contempla a experiência das mulheres negras, ou das mulheres africanas, ou das mulheres na diáspora. Esse é um debate interessante. Eu não o conheço tão bem, mas gosto muito de um texto da Jurema Werneck[6] em que ela lida com o feminismo, o feminismo negro, a interseccionalidade, e ela apresenta a figura da

4 Disponível em: www.geledes.org.br/alianca-de-parentesco.

5 Disponível em: revistacult.uol.com.br/home/sueli-carneiro-sobrevivente-testemunha-e-porta-voz.

6 Jurema Werneck. "Nossos passos vêm de longe! Movimentos de mulheres negras e estratégias políticas contra o sexismo e o racismo". In: *Revista da ABPN*, v. 1, n. 1, mar.-jun. 2010.

Ialodê. Ialodê é uma das denominações possíveis de dois orixás femininos, da tradição iorubá, não só no candomblé como religião, mas também olhando como conhecimento de mundo, como mitologia. E as figuras femininas de Oxum e Nanã têm a possibilidade de ser Ialodê, que é essa figura de poder político, de representação do coletivo das mulheres na tomada de decisão política. Como diz a Jurema Werneck, Ialodê existe há centenas de anos, para não dizer milhares de anos. Então, por mais que eu seja feminista, essa é uma noção recente do Norte do mundo, enquanto Ialodê é uma imagem que existe em sociedades africanas há centenas de anos. Serve para pensar o feminismo.

GW Essa opressão histórica vivida pelos negros, vivida pelas mulheres na sociedade brasileira, encontrou formas de resistência nesse tempo todo. Você poderia falar um pouco dessas várias formas que entrelaçam a política, as artes e a espiritualidade?

BS Te agradeço muito por apresentar essa tríade. A escritora Cidinha da Silva diz que a sobrevivência da população negra no Brasil está profundamente conectada à espiritualidade afro-brasileira, que tem muito a ver com as possibilidades espirituais indígenas. Quando os povos bantos, os povos iorubás, chegaram ao Brasil, eles estabeleceram uma troca com os diversos povos indígenas. Os bantos, por exemplo, não têm orixás, mas têm *nkisis*, que são entidades muito conectadas à terra, ao território. Um rio tem sua própria divindade, os seus próprios encantados. Quando os povos bantos chegaram ao Brasil, a primeira coisa que eles precisavam saber era quem são os guardiões, os espíritos dos encantados dessa terra. Alguns autores falam até que essa é a origem da umbanda, que cultua tanto os orixás quanto os caboclos e diversas linhas espirituais diferentes. No momento em que não existia política pública de saúde, em que as pessoas não tinham nenhuma garantia de emprego, no pós-abolição, onde é que as pessoas negras encontravam suporte? Nos terreiros, nas casas de candomblé, nas casas de santo. Não à toa, são "irmãos de santo". É onde se constitui a família, uma família que não parte de laços consanguíneos, mas de laços espirituais e comunitários. Então, a ideia de comunidade é muito forte quando a gente fala de resistência negra no Brasil. Desde o primeiro momento, desde que trouxeram a primeira pessoa escravizada, começou a resistência negra, o movimento negro, que se deu através dos quilombos (que é talvez a mais conhecida forma de resistência), mas não apenas. Também se deu nas ações de sabotagem, nas ações de recusa, nos envenenamentos, na criação das irmandades negras, com as irmandades da Boa Morte, de São Sebastião, de Nossa Senhora do Rosário dos Homens Pretos, que foram formas de sobreviver nessa sociedade. E a sobrevivência física talvez seja um primeiro aspecto dessa resistência negra. Porque, depois da abolição, a política mais efetiva do Estado brasileiro para a população negra foi e ainda é a morte, o genocídio.

Hoje, não é por acaso que a maior parte das pessoas que morrem por Covid-19 são homens negros. Isso tem a ver com o fato de o Estado "deixar morrer" os corpos indesejáveis. Enquanto o Estado deixa morrer por um lado, ele mata por outro. Não à toa, durante a pandemia, o governo do estado de São Paulo, o governo Doria, do PSDB, com essa polícia militar, matou mais pessoas do que em qualquer outra época, contando esse mesmo período.[7] Isso é muito grave e mostra uma política muito efetiva do Estado brasileiro. E que só não é mais efetiva pelas ações de resistência que existem desde sempre.

Os movimentos de alfabetização, os cursinhos populares são parte da tradição histórica do movimento negro, com as

7 De janeiro a junho de 2020, as polícias paulistas mataram 514 pessoas, 20% a mais em comparação com o mesmo período de 2019. É o maior número para o período desde o início da série histórica, em 2001.

pessoas negras criando escolas, criando possibilidades de alfabetização desde antes da abolição. Ainda no século XIX, o Brasil tinha jornais negros no país inteiro, e parte da luta abolicionista é articulada a partir desses jornais. Tem a criação, na década de 1930, da Frente Negra Brasileira, que se tornou um partido político. E hoje a gente acha impensável a criação de um partido político negro, ou de movimento negro no Brasil. Mas ele já existiu e foi fechado pelo governo Vargas, no Estado Novo. Na década de 1940 tem o Teatro Experimental do Negro, com Abdias do Nascimento, que trabalha a noção do quilombismo e traz uma série de possibilidades de luta e de estruturação de políticas públicas para pessoas negras a partir do teatro. E tem a literatura. Em 1859, quase trinta anos antes da abolição, Maria Firmina dos Reis, uma professora maranhense, negra, que escrevia no jornal, publicou o romance *Úrsula*, portanto um romance publicado por uma mulher negra antes da abolição, e um romance abolicionista. Essas publicações todas fazem parte da nossa história. Carolina Maria de Jesus talvez tenha sido o primeiro *best-seller*, em 1960. Mas, antes dela, outras mulheres negras também escreveram e publicaram literatura.

O que a gente percebe é um apagamento dessa história. A história de resistência do movimento negro é constantemente negada e apagada ao longo da história do Brasil. Eu precisei fazer doutorado para conseguir acessar a maior parte das histórias dessas mulheres. Isso é uma coisa que me deixa indignada. Como é que eu passei anos da minha vida escolar ouvindo uma mesma perspectiva da história do Brasil, que nunca apresentou nenhum protagonismo negro? Eu nunca entendi profundamente o que era Palmares. Eu só soube que os quilombos existem hoje, que a Constituição Federal assegura a posse dos territórios dos quilombolas, no final do ensino médio, porque eu li no jornal. Como é que eu nunca tive uma aula sobre isso na escola? Então esse apagamento,

esse silenciamento é algo que a gente precisa romper. Essas histórias precisam ser contadas.

GW Eu sei que um dos maiores desafios para a afirmação dos movimentos negros, há tempos, é a quebra do mito da democracia racial brasileira, que envolve uma crítica à noção de mestiçagem, à figura do mulato e da mulata. Mas, em paralelo com essa questão, eu queria perguntar o que você pensa do sincretismo religioso. Essas formas de resistência se traduziram também numa certa sobrevivência das religiões africanas por dentro do catolicismo. Eu suponho que esse sincretismo religioso possa ser tão criticado quanto a democracia racial, mas, foi uma forma de sobrevivência muito importante. Como você vê isso?

BS Essa denúncia do mito da democracia racial vem de muito tempo, como você disse, e ela foi muito marcada em 1978, com a fundação do Movimento Negro Unificado (MNU). Um dos objetivos do MNU era destituir o mito da democracia racial. No Brasil de 2020, a gente tem observado um crescimento dos conflitos raciais, o que mostra que o movimento negro é muito bem-sucedido na sua pauta. Por mais que ainda exista uma ou outra pessoa que defenda esse mito, está difícil sustentar a ideia de que o Brasil não seja um país racista. Acho que hoje a gente já tem algo repactuado. As pessoas já compreenderam que o Brasil é um país racista.

Apesar disso, a vida é muito complexa, há existências e há formas de resistência, como você mesmo disse. Eu estou com um livro na cabeça, *Torto arado*, do Itamar Vieira Junior, que ganhou o Prêmio LeYa 2018 e foi publicado pela Todavia. Eu recomendo muito a quem não leu. É um livro que trata da questão agrária a partir da história de duas irmãs que nascem na Chapada Diamantina. Elas vão apresentando, a partir das suas histórias, e da história da família, a história do povo negro brasileiro, que, depois da abolição, fica à margem, sem nenhum acesso à terra, e que, em troca de ter um lugar para plantar e um lugar para morar, continua trabalhando sem remuneração nas terras de posse de outras pessoas. E ali tem a história do jarê, que é um candomblé muito específico da Chapada que, além dos orixás dos santos católicos, também traz os encantados, que vêm da religiosidade indígena. É muito bonito o livro porque um dos personagens principais, o pai dessas duas irmãs, que é o Zeca Chapéu Grande, é um sacerdote religioso. Na festa do jarê, ele dança e incorpora Santa Bárbara, que, no sincretismo, é o orixá Iansã. Do mesmo jeito que ele roda e incorpora um orixá, ele incorpora uma santa católica, e depois uma encantada de origem indígena. A forma como isso está apresentado nesse livro permite sair um pouco daquela imagem em que a pessoa colocava a estátua de Santa Bárbara e, embaixo, tinha outra imagem. Não é isso, a gente não organiza as coisas desse jeito na vida. Essa era uma leitura intelectualizada, e por isso eu acho que a literatura é um presente, ela mostra a complexidade das coisas.

Outro livro para recomendar é *Um defeito de cor*, da Ana Maria Gonçalves.[8] É um livro de 950 páginas sobre uma personagem chamada Kehinde (em iorubá), que teria depois recebido o nome de Luiza, apesar de ter se negado a ser batizada. É uma história maravilhosa sobre uma pessoa negra, uma personagem cuja história se passa no século XIX, mas que conta a história do Brasil. Pela história dessa personagem dá para entender, por exemplo, a importância das irmandades na compra de alforrias. Em Salvador, no Pelourinho, na igreja do Rosário dos Homens Pretos, você vai na parte de trás da igreja e é um terreiro, uma roça de candomblé. Tem aquele chão de terra batida, as ervas todas plantadas, as ervas sagradas do candomblé, atrás de uma igreja católica. Isso é o sincretismo no Brasil. Ele é mais elaborado, mais sofisticado do que muitas vezes a gente assimila racionalmente. O altar da minha casa é

8 Ana Maria Gonçalves. *Um defeito de cor*. Rio de Janeiro: Record, 2006.

o sincretismo brasileiro. É lógico que muitas vezes isso recebe críticas, porque alguns setores querem afirmar algo mais forte. O movimento negro e a negritude afirmam que é o orixá. Mas, quando você chega num terreiro, nunca é bem assim. Eu acho que isso é uma leitura muito racional e intelectualizada para fenômenos que são vivos e complexos.

GW Historicamente, nos Estados Unidos, o racismo vem sendo explicitado, e também combatido, há muito tempo. Pode-se dizer que essa relação está mais estruturada, quer dizer, o mito da democracia racial nunca prosperou muito por lá. É como o Caetano diz numa música chamada *Americanos*: "Branco é branco,/ Preto é preto/ E a mulata não é a tal". Em relação a esse contexto norte-americano, quais são as vantagens e as desvantagens da nossa situação aqui no Brasil?

BS Eu vou te responder a partir do que eu leio e dos meus contatos com movimentos negros norte-americanos, porque eu nunca pisei nos Estados Unidos. Eu nunca estive lá, então conheço a partir do que ouvi, do que li. Os Estados Unidos tiveram uma lei de segregação racial, havia espaços proibidos para pessoas negras. Ao mesmo tempo, em muitos estados norte-americanos, junto com a abolição, as pessoas negras receberam um pedaço de terra e alguns animais. No final do século XIX, há a criação das primeiras universidades negras dos Estados Unidos. Então havia sim a segregação, mas havia a escola dos pretos, a universidade dos pretos. No Brasil, nunca houve uma lei que dissesse "aqui preto não pode entrar", mas até hoje você chega num restaurante e não tem uma única pessoa preta, a não ser quem trabalha lá. Na universidade, você não vê pessoas pretas. Antes da cota racial, então, aí é que você não via mesmo.

O Brasil não precisou legislar uma única lei. A gente tem uma série de combinações que transformaram nossa sociedade numa sociedade completamente apartada. A gente diz que São Paulo tem bairros ricos e bairros pobres, mas a gente não diz que São Paulo tem bairros brancos e bairros negros. Cidade Tiradentes é um bairro negro, e Perdizes é um bairro branco. A gente não nomeia o apartheid que existe na sociedade brasileira. Sobre essa diferença que, muitas vezes, as pessoas identificam entre o racismo norte-americano e o brasileiro, como se aqui fosse melhor, eu tenho muitas dúvidas. Eu acho que aqui ele tem uma outra sofisticação. Aqui a gente tem esse jeito de fazer. Aqui a gente teve essa "bondade" dos senhores e das sinhás: "Eu deixo você continuar aqui na minha terra trabalhando de graça para mim depois da abolição, já que você não tem acesso à terra, e isso que eu estou te fazendo é um grande favor". Aqui no Brasil, até hoje é assim: "Você não tem terra, você não tem escola e você não tem trabalho, mas, se você quiser ser a minha empregada doméstica, eu te dou a maravilhosa oportunidade de limpar a minha privada, por um salário baixíssimo, sem regulamentar as horas da sua jornada de trabalho, e ainda te dou uma roupinha usada no final do mês. E a comida que vai estragar, você também pode levar para os seus filhos". É muita "bondade" no Brasil.

Esse discurso, esse cinismo é de uma perversidade muito grande que, muitas vezes, conforma, obriga uma espécie de paz social que não existe. Quando a gente olha os dados de morte no Brasil, eles são dados de guerra. Só que nessa guerra não morre todo mundo, nessa guerra morre quem é preto. É muito curioso o termo "bala perdida", que se usa no Rio de Janeiro, porque ela não chega às crianças brancas, ela não chega à Zona Sul. Ela é uma bala perdida que encontra sempre os mesmos corpos, nos mesmos lugares.

A Sueli Carneiro é a principal referência teórica em meu doutorado, e ela é foucaultiana. Ela fala no "dispositivo de racialidade" como um dos jeitos que conformam o racismo no Brasil. O nosso dispositivo de racialidade teve a Lei de Terras, em 1850, que não permitia mais o acesso à terra sem ser comprado. Tem o elevador de serviço, o quartinho da empregada.

É uma série de ditos e não ditos, descritos ou sabidos, que conformam um racismo específico e extremamente cruel. Enfim, não tem racismo bom, e o nosso certamente não é melhor do que o dos Estados Unidos.

GW Todo princípio de resistência, ou de revolução, precisa de um embate com alguma coisa que se explicita. Essa nossa forma de segregação velada está sendo atualmente exportada para a Europa, pelos brasileiros que vão morar em Portugal. Não sei se você já ouviu algo sobre isso.

BS A questão dos apartamentos, não é?

GW Sim, reformando apartamentos ou edifícios inteiros, construindo elevadores de serviço, projetando copas para separar a cozinha da sala. Dentro da história da arquitetura, isso pode vir a ser chamado de "arquitetura brasileira" em algum momento, porque, afinal, é a expressão de uma forma de viver de uma expressiva camada deste país que é o Brasil.

Por outro lado, existe a chamada "arquitetura brasileira", ou "agudá", na região do antigo Daomé (Nigéria, Benim e Togo), feita por ex-escravizados brasileiros que retornaram para lá, de onde seus ancestrais vieram, justamente porque não tinham oportunidade nenhuma no Brasil.[9] E uma vez lá, como tinham conhecimento manual, muitos acabaram se tornando arquitetos, que construíam de acordo com o conhecimento empírico que levaram daqui. Essa também é uma forma de "arquitetura brasileira" que é reconhecida lá enquanto tal, mas que, para nós, aqui, é absolutamente surpreendente, pois quase ninguém, no Brasil, sabe da existência disso.

BS Em *Um defeito de cor*, a Kehinde, essa personagem da Ana Maria Gonçalves, volta para a África, exatamente para o Benim, e lá abre uma empresa que tem como nome Casas Brasil, porque ela construía essas casas. Essa é a história da

9 Ver o trabalho "As pegadas dos retornados", de Tatewaki Nio: www.tatewakinio.com/As-Pegadas-dos-Retornados.

personagem. Primeiro ela faz isso no Brasil, com um sócio, e começa a ser construtora. Depois ela vai para a África e enriquece fazendo essa arquitetura específica. Eu li esse livro para os meus filhos, toda noite, durante dois anos.

GW Que maravilha! Veja só, numa de suas colunas no UOL, você cita um diálogo de uma moça com uma amiga, na universidade. Ela faz um elogio ao "neguinho", ou algo assim, e a amiga responde que "quem gosta de preto é polícia".[10] Conta para a gente essa história, por favor?

BS Escrever em veículos de grande circulação acaba motivando algumas pessoas a me procurarem para contar histórias. Já tinha sido publicada uma reportagem no *The Intercept* falando da demissão de dois professores brancos que foram testemunhas de um episódio de racismo naquela universidade. Mas, depois dessa história, várias alunas, ex-alunas e professoras negras se sentiram também motivadas a contar aquilo que tinha acontecido com elas nessa mesma universidade. E uma dessas alunas me contou uma história terrível. Ela foi para a porta da universidade no intervalo comprar um milho com a amiga, e elas estavam ali conversando. Uma delas, vendo um jovem que passou, disse: "Nossa, que bonitinho". E a amiga, negra, falou: "Ele é bonitinho, mas eu prefiro o meu pretinho", porque ela tem um namorado, e ele é negro. Então a amiga branca disse a ela: "Quem gosta de preto é a polícia". Nessa hora, a outra ficou constrangida, um pouco chocada de ter ouvido algo assim, e respondeu: "Amiga, por favor, não fale desse jeito porque é ofensivo". E a amiga repetiu: "Quem gosta de preto é a polícia". Ela disse que ficou em choque porque se lembrou do padrinho que havia sido assassinado pela polícia. Na hora em que ela me contou isso, eu pensei muito na Grada Kilomba, uma pesquisadora, psicóloga de formação,

10 Disponível em: www.uol.com.br/ecoa/colunas/bianca-santana/2020/10/21/estudantes-e-professores-relatam-casos-de-racismo-na-unip.htm.

com doutorado em filosofia, quando ela fala da "atualização" do racismo e do trauma no cotidiano. Quando essa jovem negra ouve essa ofensa na universidade, além da violência daquele momento, ela revive o trauma do assassinato do padrinho dela. Isso é uma coisa que essa amiga nem alcança, e continuou repetindo: "Eu não vou pedir desculpas, eu não vou retirar o que eu disse porque isso é verdade". Ela procurou a universidade, contando o que aconteceu, e não houve nenhuma reação. Então ela procurou uma professora negra. Isso acontece muitas vezes. Eu fui uma das únicas professoras negras na Cásper Líbero, e você vira um para-raios, não só de casos de racismo como de muitos episódios na vida dos estudantes. Essa professora negra ouviu a aluna e sugeriu que ela fizesse um boletim de ocorrência. Depois disso, essa professora começou a ser perseguida, essa aluna começou também a ser perseguida pela aluna que tinha feito a ofensa racial, e decidiu sair da universidade. Ela abandonou o curso, não seguiu, porque, de um momento para o outro, virou a pessoa que estava inventando, que estava exagerando, que foi até a delegacia por nada, que nem é tão preta assim. Nessa hora, por mais que a ideia do colorismo seja importante, por mais que a minha experiência de menos melanina seja muito diferente das de mulheres e homens pretos retintos, nesse momento a ideia de colorismo é perversa, porque o que ela ouvia das pessoas era: "Você nem é tão preta assim", "Por que você está inventando isso se você nem é preta?". E essa menina saiu da universidade. Então é muito pesado. Aquilo que no racismo cotidiano, muitas vezes, se apresenta como sutil – e eu já fiz a bobagem de dizer que era sutil – é extremamente violento, porque revive os traumas.

GW História terrível essa. Me fez lembrar do caso recente da Mariana Ferrer, quando a vítima acaba sendo acusada e humilhada. É um tipo de inversão que espelha muito a violência da nossa sociedade.

BS Exatamente.

GW Por falar em trauma, e na elaboração de traumas, você acha que a literatura é uma forma de resistência a essas violências todas?

BS Sim, e esse é o tema da minha tese de doutorado, que se chama *A escrita de si de mulheres negras: memória e resistência ao racismo*. A minha hipótese é que as mulheres negras não só reelaboram a própria experiência, os próprios traumas e, a partir disso, praticam um cuidado de si como resistência a esse dispositivo de racialidade, ao biopoder e ao próprio racismo, mas também cuidam dos outros. Eu pego, a partir da Sueli Carneiro, essa ideia de Foucault de cuidar de si e do outro. Quando eu li pela primeira vez Carolina Maria de Jesus, fiquei impactada, senti um pouco de raiva porque parecia que ela estava profanando histórias que não estavam em livros. Ao mesmo tempo, a professora que me indicou esse livro me deu um presente grandioso, porque, na Carolina, eu li uma série de episódios que eu já tinha ouvido da minha avó, das minhas vizinhas, coisas que eu tinha vivido. Quando conheci a noção de "escrevivência", da Conceição Evaristo, que é essa escrita das próprias vivências e da própria experiência, isso me trouxe um sentido muito transformador. A partir da escrita de *Quando me descobri negra*, e de oficinas de escrita que eu comecei a oferecer para outras mulheres negras, eu fui reconhecendo a imensa possibilidade de narrar as nossas memórias não só como registro, mas também como cura de traumas coletivos.

Há uma autora norte-americana chamada Jenny Sharpe (infelizmente não foi traduzida ainda para o português) que tem um livro chamado *Ghosts of slavery*.[11] Ela traz uma imagem muito bonita, dizendo que as pessoas negras escravizadas não foram enterradas adequadamente. Ela diz que,

11 Jenny Sharpe. *Ghosts of slavery: a literary archaeology of black women's lives*. Minneapolis: University of Minnesota Press, 2002.

quando a gente conta as histórias dessas pessoas, temos a possibilidade de enterrar de forma adequada esses corpos. Essa imagem, que é tão forte, que é tão bonita, que traz essa possibilidade da escrita como cura, me lembra uma outra escritora, a Scholastique Mukasonga, uma escritora ruandesa. Ela é uma mulher tútsi que fala a partir dos conflitos criados pelo colonialismo, inventados pela Bélgica entre os hutus e os tútsis, quando os tútsis foram praticamente exterminados e quase toda a família dela morreu. No começo de um livro chamado *A mulher de pés descalços*,[12] a Scholastique conta que a mãe dela dizia que seu corpo tinha que ser coberto por uma mortalha, porque ninguém deveria ver o corpo de uma mãe. E ela precisa fugir de Ruanda, e todas as irmãs morrem no genocídio. Então ela começa o livro dizendo algo como: "Mãezinha, eu não consegui cobrir o seu corpo do jeito que você disse, por isso eu escrevo estas palavras num idioma que você nem entendia". É uma imagem muito forte e muito bonita, que mostra como essas escritas de histórias historicamente silenciadas são também uma possibilidade de construir essa mortalha para todas as pessoas que foram mortas na escravização e por conta do racismo no Brasil. É uma resistência que cuida dos mortos, mas principalmente por atenção aos vivos, para que isso não aconteça mais.

GW Bianca, que resposta linda, muito forte. Na sua conversa com a Sueli Carneiro, há uma passagem em que vocês falam dessa figura da mulher negra guerreira, uma vez que, muitas vezes, a mulher negra é a pessoa que tem que segurar todas as ondas de uma família, que é precária, e às vezes está migrando de um lugar para outro. A gente vê as imagens dessas mulheres segurando crianças no colo, tendo que sustentar tudo sozinhas. E, nessa conversa, vocês falam do "direito à fragilidade". Seria importante te ouvir mais sobre isso.

12 Scholastique Mukasonga. *A mulher de pés descalços*. São Paulo: Nós, 2017.

BS Isso de ser forte o tempo todo, de cuidar de tudo, é o que se espera das mulheres negras. Nessa entrevista, a Sueli me pede para colocar na abertura do texto um trecho do discurso de uma mulher negra norte-americana chamada Sojourner Truth. Ela foi uma mulher escravizada, e o discurso dela é: "Aqueles homens ali dizem que as mulheres precisam de ajuda para subir em carruagens, e devem ser carregadas para atravessar valas, e que merecem o melhor lugar onde quer que estejam. Ninguém jamais me ajudou a subir em carruagens, ou a saltar sobre poças de lama, e nunca me ofereceram melhor lugar algum! E não sou uma mulher?" ("Ain't I a woman", 1851).

Essa demanda do feminismo, de que as mulheres não devem ser vistas apenas como frágeis, diz respeito a mulheres brancas. Mulheres brancas e ricas. As mulheres brancas de classes populares não tiveram esse direito à fragilidade. Pelo contrário, são elas as vigas da família. São as mulheres negras que, no pós-abolição, levam o dinheiro e sustentam a vida na comunidade. Financeira e emocionalmente elas cuidam de tudo. Só que raramente essas mulheres têm a oportunidade de cuidar delas mesmas.

Eu vou encerrar com uma última recomendação de livro: *Becos da memória*, da Conceição Evaristo.[13] Ela tem muitos livros maravilhosos e, para responder a essa pergunta, eu poderia indicar vários. *Olhos d'água* é um livro de contos que tem uma personagem chamada Maria. É avassalador. *Insubmissas lágrimas de mulheres* são treze contos sobre treze personagens diferentes que tratam dessa temática. Em *Becos da memória* há uma mulher negra chamada Ditinha, uma personagem que me impacta especialmente. Enfim, para uma resposta mais completa à sua pergunta, eu recomendo esse livro.

GW Maravilha. Para terminar, eu quero trazer a questão do movimento Black Lives Matter e voltar um pouco para o

13 Conceição Evaristo. *Becos da memória*. Rio de Janeiro: Pallas, 2017.

contexto norte-americano. As análises mostraram que, na recente eleição presidencial norte-americana, o voto das mulheres e dos negros contra o Trump foi muito importante, diferentemente do voto latino, que variou mais – na verdade, um certo voto latino foi bastante trumpista. São minorias com posições quase que opostas, nesse caso. Como é que você vê, hoje, o papel dos movimentos negros como movimentos progressistas de esquerda pelo mundo?

BS Dificilmente vai haver uma mudança social profunda vinda dos mesmos grupos que ocupam o poder há muito tempo. Por mais que eu seja defensora dos governos Lula e Dilma, que eu lamente profundamente o golpe de 2016, que eu tenha ido para a rua contra o golpe, é inegável que o encarceramento da juventude negra aumentou exponencialmente nesses governos. É inegável que o genocídio se aprofundou, que o extermínio indígena aumentou com a construção de Belo Monte, e tantas outras coisas que a gente poderia enumerar aqui. Então, quando eu ouço que a possibilidade de futuro para o Brasil é o Lula, ou o Boulos, ou o Freixo, enumerando-se um monte de nomes de homens brancos, eu fico pensando: que resposta social é possível quando eu coloco representantes de um mesmo grupo social para dar as mesmas respostas às questões que nunca foram resolvidas?

Não há mudança possível na sociedade brasileira, assim como não há na sociedade norte-americana, que não passe pela população negra. E olha que nos Estados Unidos os negros são, se eu não me engano, 13% da população. No Brasil nós somos 54%. Se esse movimento negro é tão determinante na política norte-americana, sabendo que os negros são realmente uma minoria numérica naquela sociedade, o que significa 54% de população negra no Brasil?

As elites econômicas, as elites políticas, as elites intelectuais têm conseguido fragmentar a luta do movimento negro.

A gente vai votar neste domingo, e eu quero ver se o antirracismo de quem nos assiste chega também às urnas, ou se é melhor ficar só no Instagram. Não votar em pessoas negras significa perpetuar as mesmas pessoas com as mesmas respostas. E o que a gente vê na distribuição de verbas de campanha pelos partidos é nojento, é nefasto. Da direita à esquerda, você tem uma elite política branca fragmentando os movimentos negros. A gente vê pessoas negras, uma agredindo a outra politicamente, em armadilhas criadas pelas lideranças brancas dos partidos.

A notícia que eu tenho para dar é que isso não vai se sustentar por muito tempo. É o espírito do tempo, é o que a gente vê nas ruas. O conflito racial está em evidência. Daqui a pouco não vai dar mais para subjugar negros. E aí a gente vai ver mudanças sociais mais profundas no Brasil. E, quando melhora a vida da população negra, melhora a vida de toda a pirâmide social brasileira, porque a gente está na base. Se alguém sabe cuidar de todo mundo, é a mulher preta. Pensem em quem já trabalhou nas casas de classe média de vocês, pensem em quem foram as babás, as empregadas. Elas, por mais que tenham sempre sofrido a opressão racial, sempre foram amorosas, cuidadosas. Isso é o que a população negra tem para oferecer à sociedade brasileira como um todo. A gente sabe cuidar da gente, e a gente sabe cuidar de todo mundo.

Entrevista realizada em 11 de novembro de 2020.

3.

Pandemia, práticas de resistência, mundo em espera

Espera in/em comum

Ana Luiza Nobre

Ana Luiza Nobre é arquiteta, formada pela Faculdade de Arquitetura e Urbanismo da Universidade Federal do Rio de Janeiro (FAU-UFRJ). Tem doutorado pelo Departamento de História e é professora do Departamento de Arquitetura e Urbanismo e do Programa de Pós-Graduação em Arquitetura da Pontifícia Universidade Católica do Rio de Janeiro (PUC-Rio).

Guilherme Wisnik Ana, os nossos temas hoje estão girando em torno das questões do confinamento, da pandemia e do refluxo do espaço público. Eu queria começar a conversa te perguntando sobre esta situação de espera que vivemos. O que você acha que o mundo espera acontecer? E o que nós podemos esperar desta espera?

Ana Luiza Nobre Bom, eu não sei o que esperar e nem estou muito preocupada com isso, para dizer a verdade. Não estou querendo pensar o depois. Quero me concentrar nesta suspensão, neste tempo não mensurável, que é também um espaço de deslocamento. É aí que quero estar agora. E quase tenho um desejo secreto de que esta quarentena se prolongue muito. Porque ela pode ser muito produtiva do ponto de vista intelectual e mental. Tenho visto muita gente, apressadamente, pensando no que será o mundo depois da pandemia. Eu não me sinto capacitada para fazer esse prognóstico, e acho que é muito cedo para isso. Até porque significaria entrar de novo no regime de produtividade 24/7, que atrofiou nossa capacidade de espera e impôs uma vida sem pausa e sem escuta, que exige sempre uma resposta rápida às coisas. Isso eu não quero. Estou procurando me concentrar em experimentar a situação em que estamos mergulhados tão radicalmente quanto possível, revendo todas as minhas práticas, todos os meus atos, as minhas relações. Isso pode ser muito rico. Sem ter um objetivo, um fim, um propósito, e por isso também não vejo como fazer disso, pelo menos por ora, uma pesquisa acadêmica. O que está me interessando é da ordem da experiência, e uma experiência vivida no coletivo, ainda que estejamos isolados fisicamente.

GW É bonita essa ideia de contrariar uma noção finalista, como se isso tivesse um objetivo lá no fim, enquanto, na verdade, o processo inteiro, o modo de viver isso, pode ser bastante rico, o que me faz pensar num dos textos que você indicou para leitura neste seminário, o conto do Julio Cortázar chamado "A autoestrada do sul",[1] que narra uma volta de feriado numa estrada para Paris. Há um engarrafamento monstruoso, e todo mundo fica parado naquilo. Isso gera muita ansiedade, as pessoas começam a reclamar, ligam o rádio, querem saber o que está acontecendo. E ficam dizendo que precisam chegar logo, com urgência, que têm coisas para fazer em Paris, mas o trânsito não anda. Primeiro, há notícias de que aquilo vai demorar, mas nada acontece. E vai demorando, demorando, passam-se dias, meses, e aí chega uma hora em que se cria uma espécie de nova vida diante da emergência daquela situação. Um carro se torna ambulância, outro carro se torna motel; é tudo readaptado naquela nova vida em que as pessoas estão numa estrada, nos carros. As crianças nascem, famílias se formam.

ALN Conflitos também.

GW Conflitos também. A vida se rearranja, enfim. Isso é literatura, claro, não é a realidade, mas é uma formulação do que acontece em situações extremas. Exagerando um pouco, parece que estamos à beira de situações como essa. São experiências muito novas que estão sendo desencadeadas neste momento.

ALN O conto do Cortázar é tão absurdo quanto corriqueiro. E eu lembraria também da música do Paulinho da Viola *Sinal fechado*, que trata de um encontro fortuito, num engarrafamento, entre duas pessoas que parecem já ter sido íntimas, mas perderam contato. É um encontro muito breve, mas intenso, também provocado por uma situação de espera no trânsito. O conto e a música mostram que há muitos modos, situações, formas distintas de espera. Ambos tratam de uma situação que vivemos cotidianamente, embora Cortázar leve isso ao limite, nos fazendo pensar no que isso pode gerar. Há toda uma economia, por exemplo, de ambulantes que surgem no engarrafamento,

1 "La autopista del sur", na versão original em espanhol. Publicado na coletânea *Todos los fuegos el fuego* (1966).

aqui no Rio ou em São Paulo. O trânsito para e logo aparece alguém para vender água, biscoito ou alguma coisa. Pessoas que tiram seu sustento dessa situação de espera. E isso se relaciona com o conto do Cortázar, que fala de relações sociais que surgem e depois se desfazem rapidamente entre pessoas que, de repente, vivem num tempo fora do tempo, que é o tempo do engarrafamento. Um tempo que no caso é longo, porque o conto começa no verão e atravessa o inverno, mas é de duração incerta. E, quando a estrada é liberada, e todos os que enfrentaram o engarrafamento juntos podem correr, eles já não sabem o que fazer, porque se sentem totalmente desterritorializados.

O historiador francês Laurent Vidal vem estudando esses territórios de espera com um grupo de historiadores, geógrafos e sociólogos. Ele escreveu um livro muito interessante sobre uma cidade chamada Mazagão,[2] uma possessão portuguesa no Marrocos, que atravessa o Atlântico e é transportada para a Amazônia. Mas nesse deslocamento seus habitantes acabam ficando um tempo em Lisboa, à espera do navio que os levará para a América. E ali se configura um território de espera semelhante ao engarrafamento, de algum modo. Porque há uma série de relações e negociações que se criam ali e se territorializam em função dessa situação. E é importante notar que no conto de Cortázar as personagens não têm identidade individual. Elas são tratadas pelas marcas dos carros. Tem a moça do…

GW Dauphine.

ALN Isso. Do Dauphine, os rapazes do Simca, o engenheiro do Peugeot… Eu fui procurar a imagem desses carros, porque não são marcas que a gente conhece muito, e todos têm cara de personagens, é incrível. E de repente acaba o engarrafamento

2 Laurent Vidal. *Mazagão: a cidade que atravessou o Atlântico.* São Paulo: Martins Fontes, 2008.

e todos se sentem perdidos quando se veem, de novo, acelerados na estrada, correndo sem saber por quê. Recomendei a leitura desse conto porque ele ajuda a pensar esses espaços e tempos lacunares, que não são da chegada ou da partida, não são do antes e do depois, e dificilmente são mensuráveis. Esse exercício é ainda mais importante agora que estamos vivendo uma experiência tão radical de suspensão. Até para combater a ansiedade, o desânimo, tudo isso que também envolve a espera atual. Enfim, gostaria de pensar a espera na sua dimensão geradora, como mostra Walter Benjamin no outro texto que indiquei, chamado "A febre".[3] Nesse texto, Benjamin repassa os vários períodos da sua infância em que esteve doente e acamado. E se o convívio com a doença provoca seu isolamento no quarto, ele abre também a possibilidade de um convívio mais próximo com a sua mãe, que vem várias vezes por dia tirar a temperatura, dar remédio, mudar a roupa de cama, contar histórias... enfim, é um espaço-tempo de inação, de imobilidade, demarcado pela presença da mãe, em que a ação do menino sozinho, doente e acamado se reduz a inventar brincadeiras com as sombras nas paredes, os travesseiros... E ele conta como aprendeu assim a esperar, e mais, tomou um gosto pela espera a ponto de não sentir alegria pela viagem se falta o tempo da espera pelo trem na estação. É um relato muito bonito de uma espera que, assim como a nossa hoje, também é ligada à enfermidade. E tem um trecho particularmente bonito em que ele associa a espera a uma potência feminina.

GW Isso é muito importante, até porque você mesma disse, agora há pouco, que quase deseja que esta quarentena continue ainda mais, entendendo esta espera como geradora e produtiva, não no sentido da eficácia, mas de se fomentarem novas possibilidades dentro do real. Mas, antes de entrar por

3 Walter Benjamin. "A febre". In: *Obras escolhidas II. Rua de mão única.* São Paulo: Brasiliense, 1987, pp. 107-111.

aí, eu queria te pedir para explicar essa expressão que você tem usado, "espera in/em comum". Imagino que seja porque é uma espera incomum ao mesmo tempo que se dá na dimensão do comum, da comunidade.

ALN Sim, é uma espera incomum do ponto de vista da sua unicidade, da sua radicalidade sem precedentes. E é em comum porque vivida coletivamente, ainda que em isolamento físico. Acho importante pensar essa dimensão do comum em meio à crise, quando uma série de categorias é colocada em xeque. Há muitos pensadores que vêm tratando do comum, como Jean-Luc Nancy, David Harvey...

GW O Antonio Negri, o Michael Hardt.

ALN O Bruno Latour, o Christian Laval, a Isabelle Stengers... enfim, é um tema muito atual. Até o papa Francisco, na encíclica que escreveu há alguns anos, falou sobre a dimensão da casa comum, referindo-se ao planeta Terra. Então, ainda que sejam autores e acepções muito distintos, há uma convergência importante aí em torno do esforço de pensar na contramão da lógica da propriedade. Porque pensar em termos de espaço público ainda é, em certo sentido, pensar segundo o binarismo público-privado, que já não dá conta da complexidade de muitos espaços e práticas urbanas. E isso ganha uma dimensão política que é mais que nunca emergencial hoje. De repente esta espera pode nos propiciar – e até nos forçar a – praticar uma lógica da solidariedade e da partilha, um sentido do "pôr em comum". Isso tem uma força muito grande. O quanto esta espera pode ser transformadora da nossa própria concepção de política.

GW Eu acho que esse é o centro desta discussão: a conexão dos conceitos de espera e de comum. O comum, como você bem disse, é um conceito muito estudado por vários autores hoje em dia, até porque ele surge como um modo de dissolver a tradicional polarização entre público e privado – essas duas categorias antagônicas que, desde a Grécia antiga, estruturam

as bases do pensamento ocidental. E o comum, até onde eu sei, tem uma origem rural inglesa, ligada à propriedade comunal. Na sua opinião, em que medida a ideia do comum tem mais valor do que a noção de público, levando em conta esta situação de espera que a gente está vivendo? Quer dizer, de que forma você mobiliza a categoria do comum para falar da espera?

ALN A noção de comum extrapola uma noção tradicional de política que é vinculada à política governamental, do Estado soberano, e implica uma consciência planetária. Esta espera me deu isso. Até pouco tempo atrás, eu tinha a impressão de que o mundo continuaria independentemente de mim. Agora não. Tenho certeza de que o mundo depende de mim, depende de uma ação minha, e essa ação, por mais paradoxal que pareça, é a minha espera. É claro que isso mexe com a minha concepção de mundo.

Alguns autores consideram o comum um recurso natural, como a terra, o ar, a água. Outros tratam do comum cultural, como a língua, o conhecimento científico. Mas, de novo, o mais importante agora é pensar o comum como algo que só pode ser instituído e sustentado coletivamente, por comunidades não homogêneas. Ou seja, como uma dimensão que independe do Estado-nação, do governo estatal. Substituir as relações de poder por relações de partilha, do ponto de vista tanto do compartilhamento quanto da divisão de tarefas, da divisão de responsabilidades. Isso é muito urgente, e já está mais do que na hora de a gente enfrentar isso também do ponto de vista da arquitetura. Pensar a arquitetura também como prática instituinte do comum. Eu não sou a primeira pessoa que está dizendo isso, claro. Mas o que estou fazendo é juntar isso com a ideia de espera, neste momento em que a *pólis* está sendo abalada nos seus fundamentos. O espaço público, a aglomeração, a multidão, o encontro são fundamentos da *pólis*, e, de repente, tudo isso está esvaziado. Há uma inversão, porque o que é público agora está dentro da minha casa. A esfera pública se dá dentro do espaço doméstico e, mais que isso, muitas vezes no espaço de maior intimidade de cada um, que é o quarto. Isso amplia ainda mais o caráter perturbador desta espera e provoca um embaralhamento que vai tornando certas categorias cada vez mais insustentáveis. Além disso, o público ficou associado ao contágio: eu não vou à rua porque tenho medo. Então o comum é uma abertura, uma possibilidade que envolve uma prática instituinte que é necessariamente coletiva. Acho muito bonito, por exemplo, ver pessoas, em várias partes do mundo, jogando bingo nas janelas dos prédios.

GW É?

ALN É, e a gente pode pensar também nos panelaços aqui.

GW Sim. Ou nas pessoas cantando.

ALN Cantar, bater palmas, tudo isso dá forma e visibilidade a novas possibilidades de convívio urbano, e abre possibilidades de reconstruir relações sociais que estão ameaçadas. À minha volta há muitas pessoas que não conheço, nunca vi, mas cujas vozes passei a ouvir e reconhecer, e me chamam. Alguém grita no meio da tarde "fora, Bolsonaro", e a vizinhança toda sai gritando junto. Assim vão se inscrevendo novos sentidos de comunidade e novas esferas da existência em comum.

GW Temos aí uma situação dual, porque, por um lado, as pessoas estão confinadas, isoladas, atomizadas, distantes, cada um na sua, mas, ao mesmo tempo, existe esse sentimento de pertencimento a uma dimensão comum. Esta espera, esta quarentena faz a gente ver o planeta como a nossa casa, como um problema de todos nós ao mesmo tempo, como você disse aqui. Então, essa perspectiva, com a qual eu me identifico, tem algum grau de positividade, pois esta situação emergencial incomum, que você menciona, cria uma desaceleração e uma barreira para o modo como as coisas vinham sendo e acontecendo, e aponta para a inexorabilidade dessa dimensão comum. Se isso é verdade, pode desencadear algum poder catalisador ou subversivo. Você acredita nisso?

ALN Tenho que acreditar. Criamos aqui, inclusive, uma rede de leituras em torno do tema da espera. Isso realmente está me mobilizando, e acho que está me salvando.

GW Essa expressão é boa, porque é disso mesmo que se trata. O Jonathan Crary, autor do livro *24/7*,[4] que trata da questão desse tempo contínuo, do consumo, da disponibilidade total para a interface, para a conexão, faz uma defesa desse tempo comum, dessa dimensão de compartilhamento. Ele fala de um filme da Chantal Akerman chamado *D'Est* (*Do leste*, 1993), que mostra cenas de rua, cotidianas, na Rússia, na Polônia e na ex-Alemanha Oriental, logo após o fim da União Soviética – um filme que, como ela mesmo comenta, foi feito "enquanto ainda havia tempo", enquanto havia uma disponibilidade para um tempo meio vazio, meio morto, um tempo que não está enquadrado na produtividade excessiva. O filme mostra muitas cenas de pessoas esperando em filas, que era uma coisa muito comum nos países comunistas, porque havia, por um lado, uma certa escassez, mas, por outro, uma coletivização real das coisas. Podemos entender a fila como um contraponto à ideia de privilégio, uma vez que as pessoas em pé na fila estavam, todas juntas, compartilhando esse momento de esperar por alguma coisa à qual todas elas, cada uma por sua vez, teriam acesso. O Crary então comenta que para nós, no capitalismo tardio, o privilégio é não esperar. O sinal de que você é rico é não esperar por nada, é furar as filas, é ter acesso VIP.

ALN Exatamente. Você compra o *fast track* no aeroporto, no museu, no hospital. *Time is money*. Quem tem dinheiro não espera. Ou paga alguém para esperar no seu lugar, ou compra um bilhete que vai lhe dar o direito de furar a fila. Então esse tempo da espera vivido coletivamente (e o filme

4 Jonathan Crary. *24/7: capitalismo tardio e os fins do sono*. São Paulo: Ubu, 2016.

mostra muito bem isso) tem uma força desestabilizante. Mas hoje a gente pode pensar também nos campos de refugiados como campos de espera. As pessoas estão ali não apenas desterradas e desterritorializadas, mas também "inativadas", desligadas de laços sociais, esvaziadas de direitos, de potência, de ação, de documentos. É um regime de exceção, inclusive juridicamente, que permite que alguém, estando fisicamente num país, seja tratado como se não estivesse ali. E, quando o imigrante faz o pedido de asilo, ele entra numa situação de espera sobre a qual não tem nenhum controle. Ele não sabe quanto tempo vai levar o processo, se vai sair, e não pode fazer nada a não ser esperar, muitas vezes durante anos, e sem sair do espaço bastante restrito em que sua presença é tolerada. Assim, o imigrante é colocado numa situação de espera humilhante, desumanizante, que o torna inativo, inoperante, desmembrado e, portanto, mais facilmente controlável, manipulável, vigiável.

O fotógrafo Henk Wildschut fez um trabalho lindo em campos de refugiados em várias partes do mundo, inclusive na chamada "floresta de Calais", na França. Ele publicou um livro chamado *Rooted* (2019), com registros dos jardins em miniatura, pequenas práticas de jardinagem realizadas em áreas onde a terra é supersalgada, não tem água, não tem condições para as plantas sobreviverem. E os refugiados cuidam da terra como uma maneira de evocar uma relação doméstica, uma lembrança da casa, do lugar de onde saíram. São jardins, assim, mínimos, em situações onde você jamais esperaria encontrar uma planta. Eles reutilizam latas de óleo, protegem as plantas para que elas não sejam atropeladas, compartilham a pouca água disponível... Há um esforço de humanização desses espaços de espera, ou desses "territórios de espera", para usar um termo do Laurent Vidal.

GW Eu me lembrei agora de um poema do Konstantínos Kaváfis, um poeta grego-otomano relativamente moderno, que se chama "À espera dos bárbaros".[5] Ele descreve o momento em que a chegada dos bárbaros é anunciada em Roma. Eles vão invadir a qualquer momento, não vai ter jeito, não há o que se possa fazer. Diante da queda inexorável, os romanos então se arrumam, se vestem da maneira mais nobre possível, para se entregar, ou para ser massacrados, o que quer que venha a acontecer, mas todos paramentados. E passam o dia nessa espera, à espera dos bárbaros. E o dia vai passando, a noite chega, mas os bárbaros não aparecem. Os romanos ficam muito chateados e melancólicos. Aí chegam notícias de longe dizendo que os bárbaros não vêm mais, que já não existem mais bárbaros. E eles dizem: "Mas não é possível, eles eram uma solução". Os bárbaros eram, ou seriam, uma solução, uma redenção diante daquele estado de espera. A verdadeira espera se torna uma agonia porque, como não há mais bárbaros, eles já não sabem o que fazer com aquele mundo, com aquela Roma decadente. Talvez exista um paralelo com esta nossa quarentena. Essa dose de esperança que a gente tem e o efeito coletivista que a pandemia provoca podem ter um sentido redentor.

ALN A gente poderia lembrar também da Caixa de Pandora, uma história maravilhosa da mitologia grega. Pandora é uma mulher criada por Zeus para se vingar de Prometeu, que entregou o fogo aos humanos, e assim os equiparou aos deuses. Ela é uma mulher incrível, com todos os dons, a beleza, a sabedoria, a inteligência, porque Zeus convocou todos os deuses e cada um deles deu a essa mulher um dom. E aí ele oferece essa mulher a Prometeu, "aquele que sabe antes", mas ele desconfia e recusa. Então Zeus a oferece ao irmão de Prometeu, Epimeteu, "aquele que sabe depois", que se casa com Pandora. Como presente de casamento, eles recebem

5 Konstantínos Kaváfis. "À espera dos bárbaros". In: *Poemas*. Rio de Janeiro: Nova Fronteira, 1982, pp. 106-107.

de Zeus uma caixa que não podem abrir de jeito nenhum. A caixa então é colocada no pátio da casa e fica ali vigiada por duas gralhas gigantes. Só que Pandora é mulher e, como toda mulher, é curiosa... Então um dia ela seduz Epimeteu, tem relações sexuais com ele, e assim ele adormece profundamente. Então ela espanta as gralhas e abre a caixa. No que ela abre a caixa, espalha pelo mundo todos os males, que Zeus tinha colocado ali. Por isso é que ela não poderia ser aberta. Mas ele sabia que, em algum momento, ela ia ser aberta. E, ao ser aberta, se cumpriria a sua vingança contra Prometeu, porque seria o fim do mundo. Só que Pandora, ao se dar conta de que espalhou todos os males do mundo, fecha rapidamente a caixa e conserva lá dentro a única coisa positiva que havia ali, que era a esperança. Então a esperança é a única coisa que é capaz de vencer todos os males do mundo. É uma história bonita. Eu lembrei disso agora porque "espera" e "esperança" têm o mesmo radical, a mesma raiz etimológica.

GW Nunca tinha pensado nisso.

ALN Esperar é ter esperança. E *estar em espera* é estar prenhe, expectante, carregado de potência, assim como dizer que uma "mulher está esperando" significa que ela está grávida, por exemplo. Mas o verbo esperar tem muitos sentidos. Posso "esperar que alguma coisa boa nos aconteça", por exemplo, e aí esperar se conjuga com desejar. Posso também "esperar o trem", no sentido de aguardar. E tem ainda um sentido intransitivo: "estou esperando", simplesmente, no sentido de ter esperança.

A gente poderia fazer um inventário da arquitetura da espera, e aí incluiríamos pontos de ônibus, recepções, *lobbies* de hotel, salas de espera, *foyer* de teatros, hospedarias de imigrantes, campos de refugiados... e também hospitais, que são lugares de espera para o doente. E o mais terrível nessas imagens que têm circulado entre nós, e têm nos deixado tão sem sono e tão atônitos, são justamente as imagens

opostas à espera, da arquitetura de emergência. Os hospitais de campanha, as instalações hospitalares, os necrotérios móveis, as covas abertas nos cemitérios... Construídos da noite pro dia, em caráter emergencial, esses espaços também são registrados em situação de espera – e é isso o que os torna particularmente terríveis. Os hospitais que acabaram de ser concluídos e estão à espera de alguém nos fazem perguntar: "Quem vai ocupar esses leitos? Será que sou eu? Será que é o meu porteiro? Quem é que vai para essa cova? Quando? Será que elas vão ser suficientes?". Essas imagens, para mim, são muito mais terríveis do que as imagens dos hospitais cheios. É como se a gente estivesse esperando um pico, esperando algo que a gente não sabe bem o que é, mas que pode ser ainda pior, até porque no Brasil já está ficando muito claro que a espera não é vivida igualmente por todos. E se a espera pressupõe um porvir, esse porvir não é um futuro desenhado no presente. É um porvir que não corresponde mais a uma ideia de futuro como algo para o qual a gente caminharia, um horizonte que envolve também uma concepção de progresso. Não. É um porvir sobre o qual não tenho controle algum, e também não sei se vem. Como a primeira frase de *Esperando Godot*: "Nada a fazer".

GW Beckett é muito atual. Muitos autores falam do nosso mundo agora como uma "era de emergência". O Paulo Arantes, por exemplo, no livro *O novo tempo do mundo*, relê o Reinhart Koselleck, que fala desse encurtamento do horizonte de expectativa.[6] Desse ponto de vista, os modernos, as vanguardas, tinham um horizonte de expectativa muito grande, a ideia de um futuro radioso. Mas, ao longo do século XX, esse horizonte de um futuro largo foi se comprimindo a ponto de chegar a quase zero, fazendo com que a gente viva agora numa era de

6 Paulo Arantes. *O novo tempo do mundo: e outros estudos sobre a era da emergência*. São Paulo: Boitempo, 2014.

emergência, em que nos resta apenas responder ao colapso momentâneo, colocando em xeque a própria ideia de futuro. Há muitas expressões que tentam dar conta desse estado: "sociedade de risco", "modernidade virulenta", por exemplo. Ali, o Paulo Arantes diz que, de certa maneira, hoje o militante, o ativista político, foi substituído pelo "médico sem fronteiras", como se a ação ativista de hoje estivesse imbuída de um *páthos* mais humanitário do que político, o que é, evidentemente, um problema. Mas, por outro lado, aponta para essa dimensão da solidariedade, do comum, algo mais relativo ao campo médico ou ambiental, dado que o lugar da revolução, no campo político, está adiado, ou em quarentena mesmo. Mas, voltando à arquitetura, o que mais nos aparece neste momento é uma arquitetura da emergência, feita para dar conta desta situação de colapso, como os hospitais de campanha. Por outro lado, você falava aqui que essa noção de espera talvez tenha uma dimensão importante na arquitetura. De que modo você vê isso? Como é que a gente poderia pensar essa noção de espera na arquitetura? Que tipo de efeito, ou de abordagem, seria possível?

ALN Talvez esse seja um ponto cego na arquitetura neste momento. Podemos pensar na estação Sé do metrô de São Paulo também como um espaço de espera, por exemplo. E certamente há excelentes projetos de arquitetura de abrigos de ônibus, de estações de metrô, de trem, hospitais. São espaços intersticiais, intermediários, de apropriação temporária, que se definem como espaços transitórios, de passagem, para abrigar pessoas em trânsito – entre um evento e outro, um ponto de partida e um ponto de chegada. Mas acho que a arquitetura da espera ainda é um ponto cego do ponto de vista do pensamento e da historiografia arquitetônica

GW É um campo fértil para a gente começar a pensar.

ALN Sim, temos pensado muito mais nas redes de mobilidade, no mapeamento dos fluxos, que nos espaços de imobilidade, de suspensão, de espera, que inclusive não necessariamente precisam ser projetados como tal. Qualquer espaço, em princípio, pode se tornar um espaço de espera. Como a minha própria casa se tornou agora. O que configura a espera é o uso e a dimensão incontrolável do tempo. A temporalidade da espera está ligada ao efêmero. É uma noção carregada de uma certa angústia, mas também de infinitas possibilidades. É o tempo em que podem acontecer encontros, por exemplo, como sugere o Godot de Beckett. Nesse sentido, a espera pode abrir a possibilidade de estar junto, a possibilidade incerta de comunidade.

Aliás, o Jean-Luc Nancy escreveu um texto muito bonito recentemente, que eu também recomendo, chamado "Comunovírus".[7] Ele sugere a substituição do termo "coronavírus" por "comunovírus", porque o coronavírus está associado a relações de poder monárquicas, imperiais, de "Coroa". E o "comunovírus" é o vírus que vem de um regime oficialmente comunista, e que nos comuniza. Talvez esta espera possa nos comunizar. A questão é o quanto seremos capazes de pensar essa arquitetura da espera.

GW Você tinha falado também de um livro de fotografias que se chama *Arquiteturas de espera*.

ALN É um livro da fotógrafa alemã Ursula Schulz-Dornburg,[8] com uma série muito bonita de espaços de espera na Armênia, basicamente pontos de ônibus isolados no meio do nada, semidestruídos. Muitos não têm cobertura, nem um banco para sentar. E, no entanto, a pessoa está ali esperando. Porque aquilo, de alguma maneira, sinaliza que algo vai acontecer. Eu olho para essas fotos e fico me perguntando o que vai passar

7 Jean-Luc Nancy. "Comunovírus". In: *Pandemia crítica*. São Paulo: N-1 Edições, v. 8, 2020. Disponível em: www.n-1edicoes.org/textos/27.

8 Ursula Schulz-Dornburg. *Architekturen des Wartens*. Colônia: Walther König, 2008.

ali: um ônibus, um trem, um Uber? Como é que aquelas pessoas vão sair dali? Mas elas estão esperando algo, e se apoiam na arquitetura para isso. E é uma arquitetura bem bizarra, que não se mostra nada acolhedora. É uma série muito bonita. E há muitos trabalhos na literatura e nas artes visuais que têm lidado com o tema da espera. Já na arquitetura, existem mais projetos que pensamento sobre a espera.

GW Você citou aqui o Samuel Beckett, lembrou de *Esperando Godot*. Uma das matrizes dessa ideia, pelo menos na arte ocidental, talvez venha do Marcel Duchamp, com a ideia de retardamento, de interpor uma dificuldade à resposta do ponto de vista da formalização. Se isso é verdade, um desdobramento possível disso na arquitetura seria deixar de responder às coisas tão imediatamente. Mas, sendo a arquitetura uma profissão liberal e concorrencial, existe o ímpeto de responder rapidamente às encomendas, para mostrar serviço. E esse adiamento poderia ser uma dúvida, uma demora, para que essa resposta imediata não venha tão imediatamente, e ela se deixe influenciar, ou impactar, ou trabalhar, por outras dimensões que serão mais ruminadas, mais maturadas.

ALN Você citou o do Duchamp, mas eu iria bem mais para trás. A melhor imagem da espera, para mim, é o Purgatório da *Divina comédia,* escrita no século XIV.

GW Me explica isso, por favor.

ALN No imaginário cristão, o Purgatório é um espaço de espera para as almas impuras, que cometeram algum pecado. Essas almas não vão entrar no Céu, é claro, mas também não vão para o Inferno: elas ficam ali nesse lugar intermediário de onde vão sair em algum momento, mas não sabem quando. É um espaço lamacento, mas de onde elas vão sair purificadas. Esse Purgatório é descrito por Dante Alighieri como uma montanha, um espaço ascensional, que é preciso subir para chegar ao Céu. E que é precedido ainda de um

Antepurgatório, uma espécie de sala de espera do Purgatório. Ou seja, a espera da espera. O Purgatório é, portanto, um espaço de complexidade bem maior que o Céu e o Inferno, associado a dois níveis de espera/esperança. Poderíamos nos perguntar quantos arquitetos foram capazes de levar a imaginação tão longe, e o quanto a arquitetura que temos produzido tem sido capaz de abrigar todos esses matizes de esperas, no que eles têm de incerteza, suspensão, possibilidade e irredutibilidade a qualquer categoria funcionalista.

Entrevista realizada em 15 de abril de 2020.

A destruição minuciosa de tudo

Nuno Ramos

Nuno Ramos é artista plástico, escritor, cineasta e compositor, formado em filosofia pela Faculdade de Filosofia, Letras e Ciências Humanas da Universidade de São Paulo (FFLCH-USP). Como artista, participou da Bienal de Veneza (1995) e das Bienais Internacionais de São Paulo (1985/89/94/2010) e realizou obras como *111* (1992) e *Iluminai os terreiros* (2006). Publicou, entre outros livros, Ó (2008), *Junco* (2011) e *Verifique se o mesmo* (2019). Foi vencedor do Prêmio Portugal Telecom de Literatura (2009/12).

Guilherme Wisnik Eu queria começar esta conversa com uma pergunta bem direta e quase óbvia. Em 2014 você escreveu um texto marcante no primeiro caderno da *Folha de S.Paulo* chamado "Suspeito que estamos...",[1] em que enumerava uma série de fatores que indicavam a ideia de que estávamos fodidos. Provavelmente você não gostaria que isso fosse verdade, mas, à medida que o tempo passa, aquilo se confirma cada vez mais. Qual é o tamanho do buraco em que estamos, Nuno? Você acha que dá para mensurar? Pergunto a você, que fez obras que são cracas, meteoritos e coisas gigantes: nesse buraco do Brasil cabe tudo isso? Cabe muito mais?

Nuno Ramos Talvez a primeira característica do que a gente está vivendo, e que, de alguma forma, se conecta ao período anterior à chegada do bolsonarismo com toda essa força, é a sensação de que as coisas não chegam nunca ao fundo. Todos nós temos um pouco essa sensação de que você não pisa no chão nunca, de que há uma produção diária, às vezes horária, tendendo a "minutária", de violência, de absurdos, de quebras de paradigmas civilizatórios, de invasão valorativa sobre nós, sobre a ideia de cidadania, sobre a ideia de respeito ao próximo, sobre a ideia de amor ao próximo, sobre a ideia do que é estar vivo e do que é estar morto, sobre a ideia do que pode ser dito e do que não pode, sobre a ideia do que pode ser feito e do que não pode. A gente vive uma crise simultânea da linguagem como elemento público e da instância jurídica. Para que ela serve diante de uma coisa como essa? Quer dizer, há uma perda absoluta de contorno, de limite e de chão. Então, a ideia de uma queda sem fim, de um poço sem fim, parece verdadeira, porque você nunca pisa. Há uma coisa, uma ausência de limite no que essa gente está fazendo, que é inédita. E agora, com o fato de que a gente não pode ir à rua, porque ir à rua

1 Nuno Ramos. "Suspeito que estamos...". In: *Folha de S.Paulo*. 28 maio 2014, p. 3. Republicado em: *Verifique se o mesmo*. São Paulo: Todavia, 2019, pp. 241-244.

passa a ser fazer o que eles querem, isso torna a coisa ainda mais perversa, porque é como se o espaço público, que ainda por cima eles detestam, fosse dado a eles. Então eu acho que, de fato, há um contorno de pesadelo. Quer dizer, num pesadelo a gente ainda acorda, e neste caso parece que faz parte desse poço sem fundo a gente não conseguir despertar mais. Mas, de todo modo, há aqui um traço forte do país, que é a perda absoluta de contorno; as instâncias todas estão falhando ao tentar definir um desenho – nós todos estamos falhando, de algum modo. Alguma coisa perdeu a forma num nível que a gente não consegue retomar um ponto de vista para perspectivar aquilo, um valor ao qual a gente se apegue e consiga, a partir dele, olhar para o outro. Nós estamos afogados numa falta de valores como nunca. Quando você me lembra desse artigo que eu fiz em 2014, havia ali um caminho longo, democrático, que passou, mesmo com graves falhas, por governos democráticos aos quais eu achei que era interessante me opor. Eu via ali um pouco daquele trabalho dos urubus que eu fiz na Bienal (*Bandeira branca*), um trabalho pessimista, de 2010, no auge do lulismo. Era uma contraposição diante de alguma coisa que, no seu movimento geral, parecia estar indo. Agora parece que é o contrário: a gente tem que defender aquilo que parecia pouco. E que não tem origem partidária, embora, claro, a gente possa brigar por isso. Mas agora não é o que importa. Agora o que importa é a gente achar um ponto fixo, uma alavanca. A nossa questão é a mesma do Arquimedes: nós precisamos achar o nosso ponto de apoio. A partir dele, a gente pode brigar de novo. Mas isso que está aí não dá. Isso aí não dá!

GW Você publicou recentemente, também na *Folha*, um artigo muito forte em que trata desse beco sem saída no qual estamos.[2] Ali você lembra de uma canção do Arnaldo Antunes,

2 Nuno Ramos. "O Baile da Ilha Fiscal". In: *Folha de S.Paulo*, 3 maio 2020, pp. 14-15.

O real resiste (que é o título do disco dele também), que enumera coisas abomináveis e depois diz: "É só ilusão. Não, não". Parece que a canção também é uma espécie de pesadelo no qual você não sabe o que é e o que não é. Mas o refrão vem e afirma: "O real resiste". Pois bem, você lembra disso e diz que o problema é que existe também o "real bolsonarista", esse outro lado, que também resiste. Esse talvez seja o grande pesadelo, porque parece aquele monstro das histórias, que você mata e ele volta. Parece que nada mais vai conseguir fazer esse real desaparecer.

NR Acho que o Arnaldo, como sempre, formulou brilhantemente essa coisa de que o real resiste a essa violência. Quando eu ouvi isso pela primeira vez, eu estava num lugar público, e me mandaram isso. Eu achei bonito, mas pensei: "O problema é que a gente ter deixado o bolsonarismo aparecer vai fazer com que ele resista durante muito tempo". Isso passa a ter uma porosidade social e cultural com a qual a gente vai ter que se haver. Talvez seja uma coisa um pouco subjetiva minha, errada, mas eu não consigo me desvencilhar completamente da impressão de que houve uma espécie de "tempestade perfeita" que trouxe isso à tona. Houve uma sequência inumerável de erros que deram numa composição em que o acaso entrou com toda a certeza, por uma fresta estreita, vindo de um Inferno profundo de alguma religião muito cruel. Esse negócio saiu aí de dentro. Aí ele passa a organizar as coisas a partir do seu próprio enxofre, do seu próprio elemento. Embora haja alguma coisa como uma revelação do país, não é isso que me pega. Por isso que a gente precisa sair disso logo.

GW De onde?

NR A gente precisa botar esse cara para fora. Já. Podemos dizer que ele entrou minuciosamente pela democracia, podemos esquecer que a Polícia Federal segurou uma situação para favorecer a eleição dele, podemos esquecer o WhatsApp, podemos dizer que foi tudo ok. Mas vamos tirar ele, a gente precisa tirar ele o mais rápido possível. Eu não estou entendendo essa demora. O que quer que venha depois é melhor do que isso. Perder talvez seja melhor do que isso. Ter isso como uma espécie de normalidade é inadmissível. O que nós estamos vivendo, me parece, é uma absoluta ausência de proporção. Qualquer regulação proporcional se perdeu completamente. Isso foi uma construção, sim, eu até falo lá no meu artigo. Se alguma coisa criou o bolsonarismo, foi uma espécie de balança, onde ele estava numa ponta e algo estava na outra ponta. Mas ele não pode estar em ponta de balança nenhuma, ele não pertence a balança nenhuma, porque ele é a violência pura, ele é aquilo que uma sociedade democrática tem que negar e encostar lá no seu canto. Você não vai botar na cadeia, mas você tem que encostar, tem que lidar com aquilo como algo que fique fora do centro. Nós permitimos que isso entrasse por uma inexplicável balança, onde o Chico Buarque estava de um lado, o Bolsonaro do outro. Moby Dick estava de um lado e o Bolsonaro do outro. Enfim, uma verdadeira insânia, uma insanidade.

GW Se fosse Moby Dick, a balança ia enlouquecer...

NR É que falavam dele e do Lula como se fossem Moby Dick e o capitão Ahab, o capitão e a sua baleia afundando juntos. Quaisquer que sejam os enormes erros do que veio antes, não justificam isso. O que está aí nunca foi proporcional a nada. Eu só tenho uma coisa a dizer a favor do bolsonarismo e do Bolsonaro: ele é autêntico, ele não está fingindo, ele não é nada de tão diverso do que ele disse que seria. Então ninguém pode se surpreender completamente com isso que está aí. Nós estamos neste lugar nenhum onde todos os contornos estão meio em questão, e a gente está sem um ponto fixo. E o ponto fixo vai nascer de algum elemento empático dentro de um horizonte de razoabilidade democrática, alguma defesa desse tipo. A gente tem que conseguir formar alguma coisa que reaja a isso. Eu chamei alguns de “naturalistas” no meu texto, pessoas que achavam: “Deixa lá, mas a gente conduz a economia”. Mas essa ilusão nem a direita tem mais. Isso já foi embora.

GW No seu texto há várias imagens muito fortes. Uma delas é o fato de que a democracia brasileira, desde o começo da Nova República, mesmo com todas as conquistas, continuou colecionando uma quantidade absurda de mortes: muita gente morrendo nas periferias, no trânsito, morrendo de forma quase natural. Você diz ali que é como se todos esses mortos voltassem, agora, na forma de zumbis, e entronizassem o seu próprio carrasco como líder. É uma espécie de transformação do tabu em totem ao contrário. É trágica essa imagem.

NR Eu sou uma pessoa pouco informada sobre muita coisa do país, mas esse número desde cedo me chama a atenção: o número de assassinatos por ano, que chegou, como você sabe, a 63 mil.[3] Nós estamos falando de uma Guerra do Vietnã por ano, que naturalizamos. Isso talvez fosse a principal pauta. Mortes por acidente de trânsito, uma morte imbecil, são 100 mil pessoas todos os anos. A naturalização da morte talvez fosse o traço verdadeiramente bolsonarista infiltrado ali dentro da democracia. A gente virou as costas para isso. Tinha que ter tornado isso uma pauta clara, nítida, tão importante, ou mais, quanto distribuição de renda, educação. Tem que não deixar morrer. E um pouco da dificuldade, hoje, com o vírus, é dizer que “é isso aí mesmo, a pessoa morre”. Ele está expressando algum valor do país: essa tolerância como um fato intolerável, que é o outro morrer. Mas não tem nada acima disso. A morte rouba tudo. A morte é um horror. Se morre uma pessoa que você ama, a sua vida vai junto, todo mundo sabe disso. Mas durante anos a gente topou. Eu tenho a impressão de que essa era uma espécie de cunha do horror já

3 Em 2017, 63.880 pessoas morreram de forma violenta em todo o país, segundo o Fórum Brasileiro de Segurança Pública. Ver: forumseguranca.org.br.

atravessando a democracia. Claro que havia outros defeitos e muitos méritos. Hoje sou mais ligado aos méritos daquela democracia, muito mais do que eu era antes. Eu, hoje, tento fazer a "louvação do que deve ser louvado", diante desse troço. Eu senti isso quando fiz uma instalação, em 1992, sobre a invasão do Carandiru e o assassinato dos 111 presos. Eu fiz isso muito na lata. O meu trabalho, até então, era muito diferente daquilo. Eu não estava mexendo com instalação, eu fazia pintura. Fui muito movido pela publicidade daqueles corpos. Lembro que eu ia indo para o meu ateliê e ia vendo aquelas revistas: *Veja*, *IstoÉ*. Era um despudor total, aqueles corpos pendurados como se fosse numa feira...

GW Dentro de caixas, nus.

NR Isso. Isso vem de muito longe. Veja o Euclides da Cunha, lá n'*Os sertões*. Talvez uma das razões da atração que esse livro exerce ainda hoje seja a caída em si da consciência burguesa, positivista, rica, diante da morte do outro. E é involuntário. O que é bonito no livro do Euclides é que isso se dá apesar dele. Os valores dele deveriam preservá-lo disso, mas, no entanto, ele vai atuando contra si mesmo. Eu lembro um pouco também de um trabalho que está muito na minha cabeça hoje, que é o *Minha mãe morrendo*, do Flávio de Carvalho, da "Série trágica". Ele fez uma sequência de desenhos da mãe, acho que são nove. O Flávio parece ter esse lado mais paulista, de um cara que flutua, que tem um horizonte de brilho artístico, mas também de uma certa *boutade*. E, de repente, aquilo cai. Há um incrível retrato da morte ali. E mais: a mãe dele parece não conseguir puxar o ar, que é o que está acontecendo hoje com as mortes por Covid. Esses desenhos, para mim, são a expressão maior do que está se passando com milhares de pessoas hoje. A mãe dele está com uma boca de quem não consegue respirar. Parece que é hoje, entendeu? O Nelson Cavaquinho também tem algo mais para esse lado, uma temática pesada, ligada à morte.

GW Como artista que é – um multiartista, aliás –, você lida muito com a morte, com o fúnebre, com a atitude de velar. Penso nos cachorros atropelados (*Monólogo para um cachorro morto*, 2008), ou nas noites vazias de *Iluminai os terreiros* (2006), por exemplo. Você acha que o Brasil está indo cada vez mais ao encontro desse tema tão caro aos seus trabalhos? Acha que será preciso responder a isso redobrando a violência artística?

NR Um trabalho como o meu, diante disso que a gente está vivendo, tem algo de premonitório, mas tem também algo de perigoso. Há um horizonte qualquer cruel no que eu faço, mas hoje, diante disso, eu quero recuar um pouco. Para mim o corpo não é integro, ele tem que ser violado de certa forma. Claro que existe uma coisa carnavalesca nisso – o corpo em Rabelais, que come, que caga, que sai coisa, que não está nunca inteiro, não está nunca calmo. Eu participo um pouco dessa ideia de matéria como alguma coisa que entra na outra, que é instável. Isso tem a ver com o Brasil: essa falta de individuação, essa falta de direitos, o que também deu em alguma coisa ambivalente. Eu passei, um pouco, a acreditar que havia alguma coisa pré-formada em que dava para a gente mexer, mas parece que a gente entregou tudo para esses caras... Toda essa coisa está em suspenso.

GW Você tem um outro texto extraordinário chamado "No palácio de Moebius", que foi publicado aos poucos na revista *Piauí*.[4] Usando a metáfora da fita de Moebius, você desenvolve, ali, a ideia de que no Brasil, pelo menos durante um certo período de formação cultural, havia uma energia artística muito grande que vinha do artista para o mundo, mas que não encontrava ressonância na sociedade, isto é, na cultura brasileira, nas instituições. E diante desse vazio, que é o vazio institucional e

4 Nuno Ramos. "No palácio de Moebius". In: *Verifique se o mesmo*. São Paulo: Todavia, 2019, pp. 23-113.

cultural, essa energia bate e retorna de forma narcísica para o próprio trabalho, fortalecendo-o paradoxalmente. Essa é uma ideia muito bonita: a potência de trabalhos que acontecem na medida em que estão meio girando no vazio.

NR Isso.

GW Voltando ao seu texto recentemente publicado na *Folha*, ali você escreve o seguinte sobre o fascista: "[...] ele não mente – desmente. Ele nega o que disse e nos acusa de tê-lo dito por ele. Ele cria uma câmara de ecos em que a energia do que disse, do seu 'ato' verbal, já se perdeu, e é nessa perda mesma que ele investe". Quer dizer, essa câmara de ecos que embaralha tudo é baseada num investimento em uma energia que se perdeu. Então, pensando no seu argumento sobre o Brasil a partir da fita de Moebius, essa ideia sobre a câmara de ecos bolsonarista parece ser uma espécie de deturpação horrorosa daquilo que um dia foi uma potência nossa, transformada agora numa total falsificação de tudo. Você acha que faz sentido essa ideia?

NR Eu diria que é quase o contrário. Eu digo que a mentira fascista é mais do que uma falsidade, é um ato de covardia. Essa gente tem isso, você não consegue argumentar porque eles se põem na sua posição e tomam aquele lugar. É uma operação de desmentir. Eu acho que essa coisa da fita de Moebius foi uma tentativa, um pouco inconsciente, de pensar as agruras da nossa arte como sendo positivas. Aquilo que seria uma espécie de "ideias fora do lugar", para lembrar o argumento do Roberto Schwarz, criaria um espaço interior virtuoso onde o trabalho artístico ganharia potência. O exemplo clássico, que eu pensei primeiro, é o do Hélio Oiticica, que vai furar a fronteira, como tantos artistas modernos, entre obra e vida, com um talento absurdo, cercado de grandes artistas, de grandes críticos. E quando ele vai, ele cria uma espécie de labirinto interior, e fica dentro desse labirinto, que são os "Penetráveis", as camas, aquelas velaturas todas. Um "ninho", para usar um termo dele. E quando ele vai para fora, para a cidade, na verdade, ele cria um dentro dentro do fora. Isto é, cria um interior no que seria o exterior. Esse movimento é um pouco o que eu vejo no João Gilberto cantando *Águas de março*, ou no Tunga, que estaria já no final desse processo. Agora eu acho que isso vai se encerrando. Como em todos os lugares, a arte passa a ocupar um lugar mais claro, porque tem mercado, tem instituição. A minha geração vive a ambiguidade dessa passagem. Nem há uma situação institucional tão forte assim que valha esse investimento inteiramente, nem tem a outra, mais amadora, em que esse interior ainda dominava. Aqui eu acho que a gente vive a exterioridade absoluta, mas não funciona mais a tentativa de retornar. O momento, agora, é de luta mesmo.

GW Não funciona retornar para uma dimensão mais intimista, interior?

NR Isso. Eu tenho a impressão de que o movimento geral agora é de luta. Não tem melancolia aqui não. Não tem. Há uma usurpação do país, há uma usurpação do que nós fizemos de melhor, e nós temos que reagir. É simplesmente isso. Não tem outro caminho. Então a virtude moebiusiana, que era a de um processo ainda em formação, com todas as suas ambiguidades, não vale mais. Não há ambiguidade nenhuma aqui. Nós precisamos chegar num ponto onde a gente possa pisar e reagir. Precisamos interromper esta queda. Eu não sei como. Mas não vejo ambivalência. Agora é briga.

GW Dito isso, me ocorre uma pergunta que eu nunca pensei que poderia te fazer. Você acha que, nesta situação tão agônica como a nossa, a arte fica menos importante? Porque de alguma forma, essa descrição desse percurso de formação brasileira em chave moebiusiana parece uma espécie de filigrana num contexto tão dramático. Como é que a arte pode ser tão incisiva como você está dizendo agora?

NR Eu não tenho resposta para isso. De forma nenhuma eu acho que a arte perca importância. Por exemplo, eu estou

entendendo uma experiência íntima do Flávio de Carvalho com os últimos momentos da sua mãe – ele era filho único – como um retrato do que está acontecendo hoje nos hospitais. Isso ele nunca poderia supor. Eu acredito 200% na potência em aberto de criação de significado que a arte tem. Eu tenho a impressão de que alguma coisa em formação na minha cabeça, algum horizonte de formação, violento e tudo mais, permitiu um certo interior virtuoso para muitas experiências de arte, para linguagens diferentes. Eu fui buscar isso no Graciliano Ramos, um comunista. Eu percebo que nele há um paraíso analfabeto, que seria um pouco moebiusiano nesse sentido, de alguma coisa sem nome. Aliás, involuntariamente. Isso teve a sua força. A gente poderia quase que colocar isso ao longo da época moderna. Isso que nós estamos vivendo é o contrário, nós estamos num exterior sem nenhuma recompensa. Saímos desse horizonte em *looping*, vamos dizer assim, e caímos num pesadelo. E, se é um pesadelo, então a gente precisa brigar para acordar. Eu não vejo termo de negociação nenhum, é isso que para mim é claro. A gente entronizou esse imbecil através de uma naturalização. Essa é a palavra, para mim, que marca a cultura política do Brasil, seguramente desde o impeachment, embora eu já sentisse sinais disso antes. Nós fomos naturalizando o que não era naturalizável. O que seria negado em qualquer lugar do mundo. A gente precisa criar um ponto comum, um "daqui não passa", é isso que está faltando. Onde está esse "daqui não passa"? Qual é esse ponto? Esse ponto tem que ser a queda dele.

GW Entendi. Mas o horizonte político brasileiro das esquerdas está esfacelado.

NR Ele é esfacelado e não é. Havia muito mais pontos de contato entre a centro-direita e a centro-esquerda do que eles admitiam. Então é um esfacelamento discursivo que na prática não bate tanto. Afinal, ninguém foi brigar com as elites, ninguém foi mexer com a grana do 1% mais rico.

A gente precisa parar com isso. Ouça: não era para eu estar aqui. Eu não sei nada de política, eu não leio jornal. Só estou desesperado! Não tenho outro termo para o que está acontecendo. Eu acho que nós estamos vivendo uma destruição minuciosa de tudo. Só vai sobrar o que eles não forem capazes de enxergar, como essas coisas menores, gente fazendo apoio em favela, grupos de arte. Isso talvez eles não enxerguem e, se não enxergarem, eles não vão conseguir derrubar. Mas tudo o que for visível para essa turma ela vai, minuciosamente, destruir.

GW Você falou que este não é momento para melancolia. O seu trabalho como artista lidou muito com a questão do luto, como em *Iluminai os terreiros* e em *Bandeira branca,* que você citou também. Mais recentemente, de alguns anos para cá, você inaugurou uma outra coisa dentro do seu horizonte de trabalhos, que tem a ver com intervenção sobre a mídia: *Jornal Nacional,* a encenação da própria transmissão dos programas da Rede Globo durante 24 horas, a televisão como teatro. O que te levou a essa outra direção para, por exemplo, fazer o William Bonner e a Renata Vasconcellos cantarem *Lígia,* do Tom Jobim, usando as sílabas das coisas que eles falaram no *Jornal Nacional*?

NR Foi o programa em que foi anunciado o vazamento dos áudios do Lula e da Dilma. Além disso, eu fiz algumas coisas que chamei de "Aos vivos" (até pensei em fazer um grupo chamado "Aos vivos" para seguir com isso), que eram intervenções com elementos ao vivo. Por exemplo, eu fiz um em que, durante 24 horas, os atores ficavam no palco acompanhando a TV Globo e reproduzindo aquilo tudo, isto é, vivendo no palco.

GW Sim, eu vi.

NR Eu pus a Helena Ignez contracenando com o próprio filme dela, o *Copacabana mon amour*. A gente pegou um cinema, construímos o quarto dela, pusemos alguns elementos do filme, e ela ficou ali. Dormiu, comeu, falou a fala de novo, agiu. Alguma coisa ali não era exatamente da ordem da representação, como se não fosse possível representar o que estava havendo. Eu gostei de um que era uma reprodução de um debate presidencial, com todos eles, e um dervixe no meio girando o tempo todo, que tinha alguma coisa dessa câmara de ecos, como se aquilo não conseguisse se dissipar, fosse uma energia presa. Então, voltando à fita de Moebius, parecia que a energia virtuosa que dá a volta (para quem não sabe, é uma fita torcida e presa, onde a ideia de alto e baixo, ou de avesso e frente, perde o sentido), nesse dervixe, ficava tentando sair, e não ia para lugar nenhum. E, aos poucos, os discursos dos oito candidatos iam ficando muito parecidos. Se eu fosse dar um chute, diria que houve uma perda absurda do horizonte político no país, como se a macroeconomia começasse a mandar inteiramente. A gente acata, ninguém pode falar nada. Houve uma desmobilização de movimentos populares. Parece que, pela coisa das minorias, cada grupo ficou um pouco consigo e perdeu algum nexo comum que o horizonte da vida pública tem que ter, apesar de muita coisa ter andado para a frente, muita. Mas nem sempre esse horizonte comum vem. Então fui mexer com essas questões do agora que a eleição do Bolsonaro traz. Diante do medo de que aquilo viesse para mim, do horror diante daquilo, e que me fez fazer uma série de obras, eu senti que eu devia estar ao vivo e não representar, que eu devia pegar uma coisa do real e botar dentro, e pedir para os atores agirem a partir disso. Sempre lembrando que, durante esse período, eu pintei, fiz outras coisas. Esse amadorismo nosso, que dá para operar em várias linguagens, continua um pouco vivo dentro de mim. Não é que esse horror tomou conta de tudo. Há trabalhos maravilhosos sendo feitos que não têm nada a ver com isso. Mas que existe uma invasão, eu acho que existe.

GW Quando aconteceu aquele episódio da violenta reação ao *Bandeira branca* na Bienal, eu me lembro que você chegou a viver situações muito duras do ponto de vista pessoal. Em algum momento, grupos chegaram a balançar o seu carro, gritando coisas ofensivas. Então, por conta disso, você já estava tendo contato, desde 2010, com uma espécie de reação de fúria de massa. Você acha que isso tem alguma relação com esse fundamentalismo que aparece hoje no Brasil?

NR Eu vivi coisas como uma multidão gritando: "El, el, el, NR é cruel". Eles rasgaram a rede do trabalho, danificaram a obra. E eu não tive chance de explicar o que estava acontecendo, ao menos ao vivo. Mas eles não estavam entronizados no poder, era uma questão lateral. Eu nunca disse que fui censurado, porque nós - eu e a Bienal, que foi muito correta comigo - tentamos reverter a sentença que dizia que os urubus tinham que sair da peça. Mas o juiz não acatou nosso pedido, então nós tiramos. E aí tentamos de novo, e perdemos novamente. Eu acho que eles não tinham razão, mas houve um jogo legal, de legalidade, com um juiz. O que assusta, agora, é que isso foi entronizado no centro (não só efetivo como simbólico) do poder, num país onde o presidente carrega uma simbolização muita intensa. Então, para responder a uma pergunta lá de trás, se o bolsonarismo acaba com o Bolsonaro, eu acho que, um pouco, sim. Isso tem a ver com a infiltração da história desse indivíduo, que talvez seja o pior brasileiro. Num certo sentido, é uma antiaristocracia, que seria o governo dos melhores. A gente está fazendo, eu não sei dizer isso em grego, mas o governo do pior.[5] Mas isso muda, não quer dizer que esse fascismo acabe com ele. Acho que não, mas há uma configuração peculiar que ele dá a isso. Eu não gostaria de misturar o que eu vivi com isso, embora seja parecido o papel que as mídias sociais desempenharam, fazendo aquilo crescer

5 No podcast *Foro de Teresina*, da revista *Piauí*, o jornalista José Roberto de Toledo usa o termo "caquistocracia" para definir essa ideia. A expressão deriva das palavras gregas *kákistos* ("pior") e *krátos* ("governo").

como um fermento que não podia mais parar. Enfim, foi muito violento para mim, muito traumático; nunca mais mexi com bicho, me enchi desse negócio. Mas, seja como for, o que nós estamos passando agora é como se isso tudo tivesse virado a figura, e nós tivéssemos ido para o fundo. Esse é o jogo oficial do mundo hoje.

GW Esse qual?

NR Essa coisa de gente que quer dar cloroquina como protocolo. Enfim, era um grupo pequeno, que estava de lado, e agora se entronizou. E aí muda tudo.

GW Muita gente esteve interessada em pensar e discutir o destino do Brasil à luz da ideia de formação cultural, que é uma longa tradição de pensamento, à qual nós também nos filiamos. Parece que existiam dois lados, em que o Brasil poderia ser tanto aquele país vocacionado a uma grandeza incrível – uma espécie de sebastianismo próprio, de nação tropical grande e misturada – quanto uma enorme mediocridade. Mas o que aparece agora é uma outra coisa, não é nenhuma das duas opções, não acha? Que coisa é essa? Qual é a diferença do que vivemos hoje em relação ao paradigma da mediocridade?

NR Eu tenho muita dificuldade de representar, de simbolizar isso de algum modo. Por isso que fiz essas coisas ao vivo. Parece que isso está muito além do que eu consigo imaginar. A arte tem essa coisa de cavalo de Troia, né? Quando a realidade reage, o cavalo brilha. Eu não estou vendo como fazer isso. Nesse trabalho que você lembrou, *Iluminai os terreiros*, a gente montava um círculo de luzes e ficava lá esperando nada acontecer. Aquilo ativava o vazio a noite inteira. Se aparecia um cachorro, o cachorro se tornava uma entidade que surgia ali. Agora eu sinto que a gente precisa esvaziar a estridência dessa gente. Há um excesso de discurso no ar, uma falação, uma falta de vergonha para lidar com os valores. Eu tentei lembrar do De Chirico ali no meu texto, que era uma espécie de repouso dentro disso. Uma coisa que me lembra o De Chirico são as obras do Niemeyer. Eu acho que você fez essa comparação em algum texto seu. E quando eu vejo o *Jornal Nacional*, coisa que tenho feito agora, depois de anos, há essas imagens dos palácios em Brasília. Eles fazem um pequeno *travelling*, ou põem uma imagem de drone.

GW Mostra bastante o espelho d'água.

NR É. Mas parece já uma degradação de Brasília, essa conversão daquilo em símbolo, num castelo vazio onde aquele desenho do Niemeyer já não quer dizer nada. Ou vira só um logotipo. Mostra uma desconexão completa com algo que aquilo possa ter significado um dia. Então, eu sinto que a gente precisa silenciar um pouco, precisa ter um pouco de calma com o tempo que a gente leva para cada resposta, com a dificuldade de formular essa barbaridade. Mas, para mim, não tem melancolia, a gente precisa parar com esse negócio já. Eu não sei como, eu só sei dizer esta frase: a gente precisa parar com esse negócio já! Dentro das regras, não podemos errar. Os democratas somos nós. E estamos obrigados a viver uma coisa que é corrupta e que destrói a vida do outro, a possibilidade de existência física do outro.

GW Eu concordo com você, mas fico tentando pensar junto. Afinal, o Bolsonaro, ele mesmo, é um medíocre, talvez o mais medíocre de todos. Mas o governo que ele representa não está exatamente ligado à mediocridade como uma espécie de "ralé". Eles estão muito além disso, são maquiavélicos, estão construindo uma destruição minuciosa, passo por passo, como você disse. No texto da *Folha*, você diz que ele não é o Hermógenes, porque o Hermógenes é uma encarnação do mal muito mais potente, muito mais trágica, e ainda representa, mesmo que na figura demoníaca, um acordo com certas leis. Então, de fato, é muito difícil colocar ele em algum lugar que seja simbólico.

NR O Hermógenes é uma contraposição ao Joca Ramiro. O Zé Bebelo é o inimigo comum. Ele é julgado, mas, como ele é um falastrão, consegue se impor. O líder é o Joca Ramiro, que é um deus, benigno...

GW ... entre os jagunços. Vamos lembrar aqui, para todo mundo, que estamos falando de *Grande sertão: veredas*, do Guimarães Rosa.

NR Sim, entre os jagunços. Ele perdoa esse cara que foi julgado pelos jagunços e o manda embora para Goiás.

GW Isto é, ele não mata.

NR Não mata. O Zé Bebelo vai embora. E o Hermógenes, que é a encarnação do mal, diz assim: "Mamãezada, foi uma mamãezada". E ele e o Ricardão acabam matando o Joca Ramiro por isso.

GW Ele é um traidor.

NR É. Mas existe a medida entre a traição e o que foi traído. No bolsonarismo, eu não vejo relação nenhuma com a democracia, a não ser o fato de que ele foi eleito. A gente pode colocar reparos, mas, ainda assim, houve um ritual. Então ele tem que sair pelo rito, porque ele não tem nada a ver com a democracia. Ele não joga com instituição nenhuma, ele não pertence a nada, ele destrói os projetos. Para o Riobaldo Tatarana, que narra o livro, o Hermógenes é o próprio demônio, e ele tem medo de ser alguém assim, até porque ele atira bem. Ali ainda há alguma medida entre os opostos, e eu não vejo essa medida no bolsonarismo. É difícil representar porque é grotesco, porque é alguma coisa que escapou mesmo. Nós cometemos uma barbaridade ao botar esse cara aí, e a gente precisa tirar ele.

GW É isso aí, esse é um excelente encerramento para a conversa, pensando que, se a gente está dentro deste pesadelo, precisa acordar. O recado que você está dando, que deu várias vezes, é que o único modo de acordar é através desse rito democrático pelo qual ele saia do Planalto. Uma vez isso acontecendo, as outras coisas vão se desarticulando quase que automaticamente. Isso quer dizer que a gente vai ter que acordar de duas situações num futuro próximo: da pandemia e do vírus letal que é esse governo. E a situação que a gente provavelmente vai encontrar depois disso não será a mesma que era antes, será alguma outra. Nos dois casos, a gente espera que seja alguma coisa dentro da qual ainda possa ser possível viver.

NR Eu concordo muito com você. O país que a gente tinha é outro, ele não está aí esperando por ninguém, é uma outra coisa. Há outras forças vindo. A gente vai ter que ser muito aberto, muito inventivo. Há um novo jogo, uma nova orquestração chegando.

Entrevista realizada em 20 de maio de 2020.

Os paradoxos do horizonte comunitário

Francisco Bosco

Francisco Bosco é ensaísta, doutor em teoria da literatura pela Universidade Federal do Rio de Janeiro (UFRJ). Publicou, entre outros livros, *A vítima tem sempre razão? Lutas identitárias e o novo espaço público brasileiro* (2017), *E livre seja este infortúnio* (2010), *Banalogias* (2007) e *Dorival Caymmi* (2006).

Guilherme Wisnik A gente podia começar conversando sobre essa ideia de futuro engavetado da qual você tem falado. O que é exatamente isso?

Francisco Bosco Eu acho que estamos passando por um processo de engavetamento de diversas dimensões do futuro. Um engavetamento mesmo, como num acidente automobilístico. Nós vínhamos lidando com a tensão temporal constitutiva do Brasil, entre o "país do futuro", conforme o vaticínio otimista utópico do Stefan Zweig,[1] e o país que tem "um longo passado pela frente", que é a *boutade* genial e mais realista do Millôr Fernandes. Dentro dessa tensão, com a emergência do bolsonarismo, esse "longo passado pela frente" se tornou mais propriamente reacionário, lançando-nos numa temporalidade radicalmente regressiva. Como se isso não bastasse, nós fomos atropelados pelo acidente da pandemia, que traz um outro futuro, "enevoado", para usar uma metáfora que lhe é cara. Tudo isso faz com que a experiência do presente seja regida pelo afeto da angústia, que, para uma certa tradição filosófica e psicanalítica que vai de Heidegger a Lacan, é o afeto que nos acomete quando estamos diante da ausência de um objeto definido. Nisso ela se diferencia do medo, que tem sempre um objeto concreto: temos medo "de alguma coisa", é uma relação transitiva. A angústia, no limite, para lembrar do Heidegger de *Ser e tempo*, é a angústia do "nada". Em relação ao futuro, nós estamos diante de um afeto dessa natureza.

E, diferentemente das imagens que você traz nos seus livros e ensaios,[2] com aquelas explosões, fumaças, arquiteturas com vidros esfumaçados, obras de arte que contêm neblina espessa, agora estamos diante de um paradoxal "nevoeiro nítido" – até mesmo do ponto de vista da retomada de um

1 Referência ao livro *Brasil: um país do futuro*, de Stefan Zweig, publicado em 1941.

2 Guilherme Wisnik. *Dentro do nevoeiro: arquitetura, arte e tecnologia contemporâneas*. São Paulo: Ubu, 2018.

paradigma climático mais favorável à espécie humana. Pela primeira vez os Himalaias são vistos de cidades da Índia, onde elefantes passeiam; pumas habitam Santiago, a capital do Chile; a poluição na China nunca foi tão baixa; e, no entanto, nós não estamos vendo nada sobre o futuro.

GW Um "nevoeiro nítido": essa imagem é interessante para o nosso diálogo. Há um texto do Jean-Luc Nancy chamado "Comunovírus"[3] que traz a perspectiva de nos comunizarmos através da emergência dessa pandemia. Você gostaria de comentar essa ideia?

FB Vou pedir licença para fazer um percurso um pouco mais longo, partindo desse significante, o "comum", que o Jean-Luc Nancy traz. Para quem não leu o texto, ele começa dizendo que, para um amigo indiano, não se trata de um coronavírus, mas de um "comunovírus". Aquilo é um achado, porque, com efeito, o coronavírus nos comuniza em vários aspectos. Em primeiro lugar, uma pandemia é totalmente comunitária, ela engloba o mundo inteiro num único acontecimento. Além disso, o vírus e a doença nos obrigam a um pensamento e a uma ação social de radical interdependência. Qualquer ação individual neste momento tem, num sentido muito estrito e imediato, um impacto social geral. Sob o aspecto econômico, um paradoxo interessante deste momento é que o presidente mais conservador dos Estados Unidos dos últimos tempos se tornou uma espécie de novo Roosevelt, obrigado a fazer um keynesianismo de circunstância. Até o Paulo Guedes, essa curiosa mistura de Arquimedes com Rubens Barrichello, que terá sido o último liberal a se converter, acabou se convertendo a esse keynesianismo de circunstância. Então, sob todos esses aspectos, o vírus efetivamente nos comuniza. Sob outros aspectos, entretanto, o vírus não nos comuniza. Se o vírus é uma realidade científica, objetiva, material (logo, constante), os

3 Ver p. 177, nota 7.

seus efeitos variam de acordo com as características que são singulares (logo, incomuns) de cada sociedade que ele infecta. Nesse sentido, o modo como a doença tem impactado os diferentes países está relacionado às características culturais e sociais, e à capacidade de resposta institucional desses países.

Tudo isso é bastante claro e evidente. O que me interessa discutir é um outro sentido desse significante "comum". O Jean-Luc Nancy, quando trata desse significante no texto "Comunovírus", está se inscrevendo numa tradição marxiana dentro da qual o "comum" é pensado como uma mentalidade, uma prática socializante e coletivista. Entretanto, há toda uma outra tradição, uma outra maneira, um outro sentido para se pensar esse significante. Há várias maneiras de a gente abordar essa diferença. Eu começaria pela tipologia da sociologia clássica, na passagem do século XIX para o XX – um debate que envolveu Max Weber e Durkheim, e começa com um sociólogo alemão chamado Ferdinand Tönnies, que, até onde eu sei, foi o primeiro a propor os conceitos de comunidade (*Gemeinschaft*) e sociedade (*Gesellschaft*). Comunidade, nesse sentido, diz respeito a organizações sociais pré-modernas, tradicionais, onde os vínculos comunitários se dão a partir de laços de transmissão de comportamentos absolutamente normativos. É todo o mundo pré-moderno como a gente conhece e que, no limite, é o mundo da religião, o mundo de valores eternos, imutáveis, sem mobilidade de classe. Por outro lado, a sociedade diz respeito a uma organização social moderna, no sentido weberiano, ou seja, uma sociedade que se regula por princípios universalistas, abstratos, impessoais. Então, o significante "comum" remete a uma dimensão comunitária no sentido da *Gemeinschaft* pré-moderna, que, no limite, remonta a uma perspectiva de mundo religiosa, que acredita num fundamento positivo do mundo transcendental e que, portanto, forma sociedades imutáveis, uma vez que elas estão atadas a esse fundamento positivo, determinado, que não é histórico, onde as formas têm que ser todas fixas, as formas de quaisquer ordens. Por outro lado, esse significante leva a uma tradição weberiana e marxista do "comum" pensado socialmente, coletivamente.

Uma outra maneira de pensar isso é através da diferença entre Estado e nação. A ideia de nação está dentro do paradigma comunitário pré-moderno. Numa outra definição também conhecida, do historiador Benedict Anderson, seria uma comunidade imaginada, uma comunidade de valores. Isso está muito próximo do nacionalismo, que é a produção de uma determinada maioria social que imagina uma certa comunidade de valores, geralmente ligada a uma visão religiosa, uma vez que é uma comunidade tradicional. Já o Estado é uma comunidade não de valores imaginados por uma determinada parcela da sociedade, com todo o potencial excludente que isso implica, mas de deveres e direitos, regulados por princípios impessoais, abstratos e universalistas, embora Marx e Engels tenham mostrado que na prática não é bem assim.

É curioso que os dois sentidos do significante estão presentes na etimologia da palavra "comunidade". "Comum" vem de *communis*, e esse *munis*, em latim, significa dever, obrigação, tributo. Então, num primeiro sentido, esse *munis* significa que quem faz parte de uma comunidade o faz por ser obrigado a ter um vínculo de direito e de dever com uma comunidade. Nesse sentido, a gente volta ao paradigma do Estado, da perspectiva social. Mas um dos sentidos de *munis* é também oferenda, graça, e até exéquias funerárias, voltando ao campo da religião. Então, na própria etimologia, o significante *munis* se abre para esses dois sentidos diversos de "comum".

Para fechar o percurso, acho que o grande desafio do Brasil, neste momento, é que estamos diante de uma dupla tarefa paradoxal. De um lado, temos que nos comunizar. Estamos diante de um processo que vem desde 2013 e que, por uma série de solavancos já muito bem estudados, veio desembocar nesse complexo cognitivo, afetivo, imaginário que é o bolsonarismo – um complexo dificílimo de desarmar, que envolve tanto uma dimensão liberal (ou neoliberal) como também uma dimensão hipercomunitária, no sentido pré-moderno, ligado à tradição, à religião, a uma comunidade imaginada por maiorias supremacistas, tradicionalistas. Existe essa hiperinflação do comum nesse sentido. Portanto, nós temos que, por um lado, nos comunizar, no sentido de um pensamento ressocializante, que compreenda novamente o papel do Estado e a sua função, e, ao mesmo tempo, temos que nos descomunizar, no sentido de desativar um dispositivo afetivo, cognitivo, imaginário que é hipercomunitário. Então, é uma dupla e paradoxal tarefa.

GW Muito interessante. Algo dessa natureza pode iluminar este cenário tão difícil de decifrar como o nosso. O seu argumento me faz lembrar que o nazismo, na Alemanha, mobilizou essa categoria da *Gemeinschaft*, através da idealização de um passado nacionalista, comunitário, pequeno, oriundo da Floresta Negra. Mas fez isso através da técnica moderna, usando as armas de destruição em massa, ou seja, o regime alemão se utilizava da técnica moderna buscando restaurar um mundo não moderno. Aqui, muito tem se falado do aspecto fascista do bolsonarismo. Em que medida é possível usar esse termo no nosso contexto, levando em conta essa ideia de comunizar que você está colocando?

FB "Fascismo" se tornou um termo de uso corriqueiro na nossa política, não no sentido estrito de determinadas formações sociopolíticas, como aconteceu nos anos 1920 e 1930 na Europa, mas num sentido extenso, uma espécie de estrutura mental autoritária que germina na sociedade e contamina as instituições, ou vice-versa. Nesse sentido extenso, me parece pertinente falar de um fascismo espraiado pelas experiências social e política brasileiras.

Eu queria aproveitar a sua referência ao nazismo e à Alemanha dos anos 1930. Muitas vezes me pedem sugestões de livros para ajudar a compreender a experiência brasileira contemporânea, e o livro que eu costumo recomendar não é nem brasileiro, nem contemporâneo. É o livro do Karl Jaspers *A questão da culpa*,[4] escrito no contexto dos julgamentos de Nuremberg. E o país que ele tem diante de si é um país completamente esfacelado e polarizado, para usar um significante aqui da nossa experiência. O livro do Jaspers é constativo e performativo, interessa a ele tanto entender a situação como oferecer uma perspectiva e uma linguagem capazes de restaurar um mínimo de "solo comum".

De novo, há esse paradoxo. Por um lado, nós estamos na situação da Alemanha dos anos 1940, e podemos dizer, como disse o Jaspers, que "comum entre nós é apenas a ausência de comunidade". A emergência do bolsonarismo cavou um fosso de possibilidade de comunicação entre mentalidades diversas, que já não têm mais fundamentos mínimos de aproximação. E não me refiro aqui ao campo argumentativo, estou falando de valores e princípios que são fundamentais à modernidade: a ciência, a racionalidade, a confiança no princípio liberal da sociedade aberta, argumentativa. Tudo isso nós perdemos. O bolsonarismo é um fenômeno muito mais religioso do que político, enquanto maneira de pensar e de produzir um comportamento dogmático e de massa. Ele tem muito mais a ver com as estruturas de pensamento, de afeto, de pertencimento (portanto, de imaginário) monoteístas do que com a experiência liberal, ou social-democrata, enfim, moderna. Como fazer para restaurar um denominador comum mínimo que volte a fazer com que tenhamos algum solo comum, que possa nos tirar deste buraco?

4 Karl Jaspers. *A questão da culpa: a Alemanha e o nazismo*. São Paulo: Todavia, 2018.

Por outro lado, comunidade é um significante perigosíssimo, e é preciso estar muito atento a isso. Nós estamos nos debatendo com a ambiguidade desse significante. A gente não pode cair na tentação de nos comunizarmos (no sentido de nos socializarmos, de nos ressocializarmos), caindo na armadilha de ceder ao que esse significante comum tem de socialmente perigoso, até degradante, que é esse vírus do dogmatismo, da lógica de grupo. O Jaspers diz que uma característica fundamental do nazismo foi o pensamento por coletivos, a elisão completa do indivíduo. Isso é muito importante. Quando você começa a pensar apenas em termos de estrutura, quando já não consegue ver o indivíduo com a sua complexidade, a sua singularidade, quando você anula o indivíduo e o submete a determinadas categorias em que ele, de alguma maneira, está inscrito, você está dando um passo para a degradação da sociedade. E o campo social brasileiro está imerso numa dinâmica dessa natureza. Dos dois lados do espectro, existe uma força centrífuga, um certo empuxo de anulação do indivíduo, em nome de categorias a que ele pertence ou em que originalmente se inscreve. Então, para a direita, qualquer pessoa de esquerda (seja ela de centro-esquerda ou de extrema esquerda) é um "comunista". Da mesma maneira, uma boa parte da esquerda considera que uma pessoa liberal é um neoliberal, ou é de ultradireita. Existem uma perda de nuances em todos os setores do espectro e um pensamento esquemático demasiadamente estrutural que degrada o debate público. Então, temos que tomar cuidado com essa ideia de "comum".

GW Podemos entender que uma *Gemeinschaft* seja reivindicada num país como a Alemanha, que viveu uma Idade Média passível de ser idealizada, onde as comunidades de fato cultivaram tradições durante séculos. Mas é curioso, estranho e surpreendente que isso aconteça no Brasil, que de certa forma é um país mestiço, de desenraizamento estrutural. O Mário

Pedrosa falava na vocação brasileira de país "condenado ao moderno", porque a gente não teria grandes tradições a preservar. Esse é um grande enigma para mim: como é que justamente o Brasil pôde cair num nacionalismo de comunidade, com um discurso que supõe um passado heroico? Há esse paradoxo entre um país desenraizado, misturado, aparentemente vocacionado ao moderno, e esse desejo essencialista que se mostra agora.

FB Eu vou arriscar um percurso aqui. O bolsonarismo talvez seja a mais equivocada das respostas, o mais infeliz dos destinos, diante de uma tensão muito importante que precisa ser repensada no Brasil para que a gente possa dar outro destino a ela. E que tensão é essa? Como você falou, existe uma tradição muito forte, no Brasil, de um pensamento que a gente poderia chamar de "pró-mestiçagem", que talvez seja o pensamento fundador do Brasil, em todos os sentidos. Porque o Brasil são dois Brasis: existe um Brasil "oficial" e um Brasil "à revelia do Brasil oficial". O Brasil "oficial" é o Brasil que começa como um projeto de franquia de capitalismo da metrópole portuguesa, cujo sentido é exploratório, cuja ocupação foi feita à maneira das capitanias hereditárias, cujo processo civilizatório era salvacionista, jesuítico, e cujo comportamento institucional historicamente obedece ao princípio da modernização conservadora. O país se transforma para permanecer essencialmente o mesmo, desigual e hierárquico.

Mas, simultaneamente a esse processo, ou até antes dele, houve um outro Brasil, um Brasil espontâneo, que começa com os náufragos portugueses degredados, arremessados na costa da Bahia. O Caramuru e o João Ramalho são os mais famosos. Esses náufragos chegaram aqui no Brasil e se amasiaram com mulheres indígenas, e, pela ferramenta de parentesco indígena chamada de "cunhadismo", por meio da qual as sociedades indígenas traziam para si estrangeiros que se tornavam aliados afetivos e políticos, foi se formando uma mestiçagem espontânea e livre (na medida em que, naquela estrutura, alguma coisa poderia ser espontânea e livre). Isso deu origem a um processo de mestiçagem brasileira profundamente diferente daquele feito na relação absolutamente opressora da "casa-grande" com a "senzala", que é a relação entre senhores e escravos. Esse país à revelia da oficialidade vai culminar naquilo que, já no século XX, está plenamente consumado como "cultura popular", tal como nós reconhecemos essa expressão: a cultura popular como um conjunto, uma formação histórica, que veio a produzir fenômenos democratizantes que a sociedade brasileira nunca foi capaz de produzir. No futebol, o protagonismo efetivo dos negros, a partir dos anos 1930, mas sobretudo nos anos 1950. No samba, uma verdadeira mestiçagem, em termos menos desiguais entre pretos, mestiços e brancos, entre pobres, pessoas de classe média e ricos, entre letrados, semiletrados e analfabetos. O fenômeno da cultura popular realizou em boa medida a utopia brasileira.

O que eu chamei de pensamento pró-mestiçagem se relaciona com esse Brasil que, apesar de todos os vícios de origem que o produziram, é, sob vários aspectos, virtuoso. Eu diria que a tradição pró-mestiçagem (que vai desde José Bonifácio, passando por poetas e romancistas do Segundo Reinado, pelo modernismo, por Gilberto Freyre, até chegar em Caetano Veloso e, mais recentemente, em Antonio Risério, que talvez seja o maior defensor dessa tradição hoje) pensa a mestiçagem no Brasil como alguns pensadores pensam a modernidade – uma mestiçagem incompleta, no mesmo sentido em que a gente fala de uma modernidade incompleta. Ou seja, pensa o Brasil como um país que tem bases mestiças que poderiam, se devidamente radicalizadas, combater o racismo estrutural, as desigualdades de gênero, sociais e de classe.

Mas essa tradição sofreu levas sucessivas de críticas sistemáticas e muito pertinentes. A primeira veio da USP a

partir dos anos 1950, 1960, com Florestan Fernandes, depois Fernando Henrique, Octavio Ianni, e se desdobraria nos textos de Roberto Schwarz. É curioso que, tomando um conceito importante da nossa experiência contemporânea, essa verdadeira mudança de paradigma da interpretação do Brasil esteja associada a uma mudança de "lugar de fala". Como dizia o historiador Carlos Guilherme Mota, até essa geração da USP, a interpretação do Brasil era uma espécie de prerrogativa estamental. A imensa maioria dos intérpretes clássicos do Brasil (Joaquim Nabuco, Gilberto Freyre, Paulo Prado e outros) eram pessoas que vinham de estratos sociais altos. Florestan Fernandes era filho de empregada doméstica, chegou a ser engraxate e, salvo engano, seus estudos foram pagos pelo patrão da sua mãe. E a tradição pró-mestiçagem continuaria a sofrer uma série de ataques. O mais importante deles, na minha opinião, vem da obra do Abdias do Nascimento. Eu acho que *O genocídio do negro brasileiro* é a grande nêmesis de *Casa-grande & senzala*: tudo que o livro de Gilberto Freyre procura integrar, o livro do Abdias desintegra. A meu ver, alguns argumentos do Abdias são absolutamente irrefutáveis. Ele é, talvez, o ponto de irradiação maior daquilo que viria ser a luta dos movimentos negros contemporâneos. A obra do Abdias disparou esses círculos concêntricos que viriam a chegar até nós, criticando, de uma maneira muito contundente, a tradição pró-mestiçagem.

Assim, nós temos no Brasil duas grandes narrativas de interpretação e de projeto civilizatório. Uma é pró-mestiçagem. E em prol da honestidade e da complexidadecabe dizer que eu acho equivocado olhar para esses pensadores pró-mestiçagem como se eles fossem ingênuos, como se não reconhecessem o trauma absurdo da escravidão e a perpetuação desse trauma na experiência contemporânea. Mas eles têm uma diferente estratégia para combater os efeitos das mazelas estruturais do Brasil. E a outra é antimestiçagem, que vai da USP até os chamados "movimentos identitários" contemporâneos.

Grosso modo, essas são as duas posições fundamentais que, nos últimos anos, geraram uma tensão muito forte no Brasil. O meu desejo e a minha atuação pública nos últimos anos buscam pensar o que poderia ser uma síntese entre essas duas posições. Eu acho que a posição pró-mestiçagem tem um problema. Quem melhor apontou essa falha foi o Luiz Eduardo Soares no seu último livro, *O Brasil e seu duplo*, onde ele diz que a tradição pró-mestiçagem pensa o futuro do Brasil sem afirmar uma necessária ruptura com o seu passado colonial. Essa perspectiva dele é muito forte e pertinente. Por outro lado, eu tenho um conjunto de críticas ao pensamento dos chamados movimentos identitários. Algumas delas eu fiz no meu livro *A vítima tem sempre razão?*,[5] e outras têm a ver com essa tendência a pensar por meio de coletivos, a anular o indivíduo, a fazer uma confusão entre os conceitos de responsabilidade e de culpa. Eu tenho uma série de críticas a esses movimentos, embora eu afirme fundamentalmente a justiça dos seus pleitos, o que para mim parece absolutamente evidente.

O meu desejo e a minha luta estariam no sentido de promover uma *Aufhebung*, no sentido hegeliano, que seria um modo de fazer uma espécie de negação da tradição pró-mestiçagem sem que ela desaparecesse por essa negação, para que ela fosse recuperada num segundo momento. Esse segundo momento seria um momento posterior à sua negação. Essa negação deve ser feita. Esse é o meu movimento intelectual e político. No entanto, nada disso aconteceu. O que resultou dessa tensão, por enquanto, foi um *backlash* horroroso. Nós estamos aqui discutindo as duas melhores perspectivas que o Brasil produziu nos seus séculos de existência. E o que veio

5 Francisco Bosco. *A vítima tem sempre razão? Lutas identitárias e o novo espaço público brasileiro*. São Paulo: Todavia, 2017.

foi uma terceira margem absolutamente regressiva, reacionária, que não se relaciona nem com uma nem com outra perspectiva, negando as duas ao mesmo tempo. É aí que nós fomos parar.

GW É muito rica a descrição que você faz dessas duas perspectivas fundadoras de uma ideia de país, que não é exatamente a "nação". Que "nação" é essa? Que ideia de nacionalismo pode ser buscada por esse neofascismo brasileiro totalmente ao largo dessas duas posições que você descreveu agora? Em nome de qual fundamento cultural ou histórico isso se dá? Isso que me assusta, porque a gente não tende a identificar o Brasil com um país onde esse passado chamasse para alguma forma de restauração. A não ser que seja simplesmente um moralismo religioso, um fundamentalismo de fundo eminentemente religioso, e isso se explica por si mesmo.

Você há de se lembrar, assim como eu me lembro, que o show *Circuladô*, do Caetano Veloso, em 1992 (portanto há muito tempo), foi muito significativo, porque ele fazia cinquenta anos de idade, e o tropicalismo completava 25 anos de história. E ele fazia todo um pronunciamento sobre o exílio, que ele nunca tinha feito. E, antes de cantar *Debaixo dos caracóis dos seus cabelos*, do Roberto Carlos (uma canção que a maioria das pessoas não sabia que tinha sido feita para ele, e pensava que era uma música de amor), ele contava a história dos acontecimentos em Londres e falava sobre a experiência do exílio, dizendo que a dor que ele sentia estava ligada ao fato de perceber que a ditadura não era uma coisa extraterrestre que tinha se abatido sobre o país, como muita gente na esquerda pensava, mas sim que ela, ao contrário, representava o ser profundo do Brasil. Ouvir isso em 1992 foi surpreendente, porque eu pensava que aquilo até se justificaria nos anos 1960 e 1970, em Londres, mas era algo que já não falava mais aos nossos corações e à nossa realidade. Isto é, me parecia que esse "ser profundo" havia sido superado.

No entanto, nós vemos que não foi, e o quão profundo ele é. Em torno disso é que o nosso espanto gira, não é?

FB Chega a doer quando falamos do Caetano e desses artistas neste momento, porque são os caras que melhor sonharam o Brasil. A gente está muito distante disso, virou um pesadelo. O nacionalismo desse projeto bolsonarista é o que a gente poderia chamar de nacionalismo alienado, que não deixa de ser um oxímoro. Aproveitando o clima caetaniano, para essa gente, Bolsonaro e seus ideólogos, Olavo de Carvalho e o seu capacho Ernesto Araújo: nada de axé, Dodô e Curuzu, o verdadeiro Brasil é a América do Norte.[6] O nacionalismo deles curiosamente remonta a uma origem portuguesa, que, por sua vez, está ancorada na tradição cristã. No limite, é o cristianismo, um nacionalismo de ordem religiosa, fundamentalista mesmo. Isso é o nacionalismo deles. Não tem nada a ver com o que a gente conversou aqui. Não tem nada a ver com toda a experiência histórica do Brasil que se construiu como cultura singular.

A fala do Caetano, como você sugere, volta a ter uma força de verdade enorme. Eu acho que esse processo de formação do bolsonarismo, em sentido extenso, é muito longo, vem de décadas, veio se formando desde os anos 1960 e 1970. O ex-presidente dos Estados Unidos Richard Nixon cunhou a conhecida expressão "*silent majority*", que tem a ver com isso que o Caetano falou. E que "maioria silenciosa" era essa? O Nixon percebeu que, no Ocidente democrático moderno dos anos 1960, um certo setor social liberal progressista conquistou a hegemonia cultural. E que essa hegemonia, a partir dos anos 1970, foi se estabelecendo, se consolidando e se expandindo progressivamente. Ela é a hegemonia liberal no sentido do comportamento, do pensamento de defesa dos direitos

6 Referência aos versos "Nada de Axé, Dodô e Curuzu/ A verdadeira Bahia é o Rio Grande do Sul", de *Rock'n'Raul* (*Noites do norte*, 2000).

individuais, de defesa dos direitos de minorias, do princípio do John Stuart Mill, segundo o qual os direitos de um sujeito à sua liberdade só terminam quando começa a liberdade alheia. Mas havia toda uma maioria silenciosa, naquele momento, que não concordava com isso.

As maiorias silenciosas estão fomentando um ódio contra os setores progressistas liberais. Esse ódio finalmente teve a oportunidade de se traduzir em ação política, o que aconteceu nos últimos anos no Brasil, a partir de 2013. Tudo isso para dizer que o bolsonarismo é um fenômeno que está sendo gestado há muito tempo. Isso que a gente vê nas manifestações, no varejo das redes sociais, é só a ponta de um iceberg histórico que é muito profundo. Isto é: o Caetano tem razão.

Entrevista realizada em 22 de abril de 2020.

O mundo nunca mais será o mesmo

Ronaldo Lemos

Ronaldo Lemos é advogado, especialista em tecnologia, proteção de dados, propriedade intelectual, mídia e políticas públicas. É professor da Faculdade de Direito da Universidade do Estado do Rio de Janeiro (UERJ) e da Universidade Columbia, em Nova York. Foi um dos criadores do Marco Civil da Internet, um dos autores do Plano Nacional de Internet das Coisas e vice-presidente do Conselho de Comunicação Social do Congresso Nacional. Atualmente, é diretor do Instituto de Tecnologia e Sociedade do Rio (ITS Rio).

Guilherme Wisnik Ronaldo, aqui estamos na esfera virtual, neste lugar meio impalpável que é o ciberespaço. Queria conversar com você, que é um grande conhecedor de tecnologia, sobre esse tema do confinamento e, sobretudo, sobre o refluxo da esfera pública e a crescente fuga para o campo do virtual durante a pandemia. Na sua opinião, qual vai ser o impacto de tudo isso nas cidades e no espaço público? Você acha que uma nova visão de cidade pode nascer a partir de toda esta crise?
Ronaldo Lemos O impacto sobre a cidade nós já estamos vendo, basta sairmos às ruas. Aliás, não façam isso, fiquem em casa! As cidades estão passando por um momento único na história. Estamos vivendo um momento global em que as pessoas estão buscando ficar em casa, e as ruas estão desertas: os restaurantes e os lugares públicos estão fechados. Então estamos vivendo um momento muito singular de transformação no plano da cidade, que foi construída como um lugar para as pessoas estarem juntas. Vamos lembrar que, do ponto de vista do urbanismo, quanto mais adensamento, quanto mais gente morando junto, melhor para a organização e a oferta dos serviços. Então, quando olhamos para a rua da cidade – que é o lugar de fluxo, de circulação e de encontro –, e ela está vazia porque as pessoas (que podem) estão se recolhendo nas suas células individuais, percebemos uma transformação muito profunda. A cidade está sendo muito impactada por este momento que vivemos, e a minha preocupação é não saber se esse impacto é temporário ou se haverá uma volta. E, se houver volta, como ela será? O que vai acontecer quando as ruas da cidade forem ocupadas novamente? Acho que uma das coisas que podem acontecer, e que já estamos vendo, é que determinadas políticas de saúde pública, de segurança biológica, não vão desaparecer. Essa imagem das pessoas usando máscaras, mais preocupadas com infecção, com a transmissão de um vírus, a hesitação do aperto de mão, do abraço, isso tudo pode ter vindo para

ficar, assim como dispositivos tecnológicos que cada vez mais serão implementados nas cidades para dar conta da ideia de segurança biológica, tais como câmeras termais, que medem a temperatura de uma pessoa passando na rua, algo muito comum na Ásia, e que não vemos ainda na América Latina. Isso, na minha visão, vai se tornar cada vez mais comum. Sempre que entrarmos num aeroporto, no metrô, num show, quem sabe até num prédio comercial, escola ou qualquer lugar que tenha aglomeração, é possível que uma câmera termal confira nossa temperatura, verificando se alguém tem febre. Estamos entrando num momento em que a preocupação com a biossegurança será muito importante. As pessoas estarão preocupadas com segurança biológica a partir de agora, e essa preocupação fará parte do plano da cidade. Então a gente tem que se preparar, porque a cidade vai mudar, sim. E vai mudar profundamente.

GW Você tem uma experiência grande na Ásia, em particular na China. Dispositivos como esses, como também as câmeras de reconhecimento facial, que são muito disseminadas por lá, parecem, para nós no Ocidente, parte de uma distopia *black mirror*, de controle total, haja vista o modo como prezamos o sentido de individualidade, de liberdade individual. Você acha que isso será fatalmente importado para o Ocidente depois desta crise? E ainda: você concorda que, nesse caso, estaríamos diante de uma distopia, ou você tem uma visão mais positiva dessa questão?

RL Na verdade, já está tudo entre nós, não há nada que importar do Oriente. A mesma tecnologia usada hoje em Taiwan, Coreia do Sul, China e outros lugares está sendo usada também no Ocidente, sempre foi utilizada. Quando andamos pela rua, o celular no bolso está capturando nossos dados. Quando chegamos de viagem no aeroporto de Guarulhos, ou no Rio de Janeiro, é utilizado um sistema de reconhecimento facial para os passageiros. Inclusive muitos se assustam quando chegam e o fiscal da Receita Federal chama a pessoa pelo nome. Ela acha que ficou famosa de repente, mas, na verdade, é porque o sistema no aeroporto do Galeão reconhece os rostos das pessoas e mostra para o fiscal da Receita quem elas são. As mesmas tecnologias, de reconhecimento facial, de captura de lábios, estão igualmente presentes aqui e no Oriente.

O importante é o fato de que há, sim, um lado distópico nessas tecnologias, e temos que ficar de olho nelas. A forma como lidamos com isso no Brasil é através da Lei Geral de Proteção de Dados (LGPD), aprovada em 2018. Essa lei está para entrar em vigor em agosto de 2020, mas talvez seja adiada para janeiro de 2021.[1] É onde estão as regras gerais para lidarmos com a questão de dados, para regular o que pode ser monitorado, em quais circunstâncias, para quais finalidades, e assim por diante. Então, a forma de lidar com essas tecnologias não é a da tecnologia contra a tecnologia, não é fogo contra fogo, mas sim a de usar instituições como o direito e a legislação para regular o acordo político daquela comunidade em relação àquelas tecnologias, porque a tecnologia, em si, é a mesma aqui ou em qualquer outro país, do Oriente ou do Ocidente. Do ponto de vista tecnológico, aqui não é diferente de lá, estamos todos no mesmo barco. A questão é que cada comunidade política tem que decidir como lidar com os dados e com essas questões. Essa é a diferença fundamental.

GW Deixe-me explicar um pouco melhor a pergunta. Apesar da tecnologia, me parece que aqui não estamos predispostos a obedecer da mesma forma como os orientais obedecem, porque eles têm uma cultura de respeito à hierarquia mais entranhada. Se o uso dessa tecnologia se generalizar por aqui, isso precisaria vir acompanhado de alguma mudança cultural, não? E agora vai a segunda parte da pergunta: você acha que há algum efeito positivo nisso que estou classificando

1 A LGPD entrou em vigor em 18 de setembro de 2020.

com distópico? Digo isso porque sei que você valoriza o aspecto coletivista que existe na cultura oriental, sobretudo a chinesa, talvez como herança da sociedade comunista, ou confucionista.

RL Principalmente confucionista. Esse ponto é fundamental, porque as sociedades orientais, como a chinena, a japonesa, a coreana e outras, têm como característica o coletivismo. Isso está presente inclusive na forma como as pessoas escrevem os seus endereços. Aqui colocamos primeiro nosso nome, depois o nome da rua, o número, a cidade e depois o país. Em sociedades orientais é o contrário: eles colocam primeiro o nome do país, depois o nome do estado, o nome da rua e depois o próprio nome. Pode parecer brincadeira, mas é uma diferença fundamental de cultura: o coletivo muitas vezes vem antes do individual. Esse coletivismo, em países como Singapura, Coreia, Taiwan e, sobretudo, China, se mostrou muito importante para lidar com o desafio coletivo que é a pandemia da Covid-19. Essa questão não é um problema individual. O problema não é se eu, você ou se uma pessoa ou outra ficará doente. É um problema social. Ou todo mundo trabalha para resolver esse problema, ou o problema não se resolve. Nesse sentido, a recuperação rápida da China, da Coreia, de Singapura, de Taiwan e de outros países mostra que esse pensamento coletivista, que faz com que a pessoa aja não apenas em nome do seu próprio interesse, mas também do interesse do outro, da coletividade, é muito importante.

Aquilo que falei sobre o endereço vale muito para pensar a questão da Covid-19. No Ocidente, temos uma visão de individualismo, com cada pessoa agindo segundo o próprio interesse, e o resultado sendo negativo para a sociedade como um todo. Os limites desse individualismo ficam muito claros quando tentamos combater um problema do tamanho da Covid-19. Esse vírus é perverso, porque expõe os limites de cada sociedade, do ponto de vista de sua matriz política, diante do desafio que ele coloca. O individualismo, característica do

Brasil, dos Estados Unidos, da Europa e de boa parte das sociedades ocidentais, está demonstrando dificuldades para lidar com um problema que é de todo mundo, um problema global.

Hoje eu estava lendo um artigo do Henry Kissinger, que ocupou diversas posições nos governos dos Estados Unidos, um escritor brilhante, que foi responsável, inclusive, pela aproximação dos Estados Unidos com a China ainda em 1973. O artigo é ótimo. Ele diz que problemas globais precisam ser resolvidos a partir de perspectivas globais. E o grande medo dele, agora, é o fato de que a Covid-19 chegou no planeta como desafio justo no momento em que os países estavam buscando se isolar cada vez mais. Os próprios Estados Unidos, que sempre tiveram um papel importante na política internacional, inclusive na expansão dos direitos humanos, na defesa da democracia e de outros valores importantes, foram pegos pela Covid-19 no momento em que estavam buscando um isolamento, se voltando para dentro. O próprio Trump usava da retórica de se construir um muro em volta dos Estados Unidos para isolar seu país dos vizinhos. Que alguém como Henry Kissinger esteja escrevendo isso, revalorizando o olhar, não só para dentro de suas fronteiras, mas para o mundo como um todo, me parece muito significativo neste momento em que temos que lidar com um desafio global.

GW Você assistiu ao filme *Indústria americana*?

RL Assisti sim. Ele ganhou o Oscar de Melhor Documentário. O Obama é associado à produtora que fez o filme. O filme é legal.

GW Ele toca em muitas dessas questões. Fala dessa grande incompatibilidade cultural que existe entre esses dois mundos, esses gigantes da geopolítica mundial: a China e os Estados Unidos. A questão do coletivismo oriental aparece muito fortemente, mas, por outro lado, revela-se uma política chinesa que não respeita as leis trabalhistas e faz as pessoas trabalharem de uma forma que, para nós ocidentais, é chocante.

RL Os chineses têm duas maneiras de descrever o jeito como eles trabalham: 996 e 007. O 996 significa trabalhar das nove da manhã às nove da noite, seis dias por semana. Isso virou uma ética de trabalho muito comum na China. E agora, especialmente depois da Covid-19, tem gente falando que o 996 está virando 007, o que significa trabalhar do meio-dia à meia-noite, todos os dias, sete dias por semana. É uma nova ética de trabalho: doze horas por dia, sete vezes por semana. O documentário *Indústria americana* mostra um pouco desse contraste entre as éticas de trabalho norte-americana e chinesa. De fato, o país se desenvolveu muito nesses quarenta anos. Eles tiraram 740 milhões de pessoas da pobreza, o que é, na história humana, a maior ascensão econômica de uma população. Mas a quantidade de trabalho envolvida não é negligenciada. É muito impressionante como, até hoje, a ética de trabalho na China é pesada mesmo. É esperado que as pessoas trabalhem pelo menos no regime 996, chegando agora ao 007.

GW Nesse contexto, como fica a guerra geopolítica entre os Estados Unidos e a China, incluindo o Brasil nessa triangulação?

RL Sempre que há duas potências ou dois blocos muito grandes disputando posição no cenário global, e até hegemonia, o Brasil costuma se desenvolver. Isso aconteceu na Segunda Guerra Mundial, quando o Brasil, exatamente porque havia duas potências, dois blocos em ascensão, soube jogar diplomaticamente (na verdade, desde os anos 1930, antes de a guerra ser deflagrada). E conseguiu, com isso, criar as bases para a construção da indústria siderúrgica por aqui. O Brasil, historicamente, soube ocupar uma posição de neutralidade, de não alinhamento automático a esses blocos, para trazer modelos industriais para o país, receber transferência de tecnologia e abrir mais espaço para produtos brasileiros no mercado internacional.

Então, este momento que estamos vivendo é um momento muito importante. Se soubéssemos navegar o Brasil neste difícil momento, essa seria uma oportunidade (quando tudo isto passar, é claro, porque agora não há oportunidade nenhuma, agora temos que cuidar da sobrevivência e tomar conta do momento presente). Depois disso tudo, o Brasil poderia, sim, recuperar sua economia muito rapidamente. O Brasil é um grande produtor de comida, eu gosto sempre de lembrar isso. Nesta crise em que estamos, as pessoas podem adiar a compra de alguns produtos, como carro, celular, roupa. Mas você não pode adiar a compra de comida, e a demanda por isso será cada vez maior. As pessoas, mais do que nunca, vão ter que garantir a sua segurança alimentar, durante e após a crise da Covid-19. Então, o Brasil, como grande produtor e exportador de comida e matérias-primas, pode ter uma oportunidade de recuperação de sua economia muito rápida, lembrando também que a economia brasileira é muito complementar à economia chinesa. A China é nosso maior comprador de soja, e tudo indica que a China está começando a se recuperar da crise da Covid-19. Na cidade de Wuhan os trens voltaram a circular, e a economia recomeçou a girar, o que significa que a China vai precisar começar a comprar de novo.

Se o Brasil soubesse navegar este momento, poderíamos, sim, conseguir que nossa economia se recuperasse mais rápido, talvez até mais rápido do que a economia de países mais industrializados. Aqui temos que ter um líder prático, pragmático, que não pode colocar o país em risco. O Brasil está pisando no calo da China todo dia, e isso é uma coisa suicida. A China é o maior comprador do Brasil, compra todos os anos 64 bilhões de dólares em produtos do nosso país. Se a China passar a comprar metade disso, o Brasil quebra. Então precisamos tomar muito cuidado e, mais do que isso, precisamos ter uma política inteligente. A relação do Brasil com os Estados Unidos tem que ser muito boa sempre, por todas as razões do mundo: culturais, econômicas, de proximidade geográfica

e assim por diante. Mas o Brasil não pode declarar inimizade a países de economia complementar, dos quais nossa economia depende. A economia brasileira e a economia norte-americana, em muitos aspectos, não são complementares, mas concorrentes. O Brasil concorre com os Estados Unidos na produção de suco de laranja, de soja, de carne bovina e de várias outras *commodities*. Nós somos, muitas vezes, competidores dos Estados Unidos. Se a China parar de comprar soja do Brasil, ela vai comprar soja dos Estados Unidos. É muito doido isso. Precisamos ter muita inteligência, saber navegar o país de forma inteligente, essa é a palavra, para que a nossa economia possa se recuperar rapidamente depois desta crise.

GW Pelo jeito você está recomendando exatamente o contrário do que o governo atual está fazendo. Mas, levando isso para o lado da tecnologia, você poderia comentar um pouco o papel do 5G, da Huawei, e da questão tecnológica nessa história toda?

RL O Brasil precisa de 5G o mais rápido possível, essa é a primeira lição. Não só o Brasil, mas qualquer país que queira ser também produtor de tecnologia, e não apenas consumidor, precisa do 5G. Como será possível desenvolver aplicações para 5G se não tivermos o 5G? Na teoria? Imaginando como é o 5G? Isso não existe. Hoje, se tivermos o 5G, criamos as bases de uma indústria de inovação no Brasil. Quanto mais rápido isso acontecer, melhor. A Inglaterra, por exemplo, está adotando o 5G o mais rápido possível. Países asiáticos, a mesma coisa. Mesmo os Estados Unidos estão na corrida para tê-lo o mais rápido possível. Então, a questão de ter 5G é uma questão estratégica, e o tempo importa – quanto antes você tiver o 5G, mais oportunidade de desenvolvimento terá. Cada ano que passar sem o 5G universal no Brasil significa que perderemos séculos de possibilidades de desenvolvimento no futuro, lembrando que o Brasil é mestre em perder oportunidades de desenvolvimento.

Não temos, em nosso país, uma indústria de microcondutores, por exemplo. Não fabricamos microchips em escala, perdemos essa possibilidade. Não temos, no Brasil, uma indústria de plataformas de internet consolidada. A Argentina, por exemplo, tem o Mercado Livre, que muita gente usa no Brasil. Mas é uma plataforma que surgiu na Argentina e se espalhou pelo mundo todo, especialmente pela América Latina. O Brasil foi ter seus primeiros unicórnios – empresas *startups* cujo valor de mercado passa de 1 bilhão de dólares – há três ou quatro anos apenas; vivemos muito tempo sem ter um único sequer. Agora já estamos com dez ou doze empresas unicórnio, o que é um bom sinal, mas poderíamos ter muito mais.

O 5G muda tudo: a forma como as cidades se organizam, a forma como teremos acesso ao entretenimento. Ele permitirá a transmissão de vídeos 3D em tempo real, a telemedicina, operações à distância. Os ônibus nas cidades, por exemplo, poderão se conectar entre si, coordenando seus movimentos, podendo trafegar em comboios em altíssima velocidade, porque todos vão acelerar e frear ao mesmo tempo. Ele cria possibilidades que as redes atuais não têm. E, insisto, quem vai desenvolver aplicações para essa tecnologia é quem tiver o 5G. O Brasil tem que ser não só um grande consumidor de tecnologia, mas também um grande produtor de tecnologia. A coisa que mais me anima, todos os dias, a fazer o que faço é tentar construir as bases para que a gente possa ser um grande produtor de tecnologia. Mas, se o 5G não chegar, teremos que, de novo, comprar as aplicações desenvolvidas em outros lugares.

GW Essa conexão entre os ônibus, a que você se refere, por exemplo, é coincidente com aquilo que se chama "internet das coisas"?

RL O 5G tem tudo a ver com a internet das coisas, que é a possibilidade de se conectar todo e qualquer objeto à internet. Pode ser cadeira, mesa, caneta. Tudo pode ganhar uma nova utilidade se você conectar à rede. Aí você pensa: "Qual é a utilidade de uma cadeira conectada à internet?". Pois há várias utilidades. Por exemplo: se você instalar sensores na cadeira, ela conseguirá contar quantas pessoas se sentaram nela ao longo do dia. Essa informação pode ser útil para a escola, para o metrô, para o ônibus, pois será possível medir a lotação de cada assento e fazer um planejamento melhor. Mais do que isso, se você instalar sensores de peso em uma cadeira, conseguirá saber não apenas quantas pessoas se sentaram nela, mas quem se sentou nela, uma vez que cada pessoa se mexe de um jeito diferente. Analisando a assinatura de movimento de cada pessoa, será possível identificar quem se sentou nela e quando. Acho que essa é a nova onda de geração de valor do ponto de vista da tecnologia: imaginar as utilidades de objetos conectados à rede é algo que pode acabar criando empresas gigantescas, com geração de emprego, novas utilidades e assim por diante. Então, essa é uma onda da qual o Brasil tem que participar. E, para participar disso, não bastam só a criatividade e a inovação, que temos, mas é preciso ter infraestrutura boa, conectividade boa. Não adianta nada ter a cadeira conectada à internet e não ter internet para conectar à cadeira. Levar a internet para todo lugar é fundamental, porque permite que pessoas inovem em cima dela. Essa é a onda da chamada "internet das coisas". E, de novo, quanto antes participarmos dela, maiores são as oportunidades de desenvolvimento para nosso país.

GW Voltando ao tema da Covid-19, pensando nesta imensa crise mundial. Os momentos de crise abrem também outras condições de ação e engajamento. O que é possível fazer neste momento?

RL Precisamos buscar uma recuperação rápida desta crise toda e sair dela da forma mais suave possível. De preferência corrigindo erros históricos, como o erro da desigualdade, que ficou flagrante com a Covid-19. Não tem jeito de governar só para quem é rico. Tem que governar para todo mundo, porque, quando vem um desafio com o tamanho da Covid-19, vemos que ricos e pobres estão no mesmo barco. Se todo mundo não sair desta junto, ninguém sai. Acho que esse ponto está ficando evidente agora.

Precisamos corrigir também outras falhas históricas, como a bancarização. Um em cada três brasileiros adultos não tinha conta bancária, estava excluído da coisa mais elementar, que é fazer parte do sistema financeiro. Isso é insano. Como tolerávamos que isso pudesse existir? Com esta crise toda, é preciso fazer transferência de renda para a população mais pobre, o Congresso aprova essa transferência, mas as pessoas não têm, ou não tinham, conta bancária para receber o dinheiro. Aí, agora, às pressas, tem que se fazer todo um mecanismo de criação de contas bancárias, através desse aplicativo de benefício social, lançado ontem.[2] Tomara que dê certo, e pelo visto está dando. Se der certo, talvez tenhamos esse legado positivo, que é bancarizar 10 ou 15 milhões de pessoas que não tinham conta bancária e passarão a ter por causa da crise. Mas a pergunta que me faço é: por que não fizemos isso há um mês, um ano, dez anos? Por que foi preciso uma catástrofe do tamanho da Covid-19 para lidar com coisas tão elementares? Era só ter vontade política de fazer isso, não era um desafio tão grande assim. Agora tem que fazer às pressas, malfeito. Mas tudo bem, melhor é fazer do que não fazer. Tomara que esta crise passe, e 15 milhões de pessoas no Brasil tenham sido incluídas no sistema bancário por causa dela.

Então, a Covid-19 pode evidenciar essas falhas históricas que deixamos passar por debaixo de nossas pernas sem fazer nada. Colocar isso em evidência talvez seja a única coisa positiva que possamos vislumbrar a partir desta crise de grande

2 O aplicativo Caixa Auxílio Emergencial foi desenvolvido para cadastrar trabalhadores informais não inscritos em programas sociais. Segundo a Caixa, 35 milhões de contas bancárias foram abertas para que pessoas que nunca tiveram acesso ao sistema financeiro pudessem receber o auxílio emergencial.

magnitude. Tomara que esses abandonos, essas negligências históricas que temos embaixo dos nossos tapetes comecem a ficar evidentes agora. De novo: ou todo mundo prospera, ou ninguém prospera. Não existe sociedade que esteja progredindo efetivamente se não tiver todo mundo prosperando. É uma falsa prosperidade, um desenvolvimento ilusório. Por isso que temos que trabalhar com inovação, com empreendedorismo. Por isso que temos que soltar a criatividade dos brasileiros e das brasileiras, para mandar pau, para criarmos as bases de desenvolvimento para todo mundo prosperar, e não governar só para quem tem dinheiro. Tem que governar para todo mundo.

GW Gostaria de falar sobre as *fake news*, as pós-verdades, que são assuntos importantes neste mundo meio enevoado onde estamos. Você acha que esse vírus, por mais invisível que seja, e apesar da tragédia toda que ele causa, pode ser um instrumento que vai nos trazer de volta do ciberespaço para o mundo real?

RL A Covid-19 é um fator de aceleração de mudanças. Como muita gente tem dito, o mundo em que vivemos não volta depois da Covid-19. E a razão é evolutiva, porque – veja que coisa bizarra – esse vírus evoluiu para se adaptar ao mundo que construímos, um mundo de viagens internacionais incessantes, de encontros e de velocidade inacreditáveis. Essa pequena fita de informação de RNA evoluiu para se adaptar com grande sucesso – da perspectiva do vírus, claro – ao mundo que construímos. Eu me pergunto se nós, seres humanos dotados de razão e inteligência, não teremos que evoluir de novo e adaptar a nossa sociedade para que ameaças como essa não ocorram novamente. Porque esse vírus provou que se adaptou, como sempre acontece na evolução, através de mutações acidentais. De repente o vírus adquiriu uma forma, contaminou o ser humano, e aquela forma de contaminação foi muito bem-sucedida diante do modo de vida que tínhamos. A pergunta que temos que fazer agora como sociedade é: que mudanças e transformações virão para impedir que isso se repita? Eu não tenho dúvidas de que essas mudanças serão muitas. Falamos de algumas delas do ponto de vista tecnológico, como as câmeras termais implementadas nas cidades e outras medidas de biossegurança que se tornarão normais, mas outras mudanças também virão. Precisamos refletir que tipo de sociedade vamos construir.

Está todo mundo em casa, mas com um desejo de sociabilidade absurdo. Eu, por exemplo, estou louco para escutar música ao vivo e ter a possibilidade de encontrar as pessoas, de estar junto de novo com elas. Acho que todo mundo está. Vi uma matéria, uns dias atrás, sobre como a China está saindo desta crise. Vários lugares turísticos, como a cordilheira Huangshan (Montanha Amarela), foram reabertos à visitação pública. Vi as fotos das pessoas lá, e você não tem ideia da aglomeração, das pessoas enlouquecidas fazendo fila para visitar aquele lugar, querendo ter de novo a experiência de visitar um lugar turístico. Assim que esta crise passar, teremos a explosão desse desejo de visitar, de viajar, de estar junto. Um amigo do Rio de Janeiro estava pesquisando o Carnaval no Brasil depois da gripe espanhola, que foi uma explosão. Você olha as manchetes dos jornais da época, é um absurdo, parece que foi o maior Carnaval da história do país, uma explosão de alegria, uma loucura. Isso já estou vendo acontecer na China, as pessoas se aglomerando, uma quantidade enorme de pessoas viajando para fazer turismo no pós-Covid-19. Isso vai acontecer com a gente também, mas não será só isso. Será uma mistura, um desejo de sociabilidade conjugado com esse novo recolhimento digital e com essas novas formas de sociabilidade digital, que não vão embora. Muita gente não vai sair do *home office*, muito aluno de escola vai continuar usando ferramentas online para estudar e aprender. Será o misto de um desejo de sociabilidade muito grande com novos hábitos de trabalho e de produtividade mediados pela tecnologia em casa. Será meio paradoxal.

Entrevista realizada em 8 de abril de 2020.

Nevoeiros: ontem e hoje

Michael Wesely

Michael Wesely é artista conhecido por suas fotografias de cidades, edifícios e paisagens, tiradas com uma técnica especial de longa exposição. Frequentou a Bayerische Staatslehranstalt für Photographie, em Munique (1986-88), antes de estudar na Academia de Belas Artes de Munique (1988-94). Fotografou a reconstrução da Potsdamer Platz, em Berlim (desde 1997), e a ampliação do MoMA (Museum of Modern Art), em Nova York (2001-04).

Guilherme Wisnik Michael, sabemos que o nevoeiro, assim como o desfocamento, são questões que nos conectam. Na verdade, eu fui muito influenciado por você, por suas fotos de longa exposição. Foi importante para mim entender essa percepção borrada do mundo hoje. Gostaria de iniciar nossa conversa perguntando sobre o seu processo de fotografia. As pessoas têm a curiosidade de saber como você fotografa, tecnicamente falando. Qual é o mistério da sua câmera *pinhole*? Qual é o seu segredo para fazer fotografias que duram três anos, por exemplo?
Michael Wesely Pode ser surpreendente para alguns saber sobre os antigos tempos analógicos e as condições da fotografia nos anos 1980, quando comecei. Eu estava aprendendo tudo sobre os grandes nomes da fotografia e pensando em qual poderia ser o meu interesse naquilo. Porque, como estudante de fotografia, eu aprendi como fazer todas aquelas fotos. Do ponto de vista técnico, eu podia fazer a mesma coisa que o Andreas Gursky, o Thomas Struth ou o casal Becher (Bernd e Hilla). Podia também buscar uma espécie de perfeição. Mas, quanto mais perfeita é uma coisa, na minha opinião, mais a imperfeição se torna interessante. Isto é, você pode ver o outro lado da história. A natureza sempre tem um certo ponto de imperfeição que deixa as coisas mais perfeitas, porque a percentagem menos perfeita é gerada só na sua mente. O famoso artista sul-coreano Nam June Paik uma vez disse: "Se é perfeito demais, Deus ficará com raiva". E há muitos exemplos na natureza em que a imperfeição alcança um nível de perfeição muito mais alto do que se poderia imaginar. E eu fiquei logo interessado na imperfeição da imagem, e achava intrigante buscar um caminho diferente na fotografia. Também não queria corresponder àquela mentalidade que vinha com as câmeras pequenas e os filmes de alta velocidade, na qual os fotógrafos eram caçadores de imagens, caçadores de instantes. Até

tentei seguir por aí, mas não me sentia bem em fotografar alguém na rua sem poder dizer, em seguida, "Muito obrigado". Essa situação era um problema para mim. E, como eu já trabalhava com câmeras *pinhole*, pensei em usar tempos de exposição mais longos para evitar o "momento decisivo", perfeito, que não era meu interesse. A outra coisa também interessante na fotografia era a ideia de verdade. A certeza de que a fotografia deve registrar a verdade, a realidade. Mas eu não acreditava nisso. Por exemplo: qual é a imagem perfeita do Guilherme Wisnik? O fotógrafo tem que decidir. Olhando para quinhentas imagens do Guilherme, eu teria que decidir: "Ah, essa aqui é a imagem do Guilherme de verdade". Mas com a longa exposição essa situação se inverte, porque aquela busca veloz pelos momentos decisivos é transformada em uma cerimônia. Foi por aí que minha investigação em tempos de exposição mais longos começou. Além disso, eu tinha um interesse em fotografia conceitual, em arte conceitual. Pensava na ideia de construção e desconstrução das imagens, na sua falta de estabilidade.

GW É muito bom saber disso, pois, em geral, conhecemos os seus trabalhos de escala urbana, como as grandes transformações de Berlim nos anos 1990. Mas o que você está nos dizendo agora é que esse processo começou com os retratos, certo?

MW Sim.

GW Retratos de cinco minutos. Isso é muito importante. Pode explicar esse processo?

MW Sim, eu comecei com esses retratos de cinco minutos, em 1988. Faz muito tempo. Estava pensando que cinco minutos era um tempo razoável para se pedir às pessoas. Eu poderia dizer: "Você tem cinco minutos para me doar?". Nunca ouvi ninguém dizer: "Não, isso é tempo demais". Nos anos 1980, cinco minutos era um tempo bom para posar para um retrato, para me dar. Contudo, desde os anos 1980, tudo à nossa volta começou a se acelerar. Se você pensar hoje em férias de cinco semanas, as pessoas diriam: "Nossa, que absurdo!", "Três semanas? Eu fiz um curso de três dias". O tempo se acelerou muito. Mas aqueles cinco minutos ainda são intocáveis. Se eu pedir agora para alguém se sentar na minha frente por cinco minutos, de certa forma, eles ainda permanecem, de maneira surpreendente.

GW Essa explicação é muito importante, acredito, pois as fotos de longa exposição envolvem uma técnica especial, que é também uma poética. Uma poética da lentidão. E, por isso, se faz também uma ética, já que a desaceleração cria essa espécie de cerimônia, como você diz. Você passa cinco minutos comigo, e eu passo cinco minutos com você em um retrato. Cria-se aí uma espécie de clima, um diálogo, certo? Você compartilha a autoria da foto com aquele que está sendo fotografado, pois ele decide se vai se mexer muito ou tentar ficar parado. Não é uma arte que vem de um ego ou de uma ideia especial. Além do mais, você cria um jeito de ficar cego, em certo sentido, pois não controla todos os aspectos da sua fotografia.

MW Em 1988, fiz um retrato de Emilio Vedova. Acho que ele estava sentado em frente a uma janela aberta, e, naquele momento, mexeu a cabeça. Na foto, a cabeça dele encolheu muito. Quando vi a imagem, fiquei realmente chocado, e pensei: "Meu Deus, vou ter que fazer outra, porque ele não tem essa cabeça". Parecia uma cabeça de Giacometti. Mas aí eu disse: "Não. Ele sabia onde estava sentado e, provavelmente, pretendia alguma coisa". Aquela foi minha primeira grande lição sobre aceitar as imagens. É o meu fascínio nesse trabalho. Eu não consigo prever o que vai acontecer. O resultado é, de certo modo, imprevisível. Eu sei o enquadramento, ok. Mas, mesmo assim, o que acontece nesse enquadramento é algo que se pode comparar com a música de John Cage. Cage também disse que, para ele, a música é um abrir janelas.

Há uma fantástica conversa entre ele e Morton Feldman no final dos anos 1960. Eles estavam na praia (em Coney Island, acho). Feldman era muito pobre, com aqueles gravadores de rádio e todo aquele ruído. E ele disse que queria voltar, porque era impossível aproveitar a praia. Foi logo depois de Cage ter apresentado uma música para doze gravadores de rádio. E então ele disse: "Nossa, eles mudaram minha música". Talvez essa seja a diferença entre a música mais clássica (que aqui associo a Feldman, com a dinâmica de tempos mais longos e mais curtos) e uma composição muito forte e minimalista. Cage, de certo modo, não controlava nada. Ele só dava espaço para o mundo entrar na sua composição. Eu acho que não estou tão distante disso. Não sabia muito sobre John Cage quando comecei essa experiência de longa exposição. Contudo, quanto mais você faz esse trabalho, mais você tenta encontrar parentes, ou uma atitude similar. Alguém que você possa chamar de família...

GW Portanto, esse processo aberto de fazer arte é completamente oposto ao modo de se buscar o momento decisivo na fotografia ou de se acreditar numa ideia de verdade, certo?

MW Sim.

GW É o oposto. De certa forma, você está do lado oposto da tradição alemã baseada em Düsseldorf, dos Becher, baseada na nitidez. Quando vemos suas fotos de três anos, dois anos, pensamos na relação que você estabelece entre a fotografia e o cinema, pois há uma relação com o tempo. Mas na imagem, na fotografia, a narrativa é quebrada, assim não sabemos o que é que veio primeiro e o que é que veio depois. Está tudo completamente misturado. Qual é o papel dessa narrativa quebrada no seu processo?

MW Gosto da poesia dos longos tempos de exposição. Eu chamo isso de arqueologia visual. É por isso que também é importante fazer grandes impressões. Se você tiver uma chance de ir ao Instituto Moreira Salles, recomendo que você vá bem perto da imagem e a observe.[1] Você verá uma imagem que mostra uma cafeteria no lado direito do prédio do IMS. Ela mostra que o café abriu e fechou, pois durante o tempo de exposição da foto ele estava aberto e fechado. E a farmácia ao lado mudou o logo. E o orelhão, uma cabine telefônica grande, foi removido. Sempre há vários traços de como o tempo invade a imagem. Fico feliz em dar ao público apenas algumas pistas. Você recebe muita informação do título. Meus trabalhos sempre têm, do lado inferior esquerdo, um título escrito, de modo que você tem dados sobre o tempo de enquadramento, o assunto etc. É como um quebra-cabeça. Eu dou a você algumas peças de um grande quebra-cabeça, e você se diverte com cada peça. Mas talvez nunca conseguirá juntá-las completamente. É por isso que digo que destruo a perfeição. Posso tirar uma foto do prédio do IMS já construído. Ok, sempre penso comigo mesmo: "Posso fazer isso, mas e daí? Correspondi à expectativa de alguém que queria ver como era o IMS?". Desde o início eu pensei: "O que mais a fotografia pode ser?", "Ela pode ter mais poesia?". Por exemplo, quando você olha para o cinema, os filmes mais antigos geralmente não mostram o ato de matar, não mostram o crime, apenas o sugerem. Hoje, ao contrário, há um desejo cada vez maior de se revelar tudo. Eu me lembro do Tarkovski falando, no seu último filme, do cientista que usa o microscópio como uma arma, o que é, de uma maneira muito poética, uma forma de espremer a última coisa deste mundo e chegar aos últimos segredos de tudo. E há alguns segredos que você nunca revelará. Isto é muito importante: ter um certo espaço para os segredos e para coisas que não são reveladas. Também gosto de longos tempos de exposição em situações privadas. Fui convidado para uma exposição em Berlim chamada *No photos on the dance floor!*,

1 Ver o trabalho *Câmera aberta* (2014-17), de Michael Wesely, exposto no IMS, em 2020, São Paulo, com curadoria de Thyago Nogueira.

sobre a cultura da noite em Berlim. Eles me convidaram para fotografar em uma boate. Talvez no Brasil seja a mesma coisa, mas na Alemanha, especialmente em Berlim, há uma regra que diz que o que acontece em uma boate fica na boate. Não há fotos. Há situações íntimas que não devem ser levadas para o mundo exterior. É por isso que não há fotografia. Para mim, você pode imaginar... minha imagem só mostra, apenas indica que há pessoas, mas você não vê as pessoas, suas emoções. Você vê algo diferente. É este o meu interesse: que a fotografia proteja a sua privacidade. Isto é, que a longa exposição proteja mais do que revele.

GW Quando eu vi pela primeira vez as suas fotos de longa exposição, pensei, claro, na ideia de incluir o tempo na fotografia e também na ideia de tentar apagar a nitidez com o borrado. Mas não notei, naquele momento, essa ideia, que é tão importante no seu trabalho, de buscar a imperfeição do mundo. Essa é uma chave de leitura importante. Gostaria de te perguntar algo nessa direção das peças que ficam faltando, o que ocorre, às vezes, devido ao tempo longo de exposição, mas também, outras vezes, devido à abertura da câmera. Talvez você possa nos falar um pouco sobre a sua série de paisagens norte-americanas, ou as fotos do leste da Alemanha, ex-Alemanha Oriental (*Ostdeutschland*).

MW À primeira vista, esses trabalhos são visualmente muito diferentes dos trabalhos de longa exposição. Mas, à segunda vista, eles partem de uma ideia similar, pelo modo como a paisagem é capturada. Nesse caso, a câmera não tem um *pinhole*, mas um longo corte por onde a luz entra. A luz invade o corte e estende as cores em faixas. A luz é capturada da esquerda para a direita, e é organizada por esse corte em pequenos campos de cor horizontais. De forma similar, a imagem revela a paisagem, mas não os objetos. Você tem uma paisagem, mas não tem a pedra, a árvore, a água. Você só tem as cores, que identificamos com situações de paisagem e luz.

Isso foi também, para mim, uma reação àquilo que a fotografia já representava. A cada dia você encontrará cinco, dez pessoas com câmeras de grande formato fotografando a fantástica paisagem do Vale da Morte. Assim, pensei: "Elas parecem muito similares entre si". "Posso adicionar algo a elas?" É a mesma coisa com as paisagens do leste da Alemanha. Ali, usei câmeras *pinhole*. Não para fazer fotografias de longa exposição. Eu procurava, no final dos anos 1980 e início dos 1990, sacudir o pequeno ABC da fotografia.

GW Sim. É importante dizer que você primeiro frequentou uma escola de fotografia, antes da faculdade de artes, né? Então você teve um *background* técnico, e acho que isso é muito importante no seu trabalho. Primeiro você teve o sentido das técnicas e, depois disso, pôde criar outra poética, baseada nessas técnicas. A cada momento, você engana a técnica. Isso é muito importante, na minha opinião. Talvez você pudesse nos dizer mais sobre seu trabalho em Salzburgo. Aquele trabalho é fantástico.

MW Você foi a fundo na minha história, Guilherme.

GW Claro!

MW *Salzburg*, fiz em 1990. Foi bem interessante, havia algumas pequenas histórias acontecendo em torno desse trabalho. Eu era um estudante na escola de verão de Salzburgo. Em 1990 se aproximava o jubileu de Mozart. A cidade tinha tantos turistas, e todos estavam tirando fotos. Esse já era um momento absurdo da fotografia, embora ainda bem antes de ter se tornado tão popular com as câmeras digitais e os smartphones. O mundo da fotografia estava em Salzburgo. Eu era um estudante lá, e pensava: "Que reação seria apropriada a isso?". E tive a impressão de que as pessoas estavam perdendo o foco. Elas estavam tirando tantas fotos que não podiam desfrutar, não podiam ver, não havia uma sensibilidade para o lugar, porque todo mundo estava ocupado, caçando as imagens mais importantes. Outra coisa que havia naquela época

era um novo livro de Vilém Flusser. Talvez você o conheça muito bem, pois ele deu aulas no Brasil...

GW Sim.

MW Pois então. Ele escreveu um livro sobre a importância da fotografia. E começa o livro de forma muito polêmica, dizendo que todos somos idiotas, que estamos seguindo as diretrizes da máquina. É muito provocante. Eu também tinha isso na minha cabeça. Com todo o meu conhecimento de câmeras *pinhole* e fotografia, construí caixas de madeira de 20 x 20 cm. Equipei essas câmeras *pinhole*, colocando o filme nas paredes laterais. Não o posicionei no fundo, no lado oposto à lente, como é o mais comum. Posicionei-o nas quatro paredes laterais, e fotografei os pontos importantes em Salzburgo. Quer dizer que aquilo que eu via no visor da câmera saía preto na foto. Minhas câmeras só podiam fotografar o entorno das coisas, não elas mesmas. O ponto que faltava era justamente a imagem escolhida. Eram câmeras sensíveis à luz, não com filmes de folha. Depois da exposição, revelei o filme e o colei de volta nas caixas. As caixas tinham algo parecido com as pinturas anamórficas holandesas do século XVII. Não em superfícies niveladas ou coisas do gênero. No final, tive doze caixas de doze pontos de Salzburgo que retratavam a cidade pelas redondezas, não pelo olhar direcionado.

GW Fantástico. Se Flusser dizia que os fotógrafos eram tolos seguindo os condicionamentos da máquina, você estava enganando a máquina, isto é, criando outra possibilidade de usá-la, subvertendo o seu mecanismo. Continuando esta conversa, queria te perguntar algo mais sobre a lentidão. Tudo em torno de nós – o capitalismo, o mundo da arte – nos empurra para a velocidade, para que façamos muitas coisas ao mesmo tempo. Nesse aspecto, como você se sente? É difícil trabalhar com a lentidão em um mundo tão rápido? Ou isso não importa para você?

MW O mundo da arte está dividido em vários grupos ou interesses. Quando você fala com Hans Ulrich Obrist, por exemplo, ele sempre lhe pergunta: "É urgente? Ou é sobre trabalho?". Alguns artistas têm a ideia de reagir instantaneamente a tudo o que acontece no mundo. É isso o que você vai encontrar no Instagram. Pense em todas as fotos polêmicas de Donald Trump, por exemplo. Há uma reação instantânea a todas as coisas que afetam nossas vidas, por causa de política ou todas as circunstâncias da geopolítica. Os artistas, em sua sensibilidade, estão muito nesse clima de reagir ao momento. E isso é legal, importante. Não é que eu pense que isso não é interessante. Mas minha linha é um pouco diferente. Veja as fotos que fiz das manifestações em São Paulo contra e a favor do impeachment de Dilma Rousseff, por exemplo. Dou importância a esses acontecimentos, porém de maneira diferente.

GW Vamos falar um pouco sobre sua relação com o Brasil. Você veio à Bienal de São Paulo, depois foi a Brasília e se encantou com a cidade... Como isso começou?

MW Eu fui convidado para a 25ª Bienal de São Paulo, em 2002. O curador, Alfons Hug, me trouxe em 2001 para o Brasil. Eu não sabia muito sobre a arquitetura brasileira naquela época. Contudo, sempre tive interesse em arquitetura. Acompanhava as construções alemãs. Toda a minha percepção é muito baseada em espaço, então sempre tive um olhar para a arquitetura. Encontrei uma situação muito interessante no Brasil. Diria que o Brasil é o lugar perfeito para o modernismo. Quanto mais eu visitava o Brasil, mais eu entendia a potência da abordagem que os arquitetos tinham do clima, da relação com a água etc. E eu vim de uma condição bem oposta. Por exemplo, os alemães têm uma relação com a água muito diferente, pois temos que pagar muito caro para esquentá-la. É curioso como a água traz qualidades emocionais consigo. Por exemplo, em Cuba. Os cubanos criaram uma relação muito estranha com a água. O muro deles é o mar.

GW Estão ilhados.

MW O que o bloqueio da Alemanha Oriental tinha com um muro real, uma divisão, uma linha de fronteira, eles têm na água, que os separa do resto do mundo. Eles não gostam disso, e desenvolveram uma relação desconfortável com a água. Não é que eles não gostem de nadar, mas ela existe, em um nível subliminar. No Brasil, tive uma experiência fantástica. Muitas vezes chove muito, tudo fica inundado, e duas horas mais tarde você não sabe quando choveu da última vez. A água vai e vem no Brasil. Pense em um banco de concreto. Um banco de concreto é algo agradável, porque o clima é geralmente muito quente. Você se senta em um banco de concreto e ele te refresca. Na Alemanha, é geralmente frio demais. Você se senta em um banco de concreto e você pega uma infecção renal, no pior caso. As áreas semiabertas nunca são muito interessantes, pois venta muito. No Brasil é o contrário. É agradável, venta, é refrescante. E assim por diante. Há vários detalhes completamente opostos. Por exemplo, quando você entra no Congresso, em Brasília, você desce para o *lobby* de entrada. Eu estava lá pela primeira vez em um táxi e pensei: "Esse não é um lugar muito interessante" - porque, na Alemanha, aquele seria um lugar para onde a água vai e fica empoçada, e as folhas se aglutinam, e as pessoas têm problemas para limpar. Mas no Brasil é o contrário. É muito agradável, entra um ventinho. E, claro, não há água nem sujeira. Muitos detalhes na arquitetura são completamente opostos. E eu também gostei muito do modo como os brasileiros são abertos ao risco. É algo que penso ser um grande problema na arquitetura alemã. Tudo tem uma regulação. As escadas não podem ser de certa altura por causa de crianças e idosos. Há várias considerações sobre possíveis medos, ameaças, danos etc. No Brasil, não, e acho isso corajoso. Por exemplo, o edifício da FAU-USP é um lugar muito corajoso.

GW Pensando em todo o longo processo de pesquisa sobre Brasília que você e a Lina Kim realizaram juntos, gostaria de te perguntar quais são os seus prédios favoritos? E, ainda, qual foi a maior surpresa que você teve nesse processo de trazer à luz todo aquele material escondido, que hoje está em *Arquivo Brasília*.[2]

MW Um dos mais fantásticos prédios em Brasília, na minha opinião, é o Palácio do Itamaraty e o seu "jardim suspenso", feito por Burle Marx. É muito interessante, pois é um lugar muito horizontal. Tive a impressão de ser um lugar que estimula o pensamento. Talvez Bolsonaro devesse passar mais tempo lá. Ou talvez alguém como ele não tenha mesmo a menor ideia de como pensar melhor... Mas é um lugar muito horizontal e aberto. Claro, há ali, também, uma linda escada. E, além disso, descobri que é muito interessante todo o trabalho de equipe que havia em Brasília. Não havia somente Oscar Niemeyer, mas também Athos Bulcão, Burle Marx. E eles jogavam pingue-pongue juntos, de uma forma muito gentil, em cooperação.

GW Quando você descobriu Brasília, já tinha uma experiência anterior com o edifício do Hansaviertel, feito pelo Niemeyer em Berlim. Isso era importante para você antes de ter vindo ao Brasil?

MW Não. Acho aquele edifício um erro total. É a mesma falha (invertida) que aconteceu com a embaixada alemã em Brasília. Hans Scharoun não fazia a menor ideia das condições climáticas de lá. Seu único pensamento era que havia muita chuva em Brasília e, assim, as mangueiras de água deviam ser maiores. No entanto, essa é uma forma muito ingênua de obter informação sobre algo para usar em um lugar que não é apropriado para a sua ideia. Para Berlim, Niemeyer construiu algo que poderia ser parte de uma superquadra, com pilotis, e a entrada perto do elevador. Mas não é funcional. Você fica lá e sente tanto frio, venta muito. Na Alemanha temos trezentos

2 Lina Kim; Michael Wesely. *Arquivo Brasília*. São Paulo: Cosac Naify, 2010.

dias de vento e frio no ano. É um pouco decepcionante que Niemeyer e Hans Scharoun não tivessem informações melhores. Talvez não tenham tido interesse.

GW Bem, para terminar a conversa, vou voltar ao nosso tema do nevoeiro. Você concorda que agora estamos vivendo dentro de uma grande névoa no mundo, incluindo o coronavírus e toda esta situação de quarentena? Qual é a sua percepção disso?

MW Eu me lembro de que estávamos nos preparando para esta conversa na semana passada e dialogamos umas três ou quatro vezes. Em certo momento, pensava sobre esse nevoeiro e me ocorreu que outra palavra para nevoeiro seria utopia. As gerações sempre tiveram diferentes nevoeiros se sobrepondo aos seus nevoeiros pessoais. Quando você é adolescente, tenta entender o mundo adulto, que é um grande nevoeiro para todos. Como conquistar, como se mover e encontrar pontos-chave, visões, perspectivas para navegar por esse nevoeiro? Isso se baseia nos seus pais, no que eles te deram como ferramentas para navegar por aí. Então, os nevoeiros pessoais de cada um se desdobram em um nevoeiro maior, da sociedade, que é bem complexo. Chamaria isso de utopia. Penso em um dos primeiros filmes de James Bond, em que ele trabalhava numa ilha e criava um material nuclear. Havia radioatividade na ilha, ele ia de um lado a outro, e a radioatividade descia. As pessoas tinham a ideia de que você poderia remover a radioatividade, mas isso é impossível. Eles tinham seus nevoeiros em outro lugar. É interessante que os nevoeiros sempre existirão. Penso em você dirigindo o seu carro no meio do nevoeiro. É melhor dirigir devagar. Dirija devagar, faça movimentos lentos, que tenham um parâmetro, uma segurança, e possam ajudá-lo. Isso não é o que vivemos agora, o que é muito frustrante. Quando você pensa que Trump está acelerando a política no Twitter, isso é o total oposto, e, infelizmente, ele está forçando o mundo, no jogo entre ação e reação. Ele causa uma ação, e o resto dos políticos neste planeta acredita que tem de atacar de volta, devolver aquele ataque na mesma hora – isso acaba virando um jogo estúpido –, em vez de dizer: "Ok, faremos uma reunião com nossos especialistas e depois responderemos". No entanto, o mundo está tão impaciente que todos concordam. Eles também têm de dizer ou fazer algo, mas é preciso tempo para formar opiniões. Acho que a lentidão sempre será importante. Se você pensar em tudo o que os computadores podem fazer... Isso não significa que você tenha que entender as coisas na mesma velocidade com que o computador faz aquilo, a inteligência artificial... Sim, temos que acelerar algumas coisas, mas também é necessária alguma consciência reflexiva. Acho que você precisa dormir para lidar com as coisas. A gente precisa dormir e acordar de novo. Pensar, e deixar as coisas passarem. Tudo bem tomar decisões, mas a decisão tem que ser madura e precisa de tempo. Hoje, tenho a impressão de que as decisões políticas são baseadas em decisões não muito elaboradas. E as consequências negativas para o mundo são enormes.

Entrevista realizada em 24 de junho de 2020.

4.

Cidade, cultura e periferia

Utopias e distopias urbanas em tempo de pandemia

Raquel Rolnik

Raquel Rolnik é arquiteta e urbanista, professora da Faculdade de Arquitetura e Urbanismo da Universidade de São Paulo (FAU-USP). Foi relatora especial da ONU para o Direito à Moradia Adequada (2008-14), diretora de planejamento da Secretaria Municipal de Planejamento de São Paulo (1989-92) e secretária nacional de Programas Urbanos do Ministério das Cidades (2003-07). Publicou, entre outros livros, *A cidade e a lei: legislação, política urbana e territórios na cidade de São Paulo* (1997), *Guerra dos lugares: a colonização da terra e da moradia na era das finanças* (2016) e *Territórios em conflito – São Paulo: espaço, história e política* (2017).

Guilherme Wisnik Raquel, para começar a conversa, eu queria te perguntar, a partir da experiência histórica de Brasília, como é que nós passamos de uma utopia social-democrata e civilizatória, sessenta anos atrás, na qual o urbanismo era uma chave de transformação do país, de construção de uma nação, e chegamos hoje a este cenário de desmonte institucional total e de crise das cidades?
Raquel Rolnik Acho que essa pergunta que você coloca nos remete à seguinte questão: o que nós estamos vivendo neste momento não é uma crisezinha qualquer, lembrando da "gripezinha qualquer". Não é uma crisezinha qualquer, no sentido de pensar que estamos vivendo uma crise sanitária que está levando a muitas mortes. Isso é muito terrível, mas me parece que estamos vivendo uma crise mais profunda, uma crise do modelo como um todo. E aí eu coloco isso numa esfera mais global, porque podemos pensar que aquele momento da utopia da construção do país nos anos 1950 também foi um momento de construção da utopia do desenvolvimento, que iria finalmente nos inserir em um processo maior, cujo modelo era a Europa e os Estados Unidos, fazendo com que o Brasil finalmente se modernizasse. Naquele momento, se estruturavam relações econômicas, relações de trabalho e espacialidades que estariam de acordo com os modelos do centro do capitalismo. Por que é que eu estou trazendo essa questão? Porque me parece evidente, hoje, que aquele modelo que nos inspirou está em absoluta crise. Eu estou falando de uma crise global e profunda, que não é apenas uma crise econômica ou financeira, após a qual o capitalismo rapidamente se reorganiza. É uma crise de modelo, que coloca em xeque a ideia do desenvolvimento, de crescimento ilimitado. Isto é, a ideia de que um sistema baseado no consumo se expanda, e ao se expandir faça com que todos ganhem mais e consumam mais, e, com isso, sejam felizes para sempre. Essa ideia é contestada quando nos confrontamos com a toxicidade desse modelo.

O que é essa toxicidade? Esse é um modelo que mata gente. Então vamos pensar: toda superprodução alimentada pelo transgênico nos mata; toda mobilidade baseada na queima de combustível fóssil nos mata, nos arrebenta; toda proposta extrativista e de exploração infinita dos recursos naturais chega a um limite, que é o limite ambiental, ecológico, em que fica claro que não é verdade ser possível crescer indefinidamente, se desenvolver e se modernizar. O modelo modernizador não é um modelo de proteção à vida. Muito pelo contrário, ele tem uma toxicidade inerente. Por que eu estou falando isso? Porque é muito duro ver esta crise se manifestando, e é claro que ela vai se manifestar como crise política também, como crise de representação política. Porque nós estamos falando de um modelo que tem a ver com o modo de produção, com o modo de organização econômica, mas também com a ideia de um Estado moderno, democrático, onde cidadãos livres, proprietários de si, de seus próprios corpos, poderiam constituir uma esfera política, a utopia do Estado moderno. Isso está completamente em crise, e já estava em crise antes de explodir esta pandemia. Nós estamos vivendo dentro de um modelo que está morto, porque é absolutamente incapaz de proteger e defender a vida. Está morto no sentido de que não tem uma capacidade de se renovar para poder oferecer alternativas para as pessoas. Ao mesmo tempo, viver a crise é viver a possibilidade da imaginação política de um outro mundo possível, que se reorganize a partir de outras bases. Então, é neste momento de distopia, muito duro - porque estamos vivendo dentro de um cadáver -, que vão emergindo sinais e possibilidades de se repensar o mundo - utopias, portanto. Ou melhor: novas utopias, porque as dos séculos XIX e XX já não nos servem mais.

GW Bem, essa primeira resposta já coloca toda a conversa em novas bases. Deixe-me pensar aqui uma coisa. Brasília, mirando-se em exemplos do Hemisfério Norte, reproduzia um modelo de país colonizado, que era tentar ser equivalente ao pai ou ao avô. Esse modelo que você está agora sentenciando como morto é um modelo de modernização que tem herança na Revolução Industrial. O Marshall Berman, no livro *Tudo que é sólido desmancha no ar*,[1] compara o processo de modernização industrial com o pacto fáustico. Ele vai a *Fausto*, do Goethe, e diz que de certa forma a modernização e a Revolução Industrial são como um pacto com o demônio, em que você faz o pacto, ganha forças ilimitadas, mas depois o demônio vem cobrar a parte dele. E parece que a gente, a nossa geração, a dos que estão vivos hoje, vive o momento histórico em que esse pacto está sendo cobrado. Isto é, os limites daquela ilusão de ampliação infinita do progresso e da economia estão aparecendo claramente. Mas então fica a pergunta: que outro modelo poderia entrar no lugar? Você falou agora em novas utopias... Eu queria te perguntar: num momento ruim como o nosso, em que caminhos utópicos você acredita ou aposta?

RR Agora nós estamos falando de uma questão mais profunda. E, para a gente entender este momento, não há um modelo, não há uma fórmula. Eu situo a crise da pandemia numa crise muito mais ampla, que é a crise do neoliberalismo e da globalização, em que a única forma de relação dos cidadãos com o mundo é através do crescimento ilimitado do consumo, do desenvolvimento e da própria produção. Neste momento é importante refletirmos sobre quais são as nossas opções de transformação. É impossível entendermos isso tudo (inclusive no campo da arquitetura e do urbanismo) sem levar em consideração a revolução comunicacional, que permite a comunicação digital deste jeito, mediada pelas telas do computador. Há uma nova relação das formas de circulação e de

1 Marshall Berman. *Tudo que é sólido desmancha no ar*. São Paulo: Companhia das Letras, 1986 [1982], pp. 37-84.

produção com os corpos, completamente diferente daquela inicialmente lançada pela Revolução Industrial. Neste momento, o processo de dominação, de controle e de extração de mais-valia é um processo que passa pelos nossos corpos, na medida em que somos nós aqueles que, acionando os nossos aparatos eletrônicos, nossos computadores e nossos smartphones, geramos os dados, as informações, e impulsionamos os processos de circulação e consumo através do nosso próprio corpo. Então aquele impacto da Revolução Industrial sobre a organização humana e sobre a organização da cidade, a partir do surgimento das máquinas, das linhas de montagem e de produção, agora entra em novo estágio mais profundo. Trata-se quase de um novo ser, uma espécie de ciborgue, nas palavras da Donna Haraway.[2] São homens-máquina, que no seu trabalhar e no seu agir se autoexploram. Isso vai desde o "empreendedorismo" de cada um até a ideia de que é através do nosso corpo, da nossa circulação, dos fluxos da nossa energia que a gente vai movendo um sistema. E a exploração, a mais-valia, pode ser extraída do conjunto desses gestos cotidianos, que constituem uma nova linha de montagem. É o capital financeiro, aliás, que conecta e redistribui essas mais-valias geradas por nossos corpos. Redistribui não, concentra! E, para que isso possa acontecer, a vigilância, ou seja, o olho digital que tudo vê e tudo registra, é essencial.

Isso pode nos levar a um cenário – já retratado muitas vezes pela ficção e pela cultura – completamente distópico, de vigilância total. É aquilo que Foucault chamava de "biopoder" e de "biopolítica", que antes operava através de mecanismos de arquitetura disciplinar, como a escola e o presídio, e agora vai operar através desse grande aparato

2 Donna Haraway. "Manifesto ciborgue: ciência, tecnologia e feminismo-socialista no final do século XX". In: Tomaz Tadeu da Silva (org.). *Antropologia do ciborgue: as vertigens do pós-humano*. Belo Horizonte: Autêntica, 2000.

cibernético, manipulado por grandes corporações e conglomerados financeiros que vão ganhando dinheiro e nos explorando. Estamos falando de um modelo mais profundo de exploração e de controle no qual a própria esfera pública e o espaço público, como lugares de negociação e de mediação de conflitos, não seriam mais necessários, na medida em que todos nós, conectados e teleguiados, estaríamos permanentemente vigiados e teríamos a casa, o confinamento e o individualismo extremo como nova célula.

No entanto, esse mesmo cenário distópico é negado e contra-restado pela realidade concreta das formas que estamos estabelecendo para resistir e subsistir. Aqui na periferia do capitalismo - eu acho importante dizer, e é a isso que me refiro quando penso nessas novas utopias - está acontecendo um processo de organização social e de autogestão baseado na solidariedade, em redes que se apoiam, em agendas em comum, no estabelecimento de outras relações com o modo de produção e circulação dos alimentos para garantir e proteger a vida. Estou falando de iniciativas de auto-organização da própria cidadania, que estão nos mostrando outras formas de estabelecer relações entre si e com o território, com o espaço, e que, a meu ver, apontam para perspectivas utópicas de estabelecimento de relações mais horizontais, comunitárias e comuns - relações muito menos submetidas às grandes estruturas hierárquicas como o Estado e mesmo os sindicatos, que corresponderam ao modo de organização predominante do final do século XIX até o final do século XX. Neste momento tudo isso está em questão. Estamos vendo experiências concretas de autogestão, de auto-organização e de proteção solidária. Na cidade de São Paulo, e em vários lugares do Brasil, isso é impressionante. Claro que neste momento isso ainda não se constituiu como força política, não se estabeleceram os espaços de convergência e articulação dessas experiências, mas essas vivências transformam muito as pessoas, a prática e a posição delas no mundo. Isso aponta para outras questões e para outras formas de organização.

GW Legal. A partir disso, vou compartilhar com você um pouco do sentimento que eu fui tendo nos últimos anos, que me trouxe percepções e dúvidas em relação a essas questões. O ano de 2013 foi o das manifestações de rua no Brasil e, para mim, foi também o ano em que realizei a curadoria da 10ª Bienal de Arquitetura de São Paulo. E fizemos uma Bienal muito ativista do espaço público, saindo do Pavilhão da Bienal e do parque do Ibirapuera para instalar as exposições pela cidade, em diversos espaços conectados pelo metrô. Com isso, eu, que atuava mais na crítica da arquitetura com livros sobre Lucio Costa e Paulo Mendes da Rocha, por exemplo, passei a ter uma atuação mais próxima do seu campo, que é a discussão da cidade e do espaço público. A partir dali, e também sob o impacto do Junho de 2013, eu passei a acompanhar os movimentos pela ocupação do espaço público que foram aparecendo e trouxeram a pauta da vontade de ter espaço público nas nossas cidades, que até então não era uma pauta tão presente. Com todos esses movimentos, a politização que já existia na discussão da habitação extravasou, a meu ver, para a discussão das cidades, do espaço público e do transporte. E isso nos deu um sentimento de que a sociedade brasileira estava (e está) amadurecendo para a percepção da cidade e para as questões urbanas. Mas, ao mesmo tempo que eu sentia isso, e também fazia palestras e conversava muito sobre o assunto, foi acontecendo esse retrocesso conservador na política brasileira. E aí eu comecei a me sentir constrangido de fazer uma palestra, levando o meu arquivo de PowerPoint com as imagens que eu tinha de ocupações do espaço público e transmitindo uma visão positiva sobre aquilo quando tudo estava ruindo. Eu trago isso, nesta conversa, para compartilhar esse sentimento com você e te perguntar: como é que essas duas coisas opostas podem acontecer ao mesmo tempo? De um lado, parece que há um amadurecimento da sociedade civil em relação a essas questões, e, de outro, um retrocesso tão forte na política. Como é que você vê isso?

RR É importante você trazer 2013 para cá. Eu também considero 2013, sobretudo o início do ano, um marco muito importante, quando diversos movimentos que estavam acontecendo de forma fragmentada estabeleceram um espaço momentâneo de articulação e convergência na rua, tomando a rua e afirmando a rua. Inclusive acabamos de fazer uma banca de qualificação de doutorado de um orientando seu, o Roberto Andrés, que, como outros pesquisadores, está justamente discutindo esse tema, colocando sobre a mesa e na agenda questões que não estavam sendo colocadas anteriormente.[3] Há uma história importante de movimentos sociais no Brasil de luta contra a desigualdade, pela democracia e pela inclusão, sobretudo no processo de redemocratização. Mas 2013 colocou inquietações sobre a mesa. Sim, estamos diminuindo a desigualdade no campo das condições de consumo, estamos ampliando o espaço democrático no sentido da universalidade do voto e da possibilidade de eleger plenamente os governantes, estamos fazendo funcionar as instituições e o sistema de pesos e contrapesos entre os poderes Executivo, Legislativo e Judiciário, mas nós temos um modelo de organização da sociedade e da política que é absolutamente racista, com uma violência explicitamente dirigida a certos corpos negros, os pretos, as pretas, sem falar no modelo patriarcal, que também está baseado numa série de violências e explorações. Há uma dimensão pública da vida e da cidade que nunca funcionou, e não funciona. Estamos falando de transporte público eficiente, com qualidade e

3 Roberto Rolim Andrés. *A razão dos centavos: crise urbana, vida democrática e as Jornadas de Junho de 2013*. Tese de doutorado em desenvolvimento, São Paulo, FAU-USP, iniciada em 2018.

acessível para todos. Estamos falando de uma vida plena na cidade, com a plena capacidade de usufruí-la, algo que não aconteceu, e que nunca vivemos, e que diversas pautas de 2013 estavam dizendo: "Queremos vivê-la". E isso aconteceu apesar do momento que o país atravessava, crescendo, distribuindo renda, incluindo e ampliando acesso (principalmente dos mais jovens) ao estudo e à possibilidade de crescer. Isso é muito importante.

Além disso, não existe carreira-solo neste mundo, neste planeta. Nós estamos falando de processos globais. Naquele momento também aparecia muito forte, desde os anos 1990 até o início dos anos 2000, todo o neoliberalismo, a financeirização, e sobretudo a tomada da gestão das nossas decisões de investimentos e de políticas por setores econômicos como os grandes empreiteiros, os contratistas e os concessionários dos serviços públicos. Então, quando o MPL (Movimento Passe Livre) dizia: "Não são apenas vinte centavos", estava se referindo a todo um modelo de exploração do transporte como negócio que não atende às necessidades da população, ao poder que isso tem dentro das tais instituições que funcionam e à incapacidade que tivemos até hoje de reinventar essas instituições para que elas funcionem de outra forma. Naquele momento havia também a Lava Jato construindo uma narrativa para chamar de corrupção todas essas mazelas. Mas, sinceramente, a questão da corrupção diante de uma política urbana construída para gerar rentabilidade para os setores que têm na produção da cidade o seu negócio é que é o grande problema. É aí que foi todo o dinheiro, e todo o processo que deveria ter ampliado as nossas condições urbanísticas. Mas na narrativa desses mesmos poderosos, de que isso era corrupção, isso significava "temos que pôr os corruptos na cadeia" e "corrupção é o PT", transformando toda a energia questionadora desse modelo numa energia para excluir o PT da cena política. Isso foi também impulsionado por movimentos como MBL (Movimento

Brasil Livre) e Vem Pra Rua, que vão depois desembocar no bolsonarismo, que, nesse contexto, nada mais é do que uma resposta fascista e conservadora para manter o *status quo* do ponto de vista econômico e barrar os movimentos de transformação reais, políticos, afetivos e subjetivos que estavam acontecendo aqui e ali, em ebulição. As pautas da luta antirracista, da anticolonialidade, de respeito ao modo de ser dos indígenas, de respeito à ancestralidade e à epistemologia africana, de respeito às mulheres e às suas formas de ser, de respeito aos LGBT e às opções sexuais – todo esse movimento conservador é um movimento que vai contra tudo isso, e vai disputar esse processo. É um movimento que triunfou nas urnas graças à coalizão que aconteceu entre esses setores, a bancada da bala, todos os setores que se estruturam em torno da linguagem da violência, o conservadorismo moral muito protagonizado por alguns tipos de cultos e igrejas evangélicas, absolutamente aderentes à ideia da prosperidade e do consumo, em aliança com o agronegócio, com os empresários liberais e o mercado financeiro. Essa é a coalizão que, se apresentando como anti-PT, ganhou hegemonia política, gerando o bolsonarismo.

Mas isso significa, remetendo à tua questão, Guilherme, que aqueles movimentos e aquelas experiências começaram a acontecer em diversos níveis. Quando a gente pensa numa luta como a do parque Augusta, não é só uma luta para ter um parque numa região que tem pouca área verde. Aliás, sendo uma região até privilegiada da cidade, houve muita gente que desprezou essa luta, dizendo: "Imagina, um parque numa área tão central, que já é tão boa". Mas havia outros componentes importantes nessa luta, que estão presentes na disputa de como vai ser apropriado esse lugar.

Apesar da onda conservadora horrorosa que veio a partir de 2013, eu só tenho visto, dali para cá, o crescimento cada vez maior do movimento negro, da luta antirracista no Brasil, da luta antigenocídio. Ela não é hegemônica, ela não é dominante, mas ela está presente. Também a luta das mulheres, o feminismo... Eu acho que essas questões estão presentes e, de certa maneira, durante a pandemia, elas rapidamente se estruturaram como rede de proteção e de sobrevivência, e dali também podem surgir, me parece, novas formas de organização e liderança política.

É muito duro falar isso agora, porque nós estamos vivendo no fundo do poço, no pandemônio, num país presidido quase que por um psicopata genocida, numa situação de violência absoluta, de um desprezo enorme pela vida. Mas eu não acredito que as questões que foram colocadas no início dos anos 2010, e que perderam a rua em 2013, estão mortas, pois elas não estão – elas estão absolutamente vivas! A questão agora é: será que a partir da pandemia o espaço público nunca mais será como antes? O que será da rua, que sempre foi um elemento central em toda discussão? "O povo na rua derruba a ditadura", dizíamos nos anos 1970. Será que não teremos mais as aglomerações na rua, as massas, as multidões? Será que não teremos mais as cidades das multidões? Será que nós vamos viver um outro tipo de experiência, que vamos construir outros sentidos e formas de "público"? Um "público" que não é propriedade privada de um governante, que não é definido a partir de suas possibilidades de rentabilidade...

GW Eu me lembro que, quando fiz graduação em arquitetura na FAU-USP, nos anos 1990, estava aparecendo toda uma discussão sobre essa questão. Muitos textos que a gente lia diziam que o espaço público iria morrer, iria fluir para o mundo virtual, que o novo espaço público era a tela do computador, que os serviços de delivery iriam substituir a necessidade do encontro físico e coisas assim. Havia uma espécie de catastrofismo eufórico, e muita gente dizia que "a cidade agora vai ser uma coisa arcaica", "o espaço físico vai perder a razão de ser". E eu estudava arquitetura, e ficava deprimido pensando: "Nossa, eu estou estudando uma coisa que não vai existir mais, que não vai fazer mais sentido". Mas, depois, nenhuma daquelas previsões vingou e, pelo menos até hoje, aconteceu justamente o contrário: a rua ficou muito forte, com os movimentos *Occupy* pelo mundo, com as Primaveras. Até 2019, mesmo a internet não parecia ser uma inimiga da rua; ao contrário, havia grandes associações em que, através de aparatos de telefonia móvel, era possível ir à rua, marcar encontros e fazer manifestações. A gente afinal acredita que "o ar da cidade liberta", como dizia aquele provérbio do fim da Idade Média, que a cidade é boa porque ela é o lugar do encontro das diferenças das várias culturas, dos pensamentos antagônicos que são mediados no espaço público.

Mas agora essa discussão que você coloca realmente é crucial e deixa um enorme ponto de interrogação em relação ao futuro, porque toda forma de aglomeração e de multidão que caracteriza a experiência da cidade moderna está sendo vista como contagiosa, como perigosa. Então o temor que temos é que essa situação, somada à febre de securitização das nossas cidades, com os muros, cercas elétricas, guaritas, e essa vontade de separar todo mundo, coloque a cidade sob um perigo muito grande nos próximos anos. Desse ponto de vista, a gente corre o risco de ter uma distopia gigante.

RR Enquanto você falava eu me lembrei que as pestes sempre remodelaram as cidades. As grandes revoluções urbanísticas dos últimos séculos se relacionaram com a discussão da peste, da epidemia, da doença e do contágio. Basta pensarmos em Haussmann e na remodelação de Paris, nas remodelações urbanísticas do Rio de Janeiro e de São Paulo, que implicaram destruição de pedaços inteiros da cidade em nome de uma nova arquitetura da higiene, impedindo a morte pela peste e construindo uma nova paisagem, burguesa, que espelharia a reorganização dos modos de produção do espaço. Lembrei também, enquanto você falava da securitização das nossas cidades, que a gente já caminhava na direção de uma arquitetura do confinamento. De certa maneira, podemos comparar o shopping center com a ruas e praças comerciais, com os mercados. O que é afinal a Jemaa el-Fnaa, de Marrakech, com o encantador de cobra, vendedores de tudo, todos no meio daquela praça que é mercado e espetáculo ao mesmo tempo? O que é isso frente ao shopping, que é um espaço controlado, vigiado, protopraça, protopúblico, com ar condicionado, onde não há dia nem noite? O shopping é um ensaio de arquitetura do confinamento e da vigilância, e também representa o primeiro produto, do ponto de vista arquitetônico, de uma nova relação entre o capital financeiro e a produção da cidade, que é o complexo imobiliário financeiro. O shopping não é um espaço comercial, ele é um aparato financeiro, uma forma de fazer com que capitais excedentes que circulam na esfera financeira consigam extrair, permanentemente, do espaço construído, rentabilidade sob a forma de juros. Então esse cenário que você descreveu foi se transformando em nome da ideia da segurança, do inimigo, que pode ser o terrorista, o pobre, o preto. Mas agora, na pandemia, o que complexifica a história é que o tal do inimigo sou eu mesma. Eu, com meu corpo, contagio o outro, o meu irmão, o meu vizinho. Qualquer um contagia o outro. Ficou muito mais difícil estabelecer quem é de dentro e quem é de fora. A diferença fica estabelecida entre os conectados nas telas, como nós, que podemos continuar trabalhando através do teletrabalho, que podemos continuar em casa recebendo salário e trabalhando por essas interfaces, e o outro, desconectado, sem software, sem qualquer possibilidade de encontrar um lugar dentro desse espaço. A única coisa que ele vai poder fazer são essas conexões entre os pedidos e os processos de circulação mediados pela chamada "uberização", esse leva e traz, uma situação completamente precária. Talvez isso resulte, novamente, numa reorganização da cidade, da arquitetura e das próprias formas de produção. Mas essa questão não está definida, ela está em aberto, e cabe a nós, que estamos vivendo este momento, procurar dar a resposta a isso. Que nova forma é essa, que nova relação é essa e que papel terão a arquitetura e o urbanismo dentro disso? Certamente não será através da afirmação dos velhos índices e paradigmas do urbanismo hegemônico, totalmente aderente ao modelo falido a que me referi no início desta fala. Temos que pensar de que forma será possível construir outras territorialidades, ou seja, de que forma podemos construir paisagens para a vida, para que ela possa continuar existindo sobre o planeta e florescer, e não paisagens para a renda, que é o que estamos construindo na nossa política urbana agora. Eu acho que este é o nosso momento, e o fato de essa pergunta não ter resposta é bom, porque nos permite abrir e soltar radicalmente a nossa imaginação – e a nossa práxis – nessa direção.

GW Enquanto você falava eu ia pensando que, na civilização ocidental, o modelo mais antigo, no sentido de tempo mesmo, para a ideia de espaço público talvez seja a ágora grega, a ideia da praça como lugar da política. Depois ela é remodelada na Idade Média pelo espaço do mercado, que você trouxe aqui como esse lugar da mistura e da troca, e na modernidade como o espaço baudelairiano da multidão, do *flâneur* que circula entre estranhos, figurando o paradigma de um espaço público democrático. A distopia, no momento atual e futuro, seria um pouco essa que você descreveu agora: o espaço da cidade como um lugar residual, ocupado apenas pelos precarizados que circulam entregando coisas e levando gente num espaço que não é mais dotado de criatividade, de potencialidade, tal como historicamente foi. E você disse agora que a gente tem que batalhar para encontrar novos meios, novos modos de energizar esse lugar da calçada e da rua com outras formas de ocupação, que também já não é mais o modo baudelairiano. Outra coisa terá que ser inventada a partir de agora. Esse é um grande desafio para todos nós, que estamos vivendo e pensando neste momento.

RR E nós estamos na periferia do capitalismo, seja no Brasil, na América Latina, na África ou em alguns países asiáticos, embora seja uma coisa trágica, porque temos menos recursos, menos estrutura, menos infraestrutura para vencer tudo isso, e ainda por cima vivemos esta enorme crise política, com a maior parte da população tendo uma história de superação. A professora Silvia Lopes Raimundo usa palavras do José Soró, uma liderança importante do movimento negro e dos coletivos culturais que emergiram recentemente na cidade, no Quilombaque. Conhece a sivirologia?

GW Não.

RR Temos muita gente aqui que é PHD em sivirologia.

GW Em se virar?

RR Exatamente. E a sivirologia é uma epistemologia, uma forma de ser e estar no mundo. A maior parte da população deste planeta construiu seu espaço de vida, sua própria casa, seus bairros, sua vida comunitária, sua vida associativa a partir do nada, de grana nenhuma, nos piores lugares que foram deixados para eles. E construíram cidades inteiras a partir dali, com uma força e uma potência enormes. É a partir dessa posição que a gente vai se colocar diante dessa questão. Não há um milagre que virá do alto para baixo para resolver todo o problema de forma centralizada. Não há um salvador. Na verdade, será através de nossa própria ação, e nós sabemos fazer isso. No Brasil, a maior parte das pessoas fez apenas isso a vida inteira, desde que migraram para as cidades, despossuídas e expulsas do campo pela expansão do agronegócio e da mineração... Elas nunca deixaram de fazer isso a partir dos parcos recursos, inventando. E neste momento temos que disputar os recursos do Estado, que são públicos, para que ele realmente apoie essa produção de baixo para cima. Não queremos políticas públicas que chegam de Marte e impõem um padrão. O exemplo claro é o da política habitacional, que nega o território como ele é e propõe conjuntos habitacionais que não têm absolutamente nada a ver com os modos de organização e de vida da população. É outra coisa, é pensar em meios para que a sivirologia possa ter muitos recursos técnicos, tecnológicos e grana; para que os arquitetos e engenheiros possam trabalhar direto ali, os psicanalistas também, os artistas; para que isso tenha a melhor qualidade do mundo a partir da própria auto-organização das pessoas, o que na verdade já sabemos fazer. Por isso que eu, no meio deste mar de pessimismo distópico, sou otimista quanto à nossa capacidade de enfrentar e de criar.

GW Isso me lembrou as observações que o Rem Koolhaas faz sobre a cidade de Lagos, na Nigéria. Eu acho muito interessante o fato de que, apesar de ele ser um arquiteto que atua dentro do *star system*, isto é, do capital financeiro internacional, é também um pesquisador muito inteligente da cidade contemporânea e realiza, através de grupos em Harvard, pesquisas muito estimulantes como essa. A Nigéria tinha petróleo nos anos 1970, e Lagos cresceu muito no modelo urbano de Dallas e Houston, algo assim. Depois a economia quebrou, mas a cidade continuou crescendo em cima de uma situação muito precária, como se fosse uma favela gigantesca ocupando aquele território, que se espalha, inclusive, em palafitas sobre o mar. Hoje ela tem 15 milhões de habitantes. E o Koolhaas, se contrapondo aos europeus muito chocados com Lagos, que veem a cidade como uma espécie de barbárie da civilização em estágio terminal, diz o seguinte: "Não, ao contrário, Lagos não é uma excrescência, uma aberração. O mundo tende a Lagos. E, se o mundo tende a Lagos, devemos aprender com Lagos como é que se faz para sobreviver no meio do caos".[4] Isso é uma inversão de ponto de

4 Ver Rem Koolhaas no filme *Lagos wide & close* (2004), de Bregtje van der Haak.

vista muito interessante. Eu gosto de pensar nisso a partir da chave do que você está dizendo agora. Não se trata de uma estetização da pobreza, mas da ideia de que, se você potencializar aquilo com tecnologia e com recursos, ele pode sim resultar em alguma coisa muito potente, muito criativa no futuro. Essa é uma visão que pode ser promissora em relação à situação atual e ao futuro das cidades.

RR É legal você ter trazido o Koolhaas. Eu não li esse trabalho dele sobre Lagos, porque eu fico com raiva do compromisso que ele tem com a arquitetura *star system* e com o capitalismo. Eu não consigo perdoar uma arquitetura que se prestou a ser isca para a tomada da cidade pelo capital financeiro global. Não consigo perdoar. E, portanto, não leio Koolhaas. Você é bem mais generoso que eu nesse sentido. Mas eu preferi, neste momento, trazer para cima da mesa essas outras epistemologias, essa leitura da cidade, esses repertórios acumulados, repertórios do fazer, do ser, do sobreviver, que foram construídos e se acumulando ao longo do tempo, esses conhecimentos absolutamente desprezados pela academia, pela ciência, pelo poder, considerados como porcaria, ilegal, que não servem para nada: coisa de preto, de pobre, coisa desqualificada, ignorante. Eu acho que, se a gente começar a prestar atenção nessas outras formas de pensar, de ser, de fazer, a gente vai encontrar uma potência muito grande de reconstrução. Eu estou absolutamente preocupada neste momento não com os subúrbios rurais nos quais os ricos e os milionários vão se confinar, numa arquitetura dispersa e conectada por computador. Eu estou preocupada com a maior parte da população, em como é que ela vai viver. E talvez a gente consiga, neste momento, construir territórios liberados, libertados da submissão ao extrativismo do capital, e que, a partir dali, vão acolher a vida e a possibilidade do desenvolvimento na vida. Acho que esse é um pouco o caminho em que nós, arquitetos, urbanistas, poderíamos prestar atenção e nos engajar.

GW Eu queria fazer aqui uma ligação entre o começo da sua fala e esse final, quer dizer, entre a crise do modelo ocidental de modernização e essa criatividade que vem de outros lugares, que são insuspeitados. De alguma forma, e em outro período, talvez a Lina Bo Bardi tenha sido uma figura que viu isso. Quando a Lina chega aqui, vindo de uma Europa exausta, ela já diz isso, que aquele modelo de modernização morreu, não serve mais, e a gente precisa de outro. E ela viu no Brasil, sobretudo na cultura afro-brasileira e indígena, essa possibilidade de uma invenção de outras formas de modernidade muito mais singulares e muito mais aderentes a uma vida cotidiana, e não aos modelos importados. Mas ela viu isso em outra época, e você está vendo isso agora. E eu acho que é a hora de atualizar essas formas de olhar.

RR É isso, é não querer voltar para o "normal". A normalidade pela qual a gente deve ansiar não é o modelo que a gente tinha antes, porque é um modelo tóxico, que não resolveu nossas questões e aspirações. Não defendeu nossas vidas.

GW Você falou da exaustão de um modelo internacional de modernização, mas um outro modelo que também morreu, e que permeou subliminarmente a nossa conversa, foi o pacto civilizatório da Nova República brasileira. Como lidar, então, com a morte simultânea desses dois modelos neste momento?

RR Para nós é tudo multiplicado por 10 mil e elevado à vigésima potência. Por mais que a gente critique a experiência que tivemos em anos recentes, é evidente que houve a experiência democrática, o processo de diminuição da desigualdade, de inclusão social. E é evidente que, neste momento, um governo como o do PT nos conduziria de forma infinitamente melhor por esta crise. Não tenho a menor dúvida. Mas não era sobre isso nossa conversa, era sobre utopias... e utopias se constroem com imaginação e espíritos livres.

Entrevista realizada em 13 de maio de 2020.

A necropolítica da periferia mundial

Tainá de Paula

Tainá de Paula é arquiteta e urbanista, ativista das lutas urbanas, mestre em urbanismo pela Universidade Federal do Rio de Janeiro (UFRJ). É membro da Comissão de Gênero do Conselho de Arquitetura e Urbanismo do Rio de Janeiro (CAU/RJ), coordenadora regional do Projeto Brasil Cidades e conselheira da Fundação Centro de Defesa dos Direitos Humanos Bento Rubião (FCDDHBR) e da ONG Rede Nami. É vereadora pelo PT no Rio de Janeiro desde 2021.

Guilherme Wisnik Tainá, você fala com muita propriedade sobre a questão racial, a questão da afirmação da identidade negra, do papel da mãe e da mulher na sociedade, e sobre o urbanismo visto pela óptica das relações entre centro e periferia. Eu gostaria de conversar contigo sobre esses temas, e também sobre a situação das cidades diante da quarentena e sobre o cenário político do Brasil atual. Mas, para começo de conversa, queria te perguntar diretamente o seguinte: que cenário você está vislumbrando para os próximos tempos no Brasil?

Tainá de Paula O fascismo ainda vai durar um tanto.

GW Pois é, mas, mesmo que a gente não saiba exatamente quanto tempo isso vai durar, percebo em você um certo otimismo. Como você vê a possibilidade de fechar esse ciclo, junto com a missão e a responsabilidade de começar outro?

TP Esse debate é muito provocativo, e acho que ele orbita em torno de dois eixos. Um deles é a gente entender as entranhas desse fascismo. Durante muito tempo alguns intelectuais tentaram estabelecer uma discussão que não fosse orientada por esse olhar, alegando que o fascismo se configura a partir de uma barbárie histórica, por um processo continuado, com uma série de características específicas. E que o obscurantismo, ou o conservadorismo brasileiro, não operava com as mesmas fórmulas que esse fascismo clássico italiano ou o próprio nazismo alemão. Mas está ficando claro que esse ultraconservadorismo brasileiro vem ganhando nuances cada vez mais protofascistas, ou neofascistas. O que está acontecendo com o tecido social brasileiro é muito próximo do que aconteceu com a barbárie fascista de décadas atrás na Europa. Esse é um primeiro patamar, é o lugar de onde parte essa discussão.

A outra coisa que a gente precisa entender é esse passado próximo. O ano de 2013, esse grande chacoalhar social pelo qual a gente passou, ainda não foi esmiuçado em sua totalidade. Ainda há gente que fala das "Jornadas de Junho" como se fosse um delírio de classe. Eu acho que a gente tem que começar a olhar de uma forma mais amadurecida para o que aconteceu a partir daquele momento. É preciso falar, por exemplo, que os CNPJs dos grandes *think tanks* do ultrafascismo brasileiro começaram a se estabelecer no Brasil entre 2011 e 2014, porque existia ali um caldo conservador financiado e patrocinado por essas novas forças, por uma nova "intelectualidade" conservadora "olavista", "ivesgandrista", do MBL e do Movimento Vem Pra Rua. Como é que a gente pensa a orquestração da disputa de narrativas? Enfim, há uma série de agentes que operaram o novo normal brasileiro. O profissional precarizado, motorista de Uber, que tem uma renda de três a seis salários mínimos, é muito provavelmente bolsonarista, porque ele passou por um processo de massificação para ser bolsonarista. Existiu aí um amplo período de transformação e de consolidação dessa nova normalidade, dessa nova consciência política hegemônica que precisa ser estudada de uma forma mais aprofundada. As manifestações dos profissionais de aplicativos são importantes para a gente acompanhar. São uma resposta ao que se estabeleceu como "normal" no Brasil, onde esses setores da sociedade, os mais precarizados, os mais endividados, e aqueles que estão mais perto do colapso e da barbárie, se adequaram e se ligaram ao discurso de ódio, ao discurso de negação dos direitos coletivos, perpetuando bandeiras do neoliberalismo, que, obviamente, os impacta de uma forma muito mais cruel do que a qualquer outro setor da sociedade. Eles dizem coisas como: "Sou empreendedor de mim mesmo", "Vou trabalhar na Uber e conseguir ter incremento de renda, e assim estabelecer o meu novo negócio", "Precisamos de uma reforma trabalhista e de uma reforma previdenciária porque o Estado está inchado por conta dos anos petistas", "Precisamos enxugar a máquina pública", "Política de cotas é mimimi"...

Enfim, toda sorte de práticas e de organizações que buscavam o estabelecimento de equidade social foi altamente desconstruída, e isso possibilitou o bolsonarismo. Não foram só as *fake news*, não foi só o discurso de ódio, do armamento, que fez com que Bolsonaro fosse catapultado à Presidência da República. Houve uma desconstrução de valores e o estabelecimento de uma nova normalidade, de uma nova disputa de narrativas em que elites oligárquicas se beneficiaram e encamparam esse projeto. As grandes redes de comunicação hegemônicas também fizeram isso, porque, afinal de contas, o que estava em disputa era essa mudança do desenho e da posição do Estado no Brasil.

Nesse cenário, as nossas principais bandeiras se distanciaram muito da população, e há uma série de processos que a gente pode pontuar que ajudaram nessa dinâmica, desde a fetichização da perda das bases. Isso é uma realidade. A gente burocratizou as formas de governança, as formas de estabelecer uma relação mais direta com a população. E a relação mais direta se deu pelo tráfico, pela milícia, pelo neopentecostalismo, pelas novas forças que se estabeleceram como um novo Estado. Então quem está no meu cotidiano, na minha vida territorial, na minha rede comunicacional próxima? O tiozão do WhatsApp é o sujeito que está na lida diária. Como eu vou questionar a verdade do tiozão, do meu pastor, do meu chefe da milícia, do meu chefe do tráfico, e estabelecer uma outra relação com uma outra verdade que não é a do meu cotidiano? Existe também esse debate estruturante que precisa ser feito, e acho que é um pano de fundo para falar da revolução cultural que não fizemos ou do processo transformador educacional que também não fizemos. Tivemos quadros importantíssimos na seara da educação. O próprio Haddad participou com peso nessa discussão, mas não conseguimos estabelecer um rompimento com amarras históricas, que é o nosso processo de reflexão enquanto povo, enquanto nação.

GW Você está construindo um argumento interessante para falar desse fascismo, descrevendo esse momento dos últimos dez anos, quando se formaram as condições de um novo conservadorismo no Brasil. Mas tudo isso que você descreve contracena, ou convive, com uma época em que houve um aumento muito grande dos movimentos identitários e das expressões multiculturais na rua. Então é curioso que tenha havido essas duas coisas em paralelo, simultaneamente, como se fossem dois Brasis se formando.

TP Isso tem motivo, e a gente pode lançar mão de algumas hipóteses, porque de fato existe essa polarização. Intelectuais e analistas políticos ficariam em crise se a gente admitisse isso, mas o fato é que esse novo normal, esse campo conservador brasileiro, se consolidou a ponto de amalgamar setores fascistas e setores conservadores do amplo espectro da sociedade. A gente tem uma passeata que começa naquele *boom* explosivo de 2013 e vai se espraiando. A gente tem monarquistas, armamentistas, racistas, LGBTQIfóbicos, enfim, uma série de "istas", de doenças sociais construídas e amalgamadas a partir do Bolsonaro, unificados no "B17", em marcas estéticas. O pessoal de design vem fazendo debates interessantes sobre isso, atrelando justamente ao nazifascismo, como existe também um debate de semiótica e de estética para a gente fazer. Todo mundo pensa duas vezes antes de usar a bandeira nacional quando vai sair de casa (quem não é fascista, claro). Todo mundo lembra automaticamente do "B17" e da arminha na mão, que lançam uma alegoria, uma identidade alegórica do que é esse fascismo à brasileira. De uma forma muito parecida, Trump fez isso nos Estados Unidos. A ultradireita francesa também faz isso. Vários outros setores em outros países também lançam mão dessa construção muito consolidada nas diversas sociedades.

Mas eu acho que a chave do bolsonarismo é que ele cresceu tão rápido que se estabeleceu como sistema. Existe um sistema que diz concretamente que Bolsonaro é o novo normal, que existe uma ditadura de gênero a ser combatida, que existe uma necessidade do debate da família a ser defendida. A síntese do Brasil, que está no *highlight* dessa guerra cultural estabelecida pelo fascismo brasileiro, está descrita naquele vídeo da reunião ministerial que foi publicizado recentemente.[1] Ali é um *crop*, uma janela para o entendimento do que aconteceu e de quais são as principais bandeiras e as ideias-chave desses caras. A esquerda demorou muito tempo para perceber isso. Há setores da esquerda que acham que existe aí um exagero, um fetiche do caos, uma necessidade persecutória. Mas já são praticamente dois anos do atual governo.

Nós vínhamos de todo o processo de 2018, que foi aquela escalada da milícia digital construída no Brasil. Orquestrou-se uma coisa que é muito maior do que uma simples tomada de poder. Lembro do Ciro Gomes, em janeiro de 2019, no primeiro ano do governo, defendendo uma oposição democrática. O PSDB está até hoje fazendo essa discussão da oposição, dizendo que "o Brasil é mais importante do que o governo". Mas, vejam bem, o Bolsonaro não é apenas um governo, ele não se encerra na sua "familícia". O Bolsonaro estabelece uma nova rede de entendimento e de concepção de Brasil. E a tal da guerra cultural que alguns intelectuais disseram lá no comecinho (Ivana Bentes, Mario Prata) é um termo muito apropriado para o que a gente percebe hoje. Dois anos se passaram, e há uma reunião ministerial no meio de uma das maiores pandemias da humanidade se referenciando a objetivos e a ideias concretas da disputa. A centralidade da disputa do Bolsonaro é se estabelecer como essa norma. Nós temos uma antifeminista que está no ministério que faz a política das mulheres, temos um presidente da Fundação Palmares que é negro e nega o racismo, temos um Salles, que quer "passar a boiada" naquilo que deveria

1 Referência à reunião ministerial de 22 de abril de 2020, cujo registro em vídeo foi divulgado publicamente pelo Supremo Tribunal Federal.

estar defendendo. Enfim, existe uma constelação de atores construindo essa nova normalidade.

Os pilares iniciais do processo de eugenização e embelezamento, que se acirraram com o nazifascismo, foram construídos, em grande medida, por brilhantes intelectuais e arquitetos. Lucio Costa era um racista de mão cheia. A gente tem artigos dele falando da dificuldade de se projetar para um Brasil mestiço. Nesse lugar, existe uma crise da intelectualidade, uma crise dessa identidade "Brasil" estabelecida, quando, por exemplo, vemos Ives Gandra e Olavo de Carvalho sendo catapultados à condição de pensadores e uma elite que nega todo o arcabouço da intelectualidade brasileira. É importante a gente admitir que essa intelectualidade não foi suporte suficiente para garantir o enraizamento de um entendimento de Brasil mais humanista. O Brasil grande, o Brasil profundo, desenhado pelos modernos, consolidado pelos pós-modernos e debatido pelos contemporâneos, virou uma abstração na cabeça da população, ao passo que as pessoas estão lendo mais Olavo de Carvalho do que Chico Buarque. O Chico Buarque, aliás, passou a ser visto como um "esquerdopata", e o Wisnik virou uma alegoria distante da vida da população... Enquanto isso, o Olavo de Carvalho é *top*, com 1 milhão de seguidores no YouTube. Existe uma falta de fôlego da nossa intelectualidade, que não deu conta de entender e estabelecer uma ampla relação com as contradições das entranhas do Brasil. A gente vinha consolidando um Brasil que não dava conta dele mesmo. Havia, e há ainda, uma dificuldade de falar sobre população preta e povos originários, uma dificuldade em se tratar do Brasil da cidade compacta, da cidade média e do interior nordestino mais do que sudestino e das grandes cidades. Nós fetichizamos um Brasil urbano que não deu conta e que negou esse modelo. E esse ódio, essa negação do modelo, se estabelece agora de forma clara com o bolsonarismo. Falo do modelo de cidade, do pacto civilizatório, do modo como as pessoas se entendem pertencentes ou não a essa sociedade. Como urbanista, eu tenho a sensação de que, se a gente estabelecer um isolamento eterno após a pandemia, as pessoas não farão uma reivindicação dos espaços públicos. Elas não farão reivindicações de direitos universais. Existe uma grande preocupação com a reabertura dos shopping centers. As populações do Rio de Janeiro e de São Paulo foram protagonistas dessa cidade distópica do individualismo e do consumo. A gente não tinha a dimensão do que era o citadino contemporâneo no Brasil. O que as pessoas querem da cidade, na verdade, é circular para ir ao shopping e voltar para a sua casa isolada, cheia de álcool em gel.

GW É a transformação do cidadão em consumidor, como valor principal.

TP Como valor. E ele não percebe isso. Inclusive reivindica isso para si, em todas as dimensões, na forma como trabalha, na forma como vive a cidade. Se eu estou nessa linha, o Bolsonaro não aparece como um problema, porque ele se alinha ao meu entendimento. A gente está num acirramento desse entendimento e numa disputa clara.

GW Tudo o que você descreveu até agora nos leva a uma claustrofobia total. Você está fazendo um raio-x do desastre?

TP É isso mesmo.

GW É isso o que precisa ser feito. Mas e o próximo passo? Como a gente pode caminhar no sentido de uma superação deste estado de coisas? Ou melhor, que perspectivas são possíveis neste quadro?

TP Tem muita tática. Eu entendo que é muito importante a gente falar da necessidade de um novo ciclo, porque falar em novo ciclo pressupõe o final do anterior.

GW Você acha que este ciclo atual está perto de um esgotamento?

TP É para ficar bem deprimido mesmo, principalmente os urbanistas. O ciclo não se encerrou pelo esgotamento do bolsonarismo. O ódio, as entranhas do ódio, e a ultraliberalização das relações humanas são quase que infinitas na impossibilidade de um outro sistema. O capitalismo, até a pandemia, se estabelecia como norma e como sistema a ser mantido. Existe uma linha muito clara entre as cidades do Hemisfério Norte e as cidades da periferia do capitalismo que opera no seguinte sentido: o capitalismo do bem-estar social não vai funcionar em países que foram colônias e que, na verdade, ainda são colônias. Então, no berço do capitalismo nós temos um Trump, que distribui mil dólares de *social security* para todo cidadão norte-americano. É possível que todo cidadão espanhol com Covid-19 tenha acesso à gratuidade dos serviços, inclusive com subsídio das municipalidades para tratamento em postos privados. As cidades do Norte se arranjam dentro do capitalismo, mas as cidades do Sul operam dentro da necropolítica, do acirramento da desigualdade durante a pandemia. Tem uma grande diferença entre essas cidades, entre esses dois polos. Estou usando uma linha muito clara para a gente entender, pensando a Linha do Equador como alegoria de análise.

Nos países da diáspora, falando muito da população negra brasileira, a gente tem um dificultador e um novo elemento. E a gente pode pegar tanto os países da diáspora quanto países com grande população de povos originários, como o Paraguai e a Colômbia. Nós podemos garantir genocídio estatizado, porque essa mão de obra perdeu seu caráter de indivíduo. Nesses casos, o capitalismo não opera no entendimento de que esses indivíduos são importantes para a manutenção do seu sistema, porque, na verdade, o capitalismo só pode ser mantido para o bem-estar dos colonizadores, das metrópoles, e não dos países colonizados. Essa é uma chave importante para a gente avaliar quem sobrevive nessa pós-pandemia. Eu odeio falar em "pós-pandemia", porque não vai ter pós-pandemia na periferia, é uma ilusão falar isso.

A gente não se livrou da tuberculose, a gente não se livrou do HIV/aids, nós não nos livramos da malária no Norte do país. Então, queridos, nós não vamos nos livrar da Covid-19 na ampla maioria das periferias brasileiras. Por isso não terá pós-pandemia aqui!

Vejo arquitetos estrangeiros fazendo discursos maravilhosos de pós-pandemia em cidades verdes, mas essa agenda de bem-estar social não casa com a minha realidade periférica e preta daqui. Na chave da necropolítica de periferia mundial, é importante a gente entender que o capitalismo está revelado, ele está nu no que se refere às suas entranhas básicas. Não dá para defender, por exemplo, que o capital produtivo tem que ser substituído. Eu vi uma fila de cidades de países do mundo implorando máscaras e álcool em gel, no início da pandemia, para quem produzia. O capital produtivo não está morto. O debate da desindustrialização para dar conta de uma indústria 4.0 digital é falácia de quem quer transformar as periferias em não potências, ou semipotências, no redesenho do capital.

A outra coisa que nós precisamos entender é que o Estado não é essa coisa inchada que temos que destruir. O Estado segurou, o Estado funcionou. Nós vamos chegar a centenas de milhares de mortos no Brasil, sem dúvida alguma, com o Bolsonaro no poder. E se não fosse o SUS (Sistema Único de Saúde) moribundo, natimorto, com 20 bilhões de reais a menos por conta da emenda constitucional do Temer, nós teríamos o dobro do número de mortos. Não é um exagero falar que a gente salvou muitas vidas com o SUS. Aí os intelectuais brasileiros antikeynesianistas descobriram que existe renda básica há vinte anos no Alasca, em várias cidades europeias, e que Barcelona quer taxar as grandes fortunas. "Mas isso não é coisa de Cuba?", "Isso não é coisa dos bolivarianos?". Descobriu-se que existe uma agenda de alternativa às cláusulas pétreas do capitalismo que precisa ser revelada, e que está dado que a gente precisa estabelecer reparação social e econômica diante desse desequilíbrio e dessa concentração de ultraprivilégios nas sociedades de periferia, e, obviamente, o Brasil não está distante disso.

Essa disputa vai se estabelecer a partir de 100 mil mortos, a partir do processo da maior recessão histórica do Brasil. A gente entrou na pandemia com 11 milhões e meio de desempregados no Brasil e vai bater 18 ou 20 milhões. O ano de 2021 precisa ter uma agenda de pleno emprego e de bem-estar social, de renda básica emergencial garantida por mais um ano, que é um período mínimo de recuperação econômica. Obviamente as pessoas vão perceber que o Paulo Guedes não é um "Chicago Boy" do bem, que ele não é um patrão que opera na base da boa política, o que foi um pouco a imagem que o Bolsonaro vendeu dele. As pessoas vão se incomodar porque tudo isso vai bater no bolso. As pessoas vão descobrir que não querem que a agenda de bem-estar social volte para o que era na década de 1990. Um pobre periférico que acessou um financiamento de carro, o Minha Casa Minha Vida, que teve incremento de renda nos seus setores produtivos, que fez escola técnica, que teve seu filho na universidade, não vai querer voltar para o que a gente tinha na era FHC ou antes, de contenção de leite e de alimentação básica. As pessoas, na década de 1990, tinham muita dificuldade de ter acesso à proteína animal, por exemplo. As pessoas não comiam carne todos os dias e falam com propriedade sobre isso, porque carne foi uma alegoria, uma invenção de Lula no cotidiano da maioria da população. A pessoa está ganhando hoje uma renda básica de seiscentos reais, que é a única renda que está entrando, e muito provavelmente vai voltar para a sua vida cotidiana no emprego informal, para o biscate, que vai ser o emprego mais perto de se encontrar como renda estável. A realidade da pauperização será concreta e consolidada, e as pessoas vão se incomodar com isso.

Então, por conta deste momento, as pessoas vão ter dificuldade de acesso ao tratamento da Covid-19. E vão voltar para lares insalubres, inapropriados, e, muito provavelmente, outras doenças decorrentes desse adoecimento de Covid-19 vão aparecer e pipocar nessa sobrevida. A gente está falando de periferias doentes, pobres, distantes de uma possibilidade de saída concreta desta crise. Temos um dado de 2008 para pensar essa pauperização brasileira, mas os últimos anos foram muitos cruéis para a população. A retirada de Dilma empobreceu as pessoas, e perdemos muito o poder de garantia de uma outra vida, de uma sobrevivência, de uma forma muito rápida.

Nesse sentido, temos internet, Black Twitter, *live* da Escola da Cidade e outros atores, intelectuais orgânicos. A Geração Tombamento, que é uma galera pós-Lula e que continua na quebrada, está ferrada, sem acesso a diversos mecanismos de vida, mas é uma galera que faz um texto, publica no Twitter e dissemina isso de uma outra forma, de uma forma muito mais automática do que aquela a que a gente tinha acesso vinte anos atrás. Então, meus caros, a derrubada do fascismo, para mim, está dada, e vai ser dada a partir da tomada de consciência desses intelectuais orgânicos, dessa galera da quebrada, desse saber da quebrada que está desmantelando esses processos de uma forma muito mais rápida e mais objetiva do que a esquerda tradicional, que ainda tem muita dificuldade de responder com rapidez ao bolsonarismo. Eu acho que tem uma galera insurgente que vai conseguir virar a chave do Brasil.

Ao mesmo tempo, meus caros, estou muito preocupada com o que vem depois, com o projeto de sociedade. As entranhas do fascismo estão muito sólidas. A mamadeira de piroca foi muito fácil de ser construída, e ela não é tão simples de ser desconstruída. Hoje, mesmo com a lei 10.639,[2] mesmo com todas as ações afirmativas

2 A lei 10.639/03, sancionada por Lula em 2003, tornou obrigatório o ensino de "História e Cultura Afro-Brasileira" nos estabelecimentos de ensino fundamental e médio.

para a população LGBT, mesmo com todo o debate sobre a inserção do negro e da negra na sociedade, existe muita dificuldade em estabelecer debates mais aprofundados, porque as pessoas foram intoxicadas por uma desconstrução maléfica, esquisitíssima, ultraconservadora. E, vamos combinar, "se está na Bíblia é verdade". Então a gente ainda tem um fator, que é o neopentecostalismo à brasileira, que inclusive é exportado para outros países. A África vive hoje quase uma guerra santa contra Edir Macedo. A África Subsaariana tem muita dificuldade de lidar com isso, que é quase uma milícia da fé, de determinados setores evangélicos que se apropriaram do neopentecostalismo para estabelecer uma nova forma de poder. Esses caras não vieram a passeio. Eu não vejo o Silas Malafaia abrindo mão do que está construído e consolidado no Brasil. É um sujeito que abriu as suas igrejas no meio da pandemia para arrecadar dinheiro, o dízimo. A expropriação da fé e da pobreza do povo se enraíza, se entranha, porque eles estão lá há muito tempo, construíram uma raiz cultural muito sólida. A gente tem força para descontruir isso? Não sei.

GW Você descreveu um cenário de construção de novos valores conservadores muito preocupante, muito realista, e imaginou um cenário futuro em que este ciclo pode chegar a um esgotamento pela via da crise econômica. Quer dizer, quando as pessoas são afetadas no bolso, elas revisam seus valores. Por esse raciocínio, a crise econômica seria capaz de provocar algo além da mera reação à recessão, gerando outra percepção de valor, para que a sociedade se reengendre enquanto projeto político. Pensando nisso, que papel as manifestações identitárias, antirracistas, podem assumir neste cenário político? Nos Estados Unidos, por exemplo, elas têm conseguido um protagonismo importante. Como essa luta antirracista pode acontecer no Brasil (onde ela é muito diferente, por questões históricas) e ganhar protagonismo no cenário político próximo?

TP É claro que eu vou puxar sardinha para o meu lado, porque eu sou uma decolonizadora radical das entranhas deste país. Sendo muito franca contigo, não há nenhuma forma de estabelecer uma revisão do Brasil se a gente não arrancar as entranhas da colônia, e isso passa diretamente pelo entendimento da raça, entendendo que brancos e negros estão nessa ponta. A gente precisa entender que, para ter subalterno, é preciso ter quem subalterniza, quem perpetua o modelo da opressão e da desigualdade. Então nós temos uma pirâmide, e no topo da pirâmide cabe pouca gente. E, se você for preto, vai ser jogado do barranco. A chance de você ascender nessa pirâmide é zero num país que mata crianças de cinco anos com a maior tranquilidade, apertando o nono andar, colocando aí uma noção de comiseração para quem aperta o nono andar e fica impune. Neste país, sintetizado um pouco no que aconteceu em Recife,[3] a gente precisa entender que está em jogo uma disputa de inversão desses valores coloniais. A gente precisa dizer que as ações afirmativas foram muito importantes, mas precisamos falar também das ações de reparação. É preciso fazer reparação histórica neste país. E como se faz isso? Não dá para a gente não ter paridade racial em nosso sistema prisional. É impossível a gente perpetuar o aprisionamento de 650 mil pretos no nosso sistema prisional, que é o terceiro que mais encarcera no mundo e que tem uma população majoritariamente negra. Em prisão provisória estão muitos presos que não foram sequer julgados. Então, existe um sistema de retirada de direitos, de desumanização de negros e negras, que é fundante e que é consolidado nessas instituições. E eu estou falando de um amplo espectro de instituições. Eu fui a única estudante negra de arquitetura no meu curso da UFF (Universidade Federal Fluminense), que é

3 Referência ao menino Miguel Otávio, de cinco anos, que caiu do nono andar do edifício Pier Maurício de Nassau, no bairro Santo Antônio, em Recife. A criança foi deixada sob a responsabilidade da, até então, patroa de Mirtes (empregada doméstica, mãe de Miguel), a primeira-dama de Tamandaré, Sari Corte Real, para que a doméstica passeasse com a cadela da família. Fonte: Wikipédia.

das elites do interior do estado do Rio de Janeiro. Todo mundo é meio dono de fazenda na UFF. Então eu enfrentei muito racismo. O processo de decolonização passa por a gente revisar as nossas entidades, entendendo que, por exemplo, muito provavelmente, deve ter meia dúzia de pretos na Escola da Cidade. E muito provavelmente os principais urbanistas daí fazem projeto urbano em favela. Mas que visão é essa de cidade, de país e de mundo que não insere os principais atores do Brasil em todos os contextos? É preciso decolonizar radicalmente as nossas instituições. Eu não faço uma discussão antirracista descolada da pauta institucional. Existem lideranças negras no Brasil que negam o Estado, que negam o debate institucional, porque o Estado burguês é branco. Eu quero que se derrube esse Estado branco e se construa um Estado com equidade de direitos. Eu acho que isso é uma pauta central que vai fervilhar na medida em que os pretos e os mestiços, que compõem as amplas maiorias brasileiras, se entenderem na chave indignada desse novo normal, desse novo país. A tomada de consciência é importante e, infelizmente, a gente ainda está no pé dela. E como é que os brancos progressistas devem agir? "Qual é o meu papel?", você pode me perguntar. Meu querido, vamos derrubar isso juntos, porque esse sistema também não funciona para vocês. Esse sistema constrói uma cidade que mata de Covid-19 todo mundo, independentemente do sexo ou do CPF.

Então, qual é o lugar dos brancos nesse processo? Alguns intelectuais negros falam muito da perda dos privilégios. É importante a gente entender que o sistema precisa ser modificado em todas as ações de construção de sociedade, de civilidade, de cotidiano. A gente pode estabelecer uma nova norma e um novo conceito de sociedade, pelos quais, por exemplo, eu não precise de uma empregada negra e não precise trabalhar doze horas por dia, catorze horas por dia, para acessar melhor os postos de trabalho, e, por conta disso, um melhor salário. Uma sociedade em que eu não precise de uma hiperespecialização para ter acesso a uma renda que me caiba, e em que não seja preciso subalternizar tantas pessoas, consumir tantas terras. Tem um debate sobre meio ambiente que eu estou usando muito para discutir racismo ambiental. Procurem depois na internet, tem vários sites que fazem uns testes. E aí você descobre que, para ter a vida que você tem, você consome três planetas por vida, que é uma conta da relação com os seus recursos naturais que você utiliza: quanto de petróleo você consome, quanto de água, e por aí vai. A gente precisa fazer uma conta, no processo de decolonização, de quantas pessoas são necessárias para você existir e subsistir. Quantas pessoas você precisou subalternizar, quantas babás... Quantos auxiliares de serviços gerais precisaram entrar na sua conta para você estar aí com essa renda, que é um padrão que você não construiu. É um padrão que você consome.

GW Essa discussão é fundamental.

TP Tem a discussão do Alasca, que originou, inclusive, o fundamento da proposta de renda básica da campanha da Hillary Clinton, quando disputou com o Trump. Eles chegaram à conclusão de que não poderíamos ter nenhum cidadão do Alasca subalternizado em subemprego. Então nós vamos investir em hiperespecialização da indústria, em tecnologia para robotizar e automatizar todo esse trabalho precário, e estabelecer uma política de bem-estar social segundo a qual a gente tenha tempo para lavar a latrina, para cuidar do filho... E aí os brancos brasileiros acham que são a branquitude internacional. Eles não entendem que não é porque você tem mil reais para escravizar um outro indivíduo preto, e apertar o nove no elevador, que você não está sendo intoxicado pelas grandes empresas internacionais, que você não está perdendo cada vez mais acesso à água, às reservas naturais. Eu acho que um retorno para o entendimento de Brasil é muito importante para o debate da decolonização, porque a gente sai da chave do racismo, já que os racistas têm muita dificuldade de se ver como racistas, e entra na chave do bem-viver, que é importante também. As pessoas discutem pouco isso. São outras formas de civilidade, que independem da cor da pele. Estamos todos sendo escravizados nesta periferia do capitalismo, sendo pretos ou não. Acho que essa compreensão é a grande chave para a gente ter uma outra sociedade.

Mas onde eu me encaixo como arquiteta e urbanista decolonial? A gente precisa pautar isso com fôlego. Sobre o último ciclo social do país, falando muito do lulopetismo, a gente ainda precisa avaliar os limites desse entendimento. Eu acho que a grande dificuldade desse setor é entender esse Brasil desenvolvimentista, ainda muito colonial. Nós não conseguimos operar em outro modelo de produção de moradia nem em outro modelo de produção de cidade. Nós fizemos os mesmos projetos e revisitamos uma forma muito cartesiana, modernista, de pensar essa produção.

GW Nos moldes até do que foi feito na época da ditadura, não é?

TP Sim, e fizemos até pior. Curiosamente, eu sou grande estudiosa do modernismo brasileiro para conhecer o desenvolvimentismo e para bater nele. Então é óbvio que a gente precisa estabelecer uma outra relação, um outro projeto civilizatório e de cidade, em que cidades médias sejam valorizadas, cidades compactas, verdes, com o entendimento de que tudo que você produz precisa voltar zerado para o meio ambiente. A gente tem uma relação quase que tóxica com o meio ambiente, o que é surreal. Somos o país com a maior reserva aquífera do mundo, com uma das maiores costas litorâneas do planeta, um país que tem o maior número de hectares de terra produtiva por morador. Eu digo e defendo o seguinte: o Brasil precisa ser rapidamente o Brasil da hiperindustrialização, porém da industrialização compacta e não tóxica com o seu meio ambiente. O Brasil precisa voltar a pensar as suas cidades médias como cinturões periurbanos verdes. E essa urbanização nunca virá se a gente não mudar a chave das nossas periferias. As regiões metropolitanas de São Paulo e do Rio serão cidades à beira do colapso se não tiverem uma nova agenda social civilizatória e ambiental.

A disputa do indivíduo precisa ser contemplada, porque o século XXI é o século da individualidade. Por isso é que a rede social faz tanto sucesso. A gente tem, a cada mês, uma rede social nova, e as pessoas vão entrando nessas redes sociais e reinventando as suas relações com ela. A gente avaliou até que muitas delas seriam extintas, mas na verdade elas não se extinguem, mudam de perfil. Vi uma pesquisa recente sobre o Facebook, que está envelhecendo. Então será uma rede social dos idosos daqui a dez anos. A minha mãe usa Facebook. Eu serei uma velhinha do TikTok? Eu serei uma velhinha do Twitter? Não sei, mas a gente precisa entender que a rede social é sinônimo dessa hiperindividualização, isto é, da necessidade que o indivíduo tem de se entender. A gente precisa entender a multiplicidade do indivíduo brasileiro e reforçar isso. Durante muito tempo nós fetichizamos e idealizamos um homem moderno brasileiro, contemporâneo, que iria ser um grande cidadão do mundo. E isso era a maior mentira. A gente comprou um *modulor*[4] tupiniquim fajuto, que não tem 1,83 metro, que não se estabelece daquela forma, que não pode ser padronizado, que dança funk, que é conservador, que é racista, e que precisa ser entendido nessas dimensões. É urgente a gente entender o processo de culturalização desse novo ciclo. Eu bato na

4 O *modulor* foi um sistema de proporções elaborado e largamente utilizado pelo arquiteto franco-suíço Le Corbusier. O sistema surgiu do desejo de seu autor de não converter ao sistema métrico decimal as unidades como pés e polegadas. Em vez disso, ele passou a se referenciar a medidas modulares baseadas nas proporções de um indivíduo imaginário (inicialmente com 1,75 m e mais tarde com 1,83 m de altura). Fonte: Wikipédia.

tecla do novo ciclo porque derrubar o fascismo é urgente! Eu não conto com a possibilidade da perpetuação do Bolsonaro em 2022. Eu estou aqui querendo cidades verdes, reservas quilombolas. Eu estou aqui discutindo reforma agrária, e reforma urbana para os pretos, com reparação social-territorial. Eu estou nesse patamar. Não dá para eu achar que vou negociar política urbana com bolsonarista, que está querendo arrancar a função social da propriedade e matar pessoas. A tarefa dos arquitetos e urbanistas, hoje, é consolidar os 70% do antifascismo. A unidade antifascista é óbvia, é fundamental, independentemente do campo, do espectro político em que a gente esteja. Não penso, também, que os liberais do mercado avaliem que o Bolsonaro seja importante. O Bolsonaro não é liberal, ele é fascista. Eu estou falando aqui de um espectro democrático. A gente precisa retornar à possibilidade de discutir e debater ideias. E, aí sim, reestabelecer os lados, os posicionamentos. Eu estou dizendo concretamente que quero discutir tanto com os saudosos do modernismo socialista dos anos 1970 quanto com a galera da Berrini e da General Jardim, que está construindo banheiro e casa utópica para os ricos. A gente tem que juntar todo mundo numa discussão sobre novos modelos de cidade e de civilização. É o capitalismo e a barbárie contra um modelo de Brasil do futuro. Não tem outra agenda possível neste lugar e neste momento histórico.

Entrevista realizada em 17 de junho de 2020.

A hora e vez da periferia

Tiaraju Pablo D'Andrea

Tiaraju Pablo D'Andrea é professor da Universidade Federal de São Paulo (Unifesp) – Câmpus Zona Leste, coordenador do Centro de Estudos Periféricos e pós-doutor em filosofia pela Faculdade de Filosofia, Letras e Ciências Humanas da Universidade de São Paulo (FFLCH-USP). Tem experiências como pesquisador e músico em Angola e na França e passagens profissionais pelo Centro de Estudos da Metrópole (CEM), pelo Centro Brasileiro de Análise e Planejamento (Cebrap) e pela Usina CTAH – Centro de Trabalhos para o Ambiente Habitado. Organizou batucadas populares junto a movimentos sociais. É músico, cantor e compositor, autor dos discos *Capacetes coloridos* (2007) e *Latinoamerisamba* (2015). Publicou o livro *40 ideias de periferia* (2021). É corintiano, nascido e criado em Itaquera.

Guilherme Wisnik Que diferenças importantes você nota na mudança da dinâmica cultural nas periferias, sobretudo em São Paulo, entre os anos 1980 e os dias de hoje, ou seja, desde a redemocratização até um pouco depois dos anos Lula?

Tiaraju Pablo D'Andrea A gente tem se debruçado sobre essa questão, eu e mais uma série de pesquisadoras e pesquisadores, produtores de arte e de cultura. A nossa sociedade, as periferias urbanas como parte da nossa sociedade, com as suas peculiaridades, com as suas formas próprias, se ressentiram muito de uma mudança social que ocorreu na década de 1990, que foi fundamentalmente o advento do neoliberalismo, que desencadeou uma série de processos sociais que têm a ver com privatização dos serviços públicos e com desmonte da sociedade salarial. Isso incidiu de maneira direta na forma como as periferias produzem arte e cultura.

É importante salientar que as periferias urbanas produziram desde sempre arte e cultura, desde que esse fenômeno urbano, social e sociológico existe. A gente pode entrar em um grande debate urbanístico sobre a marcação temporal do surgimento do que a gente chama de periferia urbana. Pode ser década de 1930, de 1940, de 1950, a depender do olhar do pesquisador, de quem está se debruçando sobre essa questão. Arte e cultura sempre foram produzidas em periferias urbanas, mas elas vão mudando de caráter à medida que a sociedade vai mudando também. A sociedade cambia historicamente, sociologicamente, politicamente. A partir da década de 1990, existem pelo menos quatro crises: uma crise dos movimentos sociais, um começo de crise dos partidos políticos, um começo de refluxo dos sindicatos e um genocídio que se abatia sobre a população moradora das periferias, principalmente sobre jovens negros, o que produziu um sem-número de atividades culturais e artísticas como resposta àquele contexto. Eu saliento duas dessas expressões artísticas. Uma foi o movimento hip-hop, que deu uma certa tônica simbólica, narrativa, ideológica, de como a periferia se pensa e como ela poderia superar aquelas dificuldades e encruzilhadas colocadas na década de 1990. O outro processo social que me chama a atenção foi o crescimento dos chamados coletivos culturais, já na passagem dos anos 1990 para os 2000, um pouco depois do fenômeno hip-hop, mas aprendendo muito com ele. O hip-hop dá esse arcabouço simbólico em que os coletivos culturais posteriormente foram se apoiar para produzir a sua arte, a sua cultura, e também para fazer política. Na passagem dos anos 1990 para os 2000, a gente tinha uma periferia que queria se reorganizar da tragédia neoliberal, do genocídio, da matança, do fato de São Paulo ser a cidade mais violenta do mundo, de a gente ter três bairros da Zona Sul de São Paulo, que eram o Jardim Ângela, o Capão Redondo e o Jardim São Luís, como os bairros mais violentos do mundo. A gente tinha uma crise societária grande, e uma enorme crise de sociabilidade também. E a produção artística, por meio desses coletivos, dos saraus, da literatura marginal, das comunidades do samba, começa um pouco a refazer esse tecido social que estava em crise.

Aí vêm os anos Lula. Eu acho que há uma relação dialética entre essa "explosão cultural" e os anos Lula. Essa saída artística das periferias é anterior aos anos Lula, porém nos governos progressistas essa efervescência cultural começa a ser incentivada com recursos. Então ela aumenta e se potencializa, porque começa a chegar recurso público. Em nível municipal, vale a pena salientar o Programa VAI (Valorização de Iniciativas Culturais), que começa em 2004. Depois tem uma série de incentivos também em âmbito estadual, os Pontos de Cultura e uma série de editais e incentivos que vêm do Governo Federal. E, tendo recursos, essa coisa de formar coletivos nas periferias para produzir arte prolifera, fica mais fácil de se organizar. Depois do avanço dos governos de direita, a gente vive um momento de refluxo. A partir de 2016, essas políticas começam a ser combatidas, o dinheiro começa a escassear. Mas não é só isso. A arte e a cultura começam a ser combatidas na sociedade como um todo. Não tem nem Ministério da Cultura, para se ter uma ideia do cenário atual. Esses artistas das quebradas acabam sofrendo mais, porque são pessoas que têm origem pobre, e o recurso que vinha do Estado fazia muita diferença nessa produção artística. Quando esse recurso começa a minguar, a produção também precisa se reinventar, se repensar, e muitas vezes é abandonada. As pessoas vão procurar um trabalho qualquer dentro do mercado de trabalho, às vezes dentro do mercado informal. Mas é possível fazer uma periodização, estabelecendo essa relação entre tempos históricos, entre tempos políticos e as formas como essa produção cultural nas periferias foi se relacionando com esses tempos históricos.

GW As grandes cidades brasileiras já possuem periferias violentas há um bom tempo, a exclusão e a precariedade fazem parte dessa realidade não é de hoje. Mas eu me lembro muito bem quando, em 1992, nesse período que você está caracterizando, aconteceu o Massacre do Carandiru. Depois, em 1993, no Rio de Janeiro, aconteceu a Chacina de Vigário Geral. Pouco depois, o Massacre de Eldorado dos Carajás, no Pará. Nos anos 1990 aconteceu essa onda de chacinas, de massacres, de arrastões, de linchamentos. A violência endêmica da sociedade brasileira que apareceu nas periferias, naquele momento, foi diferente.

De que maneira a cultura produzida na chamada periferia resolveu assumir o lugar periférico como um lugar de fala e de afirmação? Porque imagino que nem sempre foi assim. Talvez tenha existido um momento em que a produção cultural de áreas periféricas quisesse aspirar a uma centralidade. Me parece que uma característica dessa produção mais recente é afirmar o lugar da periferia como singular. Você concorda com isso?

TPD Eu concordo. Uma certa narrativa emana desses territórios populares das grandes cidades, nas décadas de 1950,

1960 e 1970. O morro sempre se cantou, a favela sempre se cantou, isso não é um fato novo na cultura musical brasileira, ou numa certa linha evolutiva da música popular brasileira. O que muda é a não aceitação de uma condição de subalternidade. Um CPC da UNE de 1968, por exemplo, com intelectuais escolarizados e universitários dizendo como a cultura teria que ser produzida em determinados espaços ou territórios populares, hoje não caberia mais. Vamos pegar o samba como exemplo clássico. O samba cantou o morro e a favela de uma maneira crítica, de uma maneira romântica, de uma maneira triste, mas, a partir da década de 1990, já entram elementos de raiva na narrativa, de autoafirmação, e elementos que eliminam um certo romantismo.

Eu não estou aqui para dizer se é melhor ou pior. A nossa geração (eu cresci na década de 1980 numa periferia urbana, escutando rap) avançou numa série de questões político-culturais, mas a geração das décadas de 1970 e 1980, em termos políticos, propunha soluções bastante interessantes, e talvez a nossa geração tenha tomado aquilo de barato, ou simplesmente desconheça. Quando me chamam para falar eu pontuo essa questão.

Na passagem dos anos 1980 para os 1990, há uma série de elementos históricos que vão redundar nessa produção cultural das periferias. Na década de 1980 existia um otimismo em relação ao Brasil, que saía da ditadura, uma crença nas instituições, no papel do Estado, num país que ia ter eleições. Finalmente os movimentos populares iriam interagir no cenário político, influenciar, talvez fizessem o Estado se voltar para a classe trabalhadora. Mas no Brasil se dá um fenômeno histórico, e muitos falam disso. Logo que o país se redemocratiza, a gente tem o neoliberalismo. Foi curto o espaço de tempo para o Brasil poder usufruir daquele momento. Poderia ter tomado um caminho, mas não conseguiu tomar. É como se o neoliberalismo sufocasse aquela ascensão dos movimentos de massa que estava acontecendo. Começou na década de 1970 e se fortaleceu na década de 1980. Mas, em 1989, o ano em que o Fernando Collor de Mello ganhou as eleições presidenciais, que tinha o Lula com um discurso um pouco mais radicalizado, o Brasil estava numa crise econômica poderosa. A gente vivia um certo otimismo em relação ao fim da ditadura, mas a crise econômica estava lá. Na década de 1980, a bala já comia nas periferias (eu e meu irmão mais velho nascemos e crescemos em Itaquera), já morria um monte de gente. Na década de 1990, vira barbárie. Há essa série de crises. Tem uma crise da categoria de representação do trabalhador, que não consegue organizar a população. As pessoas passam a não conseguir se utilizar dessa categoria para representar o seu lugar no mundo, até porque os sindicatos estavam sendo perseguidos. O mundo do trabalho estava começando a se corroer, e tinha um monte de gente que estava desempregada. E as pessoas que estavam desempregadas não necessariamente se enxergavam como trabalhadores.

Então você tem uma crise do mundo do trabalho, depois tem uma outra crise, que é o genocídio, a quantidade de homicídios, que era um problema premente, principalmente para a população jovem, e que não se dava necessariamente no mundo do trabalho. O genocídio se dava nas periferias, nos territórios urbanos empobrecidos. E tinha um estigma muito grande contra esses territórios. Isso eu percebi em várias entrevistas que fiz, tanto com lideranças de movimentos populares quanto com moradores das periferias. Até a década de 1980, esse termo não era reivindicado politicamente. As pessoas tinham, inclusive, vergonha de falar que moravam nessa palavrinha chamada "periferia". Isso começa a ficar forte a partir da década de 1990. Eu intuo, enquanto morador da periferia e sociólogo, que esse termo/conceito começa a ganhar força na década de 1990, principalmente através de intelectuais orgânicos, oriundos das periferias, sobretudo corpos negros masculinos, porque eram as principais vítimas do genocídio que estava em curso. E falar "periferia", naquele momento, era uma forma de denunciar para o mundo aquele genocídio, era uma tentativa de pacificação daqueles territórios que estavam no meio de uma guerra e uma tentativa de união de diferentes territórios para que eles se enxergassem numa mesma problemática. O Mano Brown falou em milhares de entrevistas, na década de 1990, que a gente precisava unir as quebradas. E, naquele momento histórico, o conceito de periferia foi o mais interessante para aquele objetivo, que era unir as quebradas, pacificar as quebradas, para que as pessoas se enxergassem a partir de uma determinada problemática que as unia. É claro que as leituras e as releituras que vão se fazer posteriormente sobre a ideia de periferia são mutantes e cambiantes, afinal a gente está falando de um território de mais de 6 milhões e meio de pessoas; cada um que mora na periferia vai interpretar de uma determinada maneira. A gente não pode dizer que existe uma interpretação única. Existem interpretações hegemônicas e narrativas que coexistem no tempo e no espaço.

GW No Rio de Janeiro, por exemplo, eles dizem "subúrbio" em vez de "periferia". Há uma diferença de léxico, que talvez faça uma diferença também conceitual. E, aproveitando essa comparação com o Rio, o morro, como você disse, sempre se cantou através do samba. A bossa nova, quando surgiu nos anos 1950, foi, em grande medida, uma tradução de classe média de alguma coisa que tinha começado no morro e no samba. O Rio de Janeiro, sendo essa cidade onde os morros e as favelas são muito próximos das áreas de classe média na Zona Sul, acabou criando uma permeabilidade cultural entre samba e bossa nova. Em São Paulo, onde as periferias são distantes e há essa separação muito maior, eu não vejo algo semelhante do ponto de vista estético, algo que tenha nascido nas áreas periféricas e que depois tenha sido retrabalhado por uma classe média. Aqui não há essa porosidade, esse ir e vir, como no Rio?

TPD No Rio de Janeiro não dá para dizer que houve uma mistura, dá para dizer que houve um intercâmbio. A segregação socioespacial sempre existiu entre elites e pobres, em sua maioria negros, mas havia uma porosidade social maior. Com as transformações urbanas que acontecem no Rio de Janeiro já na década de 1910, com Pereira Passos, com toda aquela obra que ele fez de remodelação, o Rio começa a ser uma cidade fortemente segregada. Os morros da Zona Sul do Rio de Janeiro estão próximos da classe média e das elites cariocas, mas a gente não pode omitir que a maior parte das favelas cariocas está nos subúrbios. São também favelas invisibilizadas, na Zona Norte, na Zona Oeste.

O Rio de Janeiro é uma cidade muito segregada. Mas a Zona Sul ainda tem alguns territórios de pobreza. Quando a cidade do Rio fica cindida socialmente, e isso começa a ocorrer a partir de um processo que é mais antigo do que a gente pensa, já nas primeiras décadas do século XX, existe essa dissociação de uma classe média que é branca e está na Zona Sul. Na explicação do Tinhorão, a bossa nova era daquele jeito pela falta de contato, porque se houvesse mais contato não seria uma coisa tão diferente. Ele até fala daquele famoso encontro, quando o Nelson Cavaquinho e o Cartola vão visitar o Carlos Lyra e algum outro ícone da bossa nova, num apartamento da Zona Sul, mas eles não conseguem tocar juntos porque tocavam diferente. O violão da bossa nova era aquele que o João Gilberto desenvolveu, reduzindo a batucada do samba nas cordas do violão. Uma expressão musical que é notadamente coletiva passa a ser uma coisa individualista, porque o artista, ele e o seu violão, conseguem musicalmente resolver. Essa é também uma passagem social, porque é uma forma de sociabilidade mais da classe média, do isolamento, do apartamento, da individualidade, do artista e o seu violão. E a gente sabe que entre as classes populares brasileiras, com uma forte influência africana, a produção artística é eminentemente coletiva. É a roda, é o tocar junto, é o fazer junto, porque a arte é um pouco a reprodução da forma como as pessoas vivem, elas não estão dissociadas.

O Rio de Janeiro teve um pouco mais de porosidade que São Paulo. Mas isso não quer dizer que não seja uma cidade segregada. É um pouco menos que São Paulo, que tem essa coisa do capital, da indústria, uma elite industrial que se organizou politicamente de maneira a separar as classes sociais na cidade, de uma maneira muito brutal. O cenário que a gente vê na cidade de São Paulo é poucas vezes repetido no mundo. São Paulo é uma cidade de grandes distâncias, de uma série de interditos, de impossibilidades de encontros. Uma cidade difícil.

GW Você falou da produção cultural, pelo menos musical, como eminentemente coletiva, e eu fiquei pensando no início do samba no Rio de Janeiro, com as pessoas perseguidas, eventualmente presas, estigmatizadas. Isso tudo associado a uma resistência da cultura africana ligada aos terreiros de candomblé. De que modo você pensa essa questão coletiva no funk e no rap?

TPD Podemos pensar nesta tríade: samba, rap e funk. São três gêneros musicais de pobres urbanos do Brasil com influência africana preponderante. O samba se formou no Brasil por meio de uma conexão direta com a África, com africanas e africanos que foram sequestradas e sequestrados para serem escravizados no Brasil. O rap e o funk já têm uma mediação via Estados Unidos, por mais que a gente possa afirmar que o rap tenha também origem africana. Quando a gente começa a percorrer as origens do rap, a gente vê que negros jamaicanos, que tocavam uma série de gêneros musicais como o dub e o calipso nas décadas de 1950 e 1960, migram para os subúrbios norte-americanos e produzem o proto-rap no final da década de 1960.

GW Olha! Eu não sabia.

TPD É um gênero musical que ganha os contornos atuais nos Estados Unidos, mas as suas células musicais rítmicas vêm de outro continente. O rap tem a força da palavra, a força dos gritos, isso é uma coisa eminentemente africana. Mas isso surge nos subúrbios norte-americanos e depois vem para o Brasil. O rap e o funk têm uma semelhança nesse sentido. São gêneros musicais, expressões artísticas de origem africana que se retraduzem em solo brasileiro. Isso tem a ver com pobreza urbana, com as misturas em bairros proletários, em bairros populares, em processos que se dão desde o final do século XIX até o começo do século XXI. Há uma linha de continuidade dessa produção e dessa fruição da arte de maneira coletiva. Porque a arte e a cultura, para as camadas populares, são uma expressão da vida, são uma expressão das formas como as pessoas se organizam, uma forma de criticar a sociedade e também uma forma de ter prazer. E assim deve ser. Independentemente da classe social que a produza, a arte também é fruição. A gente não pode reduzir a arte apenas a seu caráter intelectualista. A arte também pode ser bem produzida, bem pensada, de maneira consciente. É bom que assim seja, ter prazer com a arte é uma coisa bastante importante também.
GW Chegou, pelo chat, uma pergunta sobre o pixo: "Qual o papel do pixo nesse contexto de segregação violenta? Seria uma espécie de grito dos invisíveis?". E eu completaria: quando se pensa na cultura da periferia, pensa-se logo no pixo e no rap e, mais recentemente, no slam. Que homologia existe entre essas artes?
TPD A periferia urbana é um território muito amplo, e há uma série de expressões artísticas e culturais que se originam e se produzem nesses espaços. Uma infinidade mesmo. Mas algumas expressões artísticas ficaram mais associadas não exatamente à periferia enquanto local, mas à periferia enquanto símbolo. As pessoas fazem essa associação imediata – rap/periferia, ou pixo/periferia –, que é uma possível leitura.

Na passagem dos anos 1980 para os 1990, teve o *boom* do pixo, com debates públicos sobre pixadores. Teve toda uma discussão no campo do urbanismo, entendendo o pixo como arte urbana. Naquele momento, no segundo quinquênio da década de 1980, pixação, break (que era o proto-rap), o movimento hip-hop eram conhecidos como "cultura de rua", não havia essa conexão com a periferia, que se deu posteriormente. Cultura de rua está muito mais conectada a um certo tipo de arte urbana. O pixo é aquela coisa de invadir os espaços cinzentos da grande cidade para deixar uma certa mensagem, e muito mais que isso. Eu não sou um especialista em pixação, há autores, livros que discutem isso. Mas se enquadrava em um outro debate. Periferia entra na discussão quando ela começa a clamar por visibilidade por conta do genocídio da década de 1990. Há um processo social de uma série de agentes, moradoras e moradores das periferias, que começam a denunciar aquilo que estava acontecendo naquele território, que era genocídio e pobreza absoluta. Tinha esse binômio violência-pobreza na década de 1990. E você tem todo um processo social, que se dá por meio da arte e da cultura, para tentar tirar o estigma da periferia. Era uma tentativa de dizer que aquele território não produz só pobreza, não produz só violência, ele produz uma série de outras coisas também. A arte e a cultura foram os principais recursos utilizados para essa "ressemantização" do conceito.

GW Você identifica, na produção cultural desse período, várias razões para que ela tenha ocorrido com tanta intensidade. Uma das razões para essa força não seria o fato de a produção cultural da periferia ter servido como uma espécie de antídoto à barbárie, à estigmatização ou à falta de autoestima? Isto é, a cultura não teve um papel curativo nesse contexto?

TPD Eu acho que sim, queiramos ou não. Eu canto, componho, sou músico, tenho minha atividade artística. Às vezes, tudo o que o artista quer é deixar a inspiração dele fluir e não precisar falar da realidade que o circunda. Às vezes ele quer essa liberdade, às vezes ele precisa. O artista tem esse direito, de falar da lua, das estrelas, ou de inventar uma canção absolutamente surrealista. Mas o cenário brasileiro era (e é) tão dramático que a arte e a realidade ficaram indissociáveis. Você produzia uma arte que retratava criticamente aquela realidade que te circundava, e ela também propunha soluções.

Há opiniões conflitantes sobre o que deve ser a arte e a cultura, ou a produção artística. O José Martí, filósofo cubano que eu adoro, no século XIX dizia: "Tudo para a fogueira, até a arte". Ele quer dizer com isso que a gente tem que utilizar tudo para a transformação social, e a arte não pode passar ao largo. Por outro lado, alguns artistas vão dizer que não querem só fazer uma descrição, uma análise crítica da realidade que os circunda. Existem essas várias possibilidades colocadas na mesa. Mas, como fato histórico-sociológico, essa recriação cultural e artística das periferias urbanas, que se dá na passagem dos anos 1990 para os 2000, tem no seu nascedouro essa crítica à realidade. São coisas indissociáveis.

GW Existe toda uma produção cultural no Brasil em que certos artistas e intelectuais de classe média se voltaram para as periferias. Mas, no intuito de "dar voz" às periferias, acabaram por falar em nome delas, muitas vezes guiados por alguma má consciência de classe ou por algum espírito cristão de fundo que, muitas vezes, acaba sendo uma atitude paternalista. O que me parece, pela descrição que você faz, e analisando a situação, é que uma das características dessa produção cultural periférica das últimas décadas é recusar essa herança paternalista e falar com voz própria. Ocorre-me aqui uma música dos Racionais MC's (há muitas outras, e eu sei que você é um grande especialista no assunto) que diz: "O mundo é diferente da ponte pra cá".[1] É como se dissesse: "Só a gente sabe o que é isso aqui, não venha você me dizer o que é". É isso mesmo? Você acha que

1 Racionais MC's. *Da ponte pra cá* (Nada como um dia após o outro dia, 2002).

há uma afirmação local, que significa também uma espécie de afastamento dessa outra voz "boazinha" e paternalista?

TPD O que você falou agora responde à tua pergunta anterior. O principal salto dessa geração é o fim das mediações. É o fim dos intermediários, é o questionamento histórico dessa voz que fala "em nome de", mas que, nesse movimento, acaba silenciando as protagonistas e os protagonistas daquela vivência. Mas eu não sou contra a teoria, ela precisa ser incorporada pelas trabalhadoras e pelos trabalhadores que moram nas periferias urbanas. No meu percurso acadêmico, eu defendi a vivência enquanto uma possibilidade epistemológica, porque a gente tem esse fenômeno na música popular, mas tem também na produção intelectual. A periferia nunca pôde falar por si, a gente sempre teve esse crivo de uma classe média intelectualizada que descrevia e analisava os fenômenos que ocorriam nesses espaços.

Então, quando, na minha tese,[2] eu falo de *sujeitas e sujeitos periféricos*, eu estou falando de uma geração que pegou a palavra para si, tanto na produção artística quanto na entrada na universidade. Essas duas coisas acontecem num tempo histórico próximo, mas a produção artística veio antes, até porque a arte tem um pouco mais de liberdade do que a produção científica. A arte anuncia a entrada de jovens das periferias nas universidades, que aconteceu dez ou quinze anos depois do fenômeno Racionais MC's.

Eu tenho convicção de que a vivência é uma possibilidade epistemológica que a teoria não te dá. Mas a gente não pode também negar a teoria. Para as periferias urbanas, neste momento histórico, uma possibilidade política efetiva é conseguir aliar a vivência à compreensão da teoria e a um

2 Tiaraju Pablo D'Andrea. *A formação dos sujeitos periféricos: cultura e política na periferia de São Paulo*. Tese de doutorado, São Paulo, FFLCH-USP, 2013.

projeto político próprio. O projeto político aponta para onde você quer ir, e a gente precisa saber para onde quer ir. Refiro-me aqui às periferias urbanas, aos territórios estigmatizados, empobrecidos, perseguidos, onde as pessoas estão morrendo de Covid, onde existe um alto número de desemprego e um genocídio em curso. Então, não é só a vivência. A vivência te dá uma grande possibilidade, mas temos que ter também uma teorização sobre a própria vida e um projeto político. Eu aposto nessa tríade.

GW Essa é uma colocação bem importante. Você conhece o grupo e o espaço comunitário São Mateus em Movimento?

TPD Conheço.

GW Tem surgido um interesse entre estudantes de arquitetura da FAU-USP, por exemplo, que começaram a fazer excursões a São Mateus para conhecer o movimento. Digo "excursões" porque é bastante longe da Zona Oeste. O pessoal vai ver as casas, as paredes grafitadas. É um fenômeno interessante, uma arte dita periférica começar a atrair a atenção das classes médias mais centrais.

TPD Conheço vários outros grupos: Ermelino Matarazzo, Guaianases, Grajaú, o Sacolão das Artes, no Parque Santo Antônio. Eu tenho a felicidade de ter rodado muitas quebradas, de ter muitos amigos em distintas periferias de São Paulo. Eu sou uma pessoa nascida e criada em uma periferia urbana.

GW Em Itaquera?

TPD Eu sou de Itaquera. Eu me embebi de toda essa sociabilidade desde a minha infância. A gente se reconhece, a gente reconhece os pares, a sociabilidade, o tipo de prática social.

Você fez uma pergunta, no começo, sobre essa busca por uma certa definição de periferia. Olha, eu estou há quase vinte anos tentando responder isso. Neste momento, eu diria que o que define a periferia é a sociabilidade, e a sociabilidade da periferia é o entrecruzamento de uma condição de precariedade com as distintas culturas que habitam esses espaços.

A riqueza cultural das periferias urbanas é notável, é muito maior do que no quadrante sudoeste de São Paulo, onde a população é muito mais homogênea. A heterogeneidade das periferias é uma coisa fascinante. A herança africana, a herança nordestina, a presença indígena, o operariado, todas essas múltiplas facetas vão produzir uma cultura específica, que é o produto desse entrecruzamento de várias culturas que foram habitar nesses espaços.

E, falando para arquitetos e urbanistas, para quem gosta de pensar e viver a cidade, há uma condição urbana que determina a possibilidade de se relacionar com o mundo, seja pelas grandes distâncias, pelo tempo de deslocamento ou pelo tipo de acesso que você tem à cidade. Eu não quero dizer que é melhor nem pior, são acessos diferentes. Tem coisas belíssimas que eu vejo nas periferias urbanas e que não vejo no quadrante sudoeste. Mas as periferias urbanas têm uma precariedade que é muito complicada. Não dá para romantizar a pobreza. Pelo contrário, é preciso superar as condições precárias em que essa população vive.

Neste momento, eu definiria periferia com uma sociabilidade que se dá em determinados espaços, por conta de uma produção histórico-sociológico-urbana. E, por conta dessa formação que eu tive, que é a minha inescapável formação pessoal, eu tive a felicidade de rodar muitas periferias urbanas, de ter muitos amigos, de coletivos culturais, de rodas de samba, de vivências pessoais. Conheço o São Mateus em Movimento e mando um abraço forte para todo mundo que continua empunhando a bandeira da arte e da cultura nas periferias urbanas.

GW Nesse processo de autoafirmação da cultura periférica que vimos nas últimas duas décadas, qual o papel do CEU (Centro Educacional Unificado)? Esse equipamento, que foi construído em várias unidades pelas periferias, teve um papel relevante?

TPD Teve um papel como vários outros. O CEU é um elemento entre vários, como o VAI, os editais da prefeitura, do estado, os recursos que vieram do Governo Federal, o Programa de Fomento à Cultura da Periferia, que foi uma vitória popular, uma vitória de movimentos culturais que se organizaram. O CEU entra nessa fermentação, contribuiu, foi uma política pública muito interessante, muito bem pensada. Pena que foi sucateada. A gente está a ponto de ter a privatização dos CEUs, uma coisa que seria realmente trágica para as periferias urbanas.
GW Chegou uma pergunta de um professor que diz: "Você não acha que os artistas mais reconhecidos internacionalmente, na atualidade, têm origem na periferia? Poderíamos dizer que a periferia está no centro da nossa produção cultural?".
TPD Essa pergunta é capciosa. O hip-hop é o gênero musical mais escutado no mundo. Isso diz algo. É um gênero musical que ganha os seus contornos em subúrbios negros norte-americanos e depois passa a ser o mais escutado no mundo. A periferia continua sendo a periferia. Há uma potência muito grande nesses espaços. Mas eu fico com o pé atrás em duas coisas. Primeiro: de que maneira essa arte, essa cultura produzida nesses locais não é capturada pelos grandes esquemas da indústria cultural, que pasteurizam essa mensagem? A gente precisa fazer essa discussão. Em segundo lugar, periferias urbanas são locais de absoluta precariedade e pobreza. Eu não gosto quando a gente fala da potência da periferia e isso passa a invisibilizar a pobreza da periferia. Uma coisa não substitui a outra. A gente precisa ter um olhar para ver a precariedade e a potência ao mesmo tempo. São seres humanos desperdiçados por uma sociedade que não aproveita o talento dessas pessoas, que são, na maioria, grandes pessoas com muito talento. Com muito esforço, com muita organização, conseguiram ter algum tipo de espaço e de visibilidade. Mas grande parte

das periferias urbanas vive na miséria. São trabalhadoras e trabalhadores que acordam cedo, vão para o ponto de ônibus se apertar no transporte público para ganhar o pão de cada dia em relações de trabalho muito desiguais. A gente não pode perder esse olhar.

GW Uma vez eu estava num debate no Centro Universitário Maria Antonia em que nós tínhamos convocado vários coletivos de São Paulo, que eram coletivos de arte urbana, de urbanismo tático, movimentos negros, movimentos feministas, e a conversa era sobre o espaço público, sobre intervenções na cidade. E começou a ter muita discordância entre os grupos sobre o tipo de intervenção que deveria ser feita e mesmo sobre o que era o espaço público, uns acusando outros de serem mais elitistas, de produzir gentrificação. A certa altura, um rapaz negro que estava no fundo da sala, que estava cheia, levantou a mão e pediu a palavra, apresentando-se como alguém que mora na periferia. Ele disse: "Toda essa discussão de vocês aí sobre espaço público é uma discussão de classe média, de área central, porque, para nós que moramos na periferia, não é assim que funciona, não é essa a demanda, porque lá nós temos espaço público". Claro que essa colocação pode ser usada de uma maneira perigosa, como se fosse uma romantização da periferia ou uma subestimação das precariedades. Mas o que ele estava querendo dizer, e ele explicou, é que nos bairros periféricos existe uma vida de rua, uma vida de calçada, uma vida em que as pessoas estão num espaço aberto trocando e vivendo coletivamente, cotidianamente, muito mais do que nas áreas centrais, onde as pessoas andam de carro e precisam da praça para ter algum espaço público e pensar que estão tendo uma vida coletiva. Você acha que existe essa diferença de concepção de espaço público entre áreas centrais e áreas periféricas?

TPD Eu acho que sim. Nas periferias urbanas as pessoas estão muito mais na rua, porque moram em casas muito pequenas.

A provisão habitacional é muito precária, as pessoas são muito pobres, as casas são muito apertadas, as pessoas não têm possibilidade de ter casas maiores. São muitas pessoas vivendo em cômodos pequenos e, com o crescimento das famílias, elas sempre fazem aqueles arranjos do puxadinho. A densidade das casas nas periferias é muito grande e, de fato, as pessoas estão mais nas ruas. Tem a ver também com aquela coisa da sociabilidade. Mas também acho que não existem espaços públicos suficientes nas periferias.

Eu nasci e cresci num bairro onde o loteador, na década de 1960, loteou até as ruas. É verdade, eu demorei para entender. Eu comecei a circunscrever o bairro onde eu nasci e percebi que ele só tinha três ruas que davam saída para outros bairros. Eu achei estranho, tudo congestionava para aquelas três ruas. Depois eu entendi que as ruas que estavam destinadas, naquele formato de *grid*, a fazer a conexão com outros bairros tinham sido vendidas pelo loteador e agora tinham casas. São fatos da periferia urbana de São Paulo.

Por outro lado, às vezes eu me incomodo com uma discussão de classe média paulistana sobre espaços públicos que, a meu ver, é uma discussão importada da Europa. Eu morei na Europa, e lá realmente as pessoas frequentam as praças, frequentam o que a gente chama de "espaço público" nas regiões centrais. Tem o metrô, que as pessoas podem utilizar, e quase todas as classes sociais utilizam. Aqui tem este incômodo: não dá para ir ao vale do Anhangabaú porque tem muitos moradores de rua, não dá para ir em tal lugar porque é escuro, é perigoso. É um incômodo que hegemonizou um certo debate da classe média paulistana. E aqui eu faço uma crítica mesmo. Mas, com isso, eu não quero dizer que as periferias tenham solucionado as suas questões de espaço público, porque não solucionaram. E eu diria mais: todo pensamento progressista voltado a uma nova cidade tem que começar a olhar os espaços privados também. Não é só ocupar espaço público. Tem que ver quem é realmente o detentor dos espaços. Às vezes o que a gente tem de espaço público é 5% dos espaços, e a gente está brigando só por isso. Tem toda uma conversa de fundo que é muito mais estrutural e que a gente precisa fazer também.

GW Excelente colocação. Para encerrar a conversa, você está com o cavaquinho aí? Queremos te ouvir cantar.

TPD O teu chamado foi uma ordem, Guilherme. Está aqui. Mas, antes de cantar, eu queria só fazer uma introdução. Eu tenho uma gratidão muito grande pela arquitetura e pelo urbanismo. Eu trabalhei muito tempo da minha vida com arquitetos e com urbanistas na Usina CTAH, que é uma instituição que faz trabalho social com movimentos populares de moradia. Trabalhei três anos como técnico social num mutirão de casas autogeridas na Cidade Tiradentes, Zona Leste de São Paulo. Em grande medida, eu aprendi a ver o mundo e a pensar a cidade com meus colegas arquitetos e urbanistas, e acho que a arquitetura tem uma proximidade muito grande com a arte. As conversas com os arquitetos sempre estiveram muito próximas da minha forma de pensar a música. Tem uma conexão artística no trabalho do arquiteto que me toca e me inspira. Eu tenho excelentes lembranças desses momentos, quando estive muito próximo de arquitetos e urbanistas, e queria demonstrar aqui a minha gratidão.

O meu primeiro CD se chama *Capacetes coloridos*. E é a trilha sonora de um trabalho final de graduação na FAU, de uma arquiteta chamada Paula Constante, que fez um documentário sobre mutirões autogeridos. Ela me convidou para fazer a trilha, e eu compus cinco canções motivadas por aquele documentário. Aquelas canções viraram um CD, gravado no ano de 2007. Em 2015 eu gravei o meu segundo CD, que se chama *Latinoamerisamba*. E finalmente, agora sim, a canção, que faz parte do primeiro CD:

Seu doutor
Que me olha da ponta mais alta da ordem
Não sabe que é preciso haver muita desordem
Pra tirar o meu solo, meu sono, meu ser

Seu doutor
Que não sabe ou conhece a minha viagem
Nunca vai entender que na minha bagagem
Teve um pouco de raiva pra sobreviver

Seu doutor
Tão letrado, mestrado, canudo e diploma
Não entendo e não falo o seu idioma
Mas também não almejo tua posição

Seu doutor
Que responde de longe atrás da arrogância
E se esconde lá onde o tijolo não alcança
Quero ver o cimento cortar sua mão
Até sangrar[3]

Entrevista realizada em 16 de setembro de 2020.

3 Tiaraju Pablo D'Andrea. *Seu doutor*.

5.

Ruptura democrática e o papel do Estado

O país da corda esticada

Fernando Haddad

Fernando Haddad é sociólogo, advogado, político e professor. Leciona no departamento de sociologia da USP e no Insper. Foi ministro da Educação de 2005 a 2012, nos governos Lula e Dilma Rousseff, prefeito da cidade de São Paulo de 2013 a 2016 e candidato à Presidência da República pelo PT em 2018.

Guilherme Wisnik Fernando, eu queria começar esta conversa te fazendo uma pergunta pessoal. Vivemos hoje essa hecatombe no Brasil chamada governo Bolsonaro. Você foi a pessoa que esteve mais perto de impedir que esse desastre se abatesse sobre nós, nas eleições de 2018. Vendo hoje tudo que está acontecendo, você diria que era previsível tanto mal e tanta boçalidade? Ou isso tudo te surpreende em algum nível?
Fernando Haddad Olha, essa pergunta exige algumas considerações, até de ordem teórica, para entender do que é que nós estamos falando. A rigor, na democracia, a escolha do presidente da República é plebiscitária. Em alguns países onde há colégio eleitoral, como nos Estados Unidos, pode acontecer de não coincidir o resultado plebiscitário com os votos dos delegados que representam os estados. Aconteceu com o Donald Trump em 2016, por exemplo – porque a Hillary Clinton teve mais votos do que ele. Mas, em geral, é uma escolha plebiscitária e, como tal, a gente sabe que pode dar qualquer resultado. Dependendo dos humores das pessoas, pode ser eleito o Tiririca, ou até um rinoceronte, como aconteceu tempos atrás.[1] Quer dizer, dependendo dos humores, das paixões, teoricamente você está aberto para votar em qualquer pessoa. É por isso que a democracia tem uma série de filtros, que começam com os próprios partidos políticos e passam pelo Supremo Tribunal Federal, pela Comissão de Ética da Câmara dos Deputados (que teve a oportunidade de cassar o Bolsonaro por crimes de intolerância), pelos meios de comunicação, que informam sobre a pessoa que está concorrendo à Presidência através do seu histórico, pelos amigos, pelo ambiente e pelo contexto. Então, na democracia, em tese, qualquer um pode ser eleito. E, quando os humores estão muito alterados, como estavam e

1 Referência à rinoceronte fêmea chamada Cacareco, que, nas eleições municipais de São Paulo para vereador em 1959, recebeu cem mil votos, num dos casos mais famosos de voto de protesto na história da política brasileira.

estão há muito tempo no Brasil, pode dar qualquer resultado. Mas a gente imagina que esses filtros funcionem...

Por que é que o Bolsonaro não me surpreendeu como fenômeno? Eu digo isso porque dei uma entrevista para a *Folha de S.Paulo* em 2016 dizendo que, se a esquerda não tomasse cuidado, a direita iria enfrentar a extrema direita, e não a centro-esquerda. Eu já via, aqui em São Paulo, o crescimento de uma onda protofascista, por assim dizer. E quem conhece a história do Brasil sabe que o autoritarismo, e até um protofascismo, sempre conviveu conosco, embora ele não tivesse nunca encontrado um canal político institucional de expressão. Então eu prestava atenção no Bolsonaro. Eu dei essa entrevista em 2016. Escrevi para a revista *Piauí* em 2017 falando dele,[2] dizendo que ele era um perigo para a democracia porque dialogava com essas entranhas do nosso passado tanto remoto quanto recente – porque a ditadura militar é ainda recente. Mas eu tenho que confessar, também, que eu imaginava que esses filtros fossem, de alguma maneira, funcionar, de modo que eu entendia o Bolsonaro como ameaça, mas apostava que ele, ainda que fosse para o segundo turno, perderia as eleições. A minha surpresa foi ele ganhar.

GW Quer dizer que todas essas decisões absurdas que ele toma, esse desmonte político, transformando o Estado brasileiro em um "Estado suicidário",[3] como escreveu o Vladimir Safatle, não te surpreendem?

FH Eu dei uma outra entrevista, no final de 2018, em que eu via se constituir em torno do Bolsonaro três núcleos que compõem o seu governo e que, de certa maneira, dialogam entre si: 1) um núcleo autoritário, composto pelos militares e pelo

2 Fernando Haddad. "Vivi na pele o que aprendi nos livros: um encontro com o patrimonialismo brasileiro". In: *Piauí*, n. 129, jun. 2017, pp. 28-37

3 Vladimir Safatle. "Bem-vindo ao Estado suicidário". Disponível em: www.n-1edicoes.org/textos/23.

aparato repressor do Estado, que estão tentando subordinar as vontades do presidente (hoje esse projeto teve um contraponto com o Supremo, que impediu o amigo da família de assumir a Polícia Federal); 2) um núcleo obscurantista, cujo guru é o Olavo de Carvalho, com as suas ramificações, como Damares, Weintraub, Araújo, Salles e companhia limitada; e 3) o núcleo neoliberal. Então, para mim, era muito claro o arranjo: obscurantismo, neoliberalismo, autoritarismo. E esse arranjo não é exatamente uma "geringonça",[4] porque o fascismo é mais ou menos a articulação desses três núcleos e, de certa maneira, parte desses três núcleos. Não é bem verdade – e o Vladimir Safatle, numa entrevista que deu para mim, falou isso com muita propriedade[5] – que o fascismo é o antípoda do neoliberalismo. O próprio Hayek[6] chegou a manifestar simpatias pelo autoritarismo, dizendo que o mercado era mais importante do que a democracia e que, portanto, um Estado autoritário que garantisse a liberdade de mercado era melhor do que um Estado democrático que colocasse travas em seu funcionamento. Então essas afinidades existem desde sempre. O que mudou a natureza da democracia foi a comunicação de massa. Nos anos 1930, o rádio; nos anos 2010, a internet e suas redes sociais, que são um rádio piorado do ponto de vista de manipulação, porque permitem segmentar mensagens para públicos específicos. A radiodifusão é uma só mensagem para todo mundo, a rede social são mensagens segmentadas para você ouvir o que quer, o que te soa bem, o que agrada aos seus ouvidos, e muitas vezes na direção errada.

4 Termo usado para se referir à coalizão entre o Partido Socialista, o Partido Comunista e o Bloco de Esquerda em Portugal, entre 2015 e 2019.

5 Disponível em: www.youtube.com/watch?v=iXSpnYERl1s (parte 1) e www.youtube.com/watch?v=9pom-WdAYbs (parte 2).

6 Friedrich August von Hayek (1899-1992), economista austríaco defensor do liberalismo clássico.

GW Vendo o impacto que isso teve nas últimas eleições, tanto nos Estados Unidos quanto no Brexit ou no Brasil, com toda a manipulação pelo WhatsApp e por outras redes, eu te pergunto: qual é a perspectiva para a esquerda também se assenhorear desses meios? A gente perdeu a eleição nesse campo. Como é que vai ser daqui para a frente? Não dá para o PT continuar sendo vítima desses processos.

FH A esquerda vai ter que aprender a lidar com um desafio enorme, o das *fake news*. Você não queira calcular o impacto que isso tem nas redes sociais, e eu não estou nem falando mais de YouTube, Facebook, que já têm uma lógica perversa por dentro. Qual é a lógica do *black mirror*? Qual é a lógica do computador? É uma expressão feliz essa do *black mirror*, não é? Porque a tela do computador é *black*, mas é um espelho ao mesmo tempo. E por que isso? Porque, no fundo, na rede social, por meio da sua interação, é como se o *big brother* por trás do *black mirror* estivesse fazendo uma leitura do seu genoma psíquico. O GW, por exemplo, é corintiano, são-paulino, palmeirense? Quanto ele gosta do time dele? Para ele o time é muito importante ou é mais ou menos? Bom, se for muito importante, esse *big brother* vai soltar uma mensagem para você, nem sempre verdadeira, dizendo que o FH não gosta do seu time de futebol, vai te indispor para uma questão que lhe é cara. Ou então você, eventualmente, é ateu e eu sou fervorosamente (ou "terrivelmente") evangélico, e aí você vai ter uma segunda indisposição em relação à minha pessoa, pois, além de não gostar do meu time, você não gosta da minha religião. Então o *black mirror* permite que, por meio de um algoritmo, em função das suas interações, eu consiga fazer a leitura do seu genoma, consiga entender quem é o GW e possa atuar nas suas redes sociais de maneira a te induzir para um ou para outro lado político.

Quando isso, que já é grave, convive com as *fake news*, aí você tem, realmente, uma situação nova. Eu fui apresentado para o eleitorado vinte dias antes da eleição. Teve gente que olhou para mim e falou: "Esse cara é interessante, foi ministro do Lula, foi prefeito de São Paulo, deixa eu ver o que é que ele tem para dizer". Mas daí no WhatsApp dele aparecia que eu era a favor do incesto, que eu tinha uma Ferrari... Não, eu não estou brincando. Eu era a favor do incesto, tinha uma Ferrari, era stalinista, tinha estuprado uma menina de 12 anos, enfim, era um cardápio de atributos de uma pessoa que não podia presidir o país.

GW Com a Manuela D'Ávila também aconteceu, não é?

FH Com a Manuela foi pior, porque eles fizeram inclusive colagens. Por exemplo, ela tinha uma camiseta em que estava escrito "empoderamento feminino" ou "todo poder às mulheres", algo assim. Eles colocavam, no lugar dos dizeres da camiseta dela, "Jesus é trans". Como era uma camiseta preta, com o Photoshop você consegue facilmente apagar aquele lema e colocar outro no lugar. Aquilo circulou com as frases mais aberrantes que você pode imaginar.

GW Mas, dado que esse tipo de operação é absolutamente antiético, como é que a esquerda vai atuar? Que perspectiva a gente tem para entrar nesse jogo?

FH Primeiro, é preciso atuar junto a essas corporações. O WhatsApp é do Facebook, e nós pedimos a eles, antes da eleição, para tomarem providências contra a disseminação de *fake news*. Bolsonaro usou 400 mil números de celular, muitos do exterior, bombardeando os brasileiros com mensagens falsas. Se o WhatsApp tivesse bloqueado essas disseminações, a gente não estaria vivendo isso. O WhatsApp foi fazer isso em 2019, mais de seis meses depois das eleições. Agora, recentemente, tomaram uma outra providência, e você consegue compartilhar mensagens só com cinco pessoas. Mas há também outros mecanismos: quando aquela mensagem é compartilhada num sistema de pirâmide, como eles estão fazendo, o WhatsApp identifica a mensagem e a bloqueia. Ou seja, você não vai conseguir fazer nem por pirâmide o que eles fizeram como nuvem, como chuva. Enfim, a tecnologia vai ter que atentar para isso. Infelizmente, nós temos que contar com dois CEOs de grandes corporações, o Google, de um lado, e o Facebook, de outro. Se eles não tiverem a compreensão do mal que estão fazendo para a democracia, será gravíssimo. E eles estão fazendo muito mal para a democracia. Se eles não tomarem providências, nós rumaremos para uma sociedade fundamentalista, autoritária, em que a atomização do indivíduo se tornará um salve-se quem puder.

Então isso quebra a lógica da associação livre entre pessoas, que é o lado bom da democracia. Eu posso simpatizar com as suas ideias livremente, mas de repente eu descubro um terceiro cara aqui que tem argumentos melhores do que os seus e me faz repensar aquilo que eu imaginava correto. Esse é o jogo bacana, o jogo da interação livre entre as pessoas, porque, quando a interação é livre, nós temos um caminho que está dado, que é o caminho da liberdade. Se a interação não é livre, nós podemos ser como senhores de escravos de nós mesmos. Ao invés de nos libertarmos, nós vamos nos aprisionar através da própria interação. Porque ou a interação é livre, ou vai conduzir à manipulação das vontades.

GW Você acha que o pacto da Nova República se rompeu? Isto é, que o ciclo da Nova República acabou, e a gente começa agora um novo ciclo que pede uma outra esquerda?

FH A Nova República acabou em 2016. O Bolsonaro foi só a pá de cal, ele não começou nada. O engraçado é isto: morreu a Nova República e não começou nada edificante no lugar. É uma lógica de destruição. A gente vê ministérios, políticas públicas, empresas sendo dinamitadas. E o que é colocado no lugar? Nem o presidente nem esse governo sabem a que vieram, a ponto de não saber se vão terminar uma obra ou não. Hoje você não sabe, porque o Braga Netto quer uma coisa e o Paulo Guedes quer outra, e não tem quem arbitre, pois o Bolsonaro não tem a menor condição de arbitrar.

A esquerda, ao contrário, tem sido construtiva nessa crise. A Renda Básica de Cidadania foi proposta da esquerda. O valor seria de duzentos reais se dependesse do Governo Federal, nós é que puxamos para seiscentos, podendo chegar a 1.200. Nós é que estamos defendendo um projeto de lei que permite e obriga o Governo Federal a recompor a receita dos estados e municípios para que não haja colapso dos serviços públicos. Ou seja, quem está jogando no "quanto melhor, melhor" é a oposição. O governo está jogando no "quanto pior, melhor", por incrível que pareça. Então há uma troca de papéis. É um desafio sempre, porque é muito fácil ser de direita, essa é que é a verdade. Você não precisa fazer nada, porque o mundo já está organizado de um jeito que está bom para o capital, para quem tem dinheiro. A esquerda tem sempre o desafio de transformar para melhor, o que não é simples. Sempre é difícil querer mudar o mundo para melhor. É sempre mais difícil do que manter o mundo como está. Destruir também é fácil, porque basta você estimular os nossos instintos mais primitivos que você começa a bagunçar o coreto. Então é difícil mudar para melhor. Mas quem sempre mudou para melhor, no Brasil, fomos nós. Os melhores momentos que o Brasil viveu foram quando os governos populares chegaram ao poder e transformaram, ainda que pouco, a sociedade para melhor. Quem lutou pela abolição da escravidão, pela democracia, pelo bem-estar social, pelo SUS, foi a esquerda. O SUS, a universidade pública, o Bolsa Família, tudo isso existe por causa da esquerda. O que é que a direita tem para dizer que é dela e que fez bem para o povo? É isso que eu me pergunto.

GW Considerando que o ciclo da Nova República se encerrou em 2016, como você mesmo disse, e começamos uma fase destrutiva, de desmonte das instituições, como é que a esquerda está se reorganizando para este novo momento? Considerando que o PT é um partido que nasceu dos sindicatos, de toda uma lógica trabalhista, moldada num paradigma ainda industrial, você acha que surgirá uma nova esquerda no Brasil ou será uma reciclagem do próprio PT que vai construir esse caminho? Isto é: a história do PT, tal como o partido se configurou, ainda tem validade histórica neste momento? Ou seria o caso de uma nova esquerda que, por exemplo, abandonasse o desenvolvimentismo, que esteve muito presente nos governos Lula e Dilma, em nome de uma visão mais ecológica, e incluísse outras pautas?

FH A esquerda vai ter que adotar um receituário novo se quiser dialogar com a juventude e com os anseios mais legítimos da população em geral. Digo isso porque nunca houve tanto dinheiro e tanta tecnologia disponíveis no mundo. Nós estamos numa situação em que a humanidade está dominando a técnica de uma maneira inédita. Estamos já num campo micro, e não sei quanto mais nós vamos cavar para saber o que é que é o átomo, o que é que é a célula. O domínio técnico que temos sobre a natureza é muito profundo, e isso é exponencial. O que nós fizemos nos últimos cem anos é dez vezes mais do que nós fizemos antes disso, durante toda a história do *Homo sapiens*. Então o aumento do conhecimento é vertiginoso, e da riqueza também.

Diante de um quadro desses, como é que nós estamos vivendo com tantas mazelas? Então eu vou fazer provocações aqui. Uma pessoa diz: "Tem que taxar grandes fortunas", aí o outro retruca: "Não, se taxar grandes fortunas, eles vão embora do Brasil". Aí eu penso: será que a gente não conseguiria fazer um pacto para taxar grandes heranças? Para que uma pessoa precisa herdar 1 bilhão de dólares? Ela não pode se contentar com 100 milhões de dólares? Será que alguém precisa herdar mais do que isso para ter uma vida para os seus tataranetos com todas as facilidades que o mundo coloca à nossa disposição? Será que as cidades precisam ser organizadas da maneira que são? Porque nós não vamos conseguir construir mais pontes e viadutos e túneis. Será que a gente não consegue democratizar o espaço público de forma mais racional, de modo que as pessoas possam interagir de forma mais ecológica, fazendo uma migração para novas formas de mobilidade urbana? Será que o pobre precisa morar tão longe do seu emprego? Será que a gente não consegue reservar terra para uma população de mais baixa renda, ou média renda, fazendo bairros mistos, tanto do ponto de vista de uso quanto do ponto de vista de classe social? Será que é tão difícil pensar isso com tudo o que está disponível? Será que a gente não consegue pensar na produção agrícola de outra maneira? Será que a pecuária é tão importante a ponto de a gente derrubar uma floresta para botar bois no pasto? Será que boi e carro são o que há de mais importante na nossa vida? Quer dizer, andar de carro para ir à churrascaria poluindo o ambiente? É isso que nós queremos? Desmatar para criar gado e usar o carro, que pesa uma tonelada e meia de ferro, para nos levar a quinhentos metros de distância da nossa casa?

GW E consumindo petróleo.

FH Exato: queimando petróleo e queimando floresta! É isso que nós vamos fazer? Queimar petróleo e floresta para comer carne e andar de carro? Não é possível que os modos de vida não possam ser repensados. Não se trata de restringir a liberdade de ninguém, mas de ter objetivos claros de acabar com a fome do mundo, de acabar com a escalada armamentista, de termos uma cultura de paz, de respeito, de garantirmos uma renda básica para todo mundo. Qual vai ser o futuro do trabalho neste mundo hipertecnológico que nós estamos vivendo? Será que não podemos voltar a falar de redução da jornada de trabalho para que todos trabalhem com dignidade? Não seria essa uma forma de acabar com o desemprego? Será que, em vez da precarização, não devíamos criar novas formas de organização do trabalho diferenciadas? Ou o cara que está de bicicleta entregando comida para todo mundo nesta pandemia não é um cidadão que mereça alguma consideração do ponto de vista de regulação da sua atividade produtiva? Será que eu estou falando do quê? A gente está falando de alguma coisa inatingível?

Então, o que me chama a atenção é que nós estamos no melhor momento para fazer essa mudança de paradigma, de modo de vida mesmo. Como produzir? Como consumir? O que produzir? O que consumir? Essa reflexão precisa ser aprofundada. Alguém precisa acumular tanto dinheiro? Eu acho bonito, Guilherme, quando um cara dispara, seja ele quem for. De repente você vê um cara produzindo conhecimento, o outro produzindo arte, o outro se tornando um baita arquiteto. Eu acho tão bonito quando um cara se destaca. A gente fica admirando quem está correndo lá na frente, mas nunca cuida de olhar para trás e ver os escombros disso tudo, dessa corrida insana. Então vamos manter uma competição saudável. Eu quero me destacar na minha área de atividade, e você quer se destacar na sua. É uma beleza você poder ser um indivíduo com a sua personalidade. Mas será que a gente não consegue dar uma ajudada em quem ficou para trás? Fala-se tanto em meritocracia. Como é que é uma meritocracia dessa em que o sujeito nasce lá na favela, não tem acesso a creche, o pai não está em casa e às vezes ele não sabe nem quem é, a mãe cozinha, lava, passa e tem dois trabalhos para trazer 1.200 reais para casa? Que vida é essa? Esse é meu ponto de vista.

GW Isso é fundamental, mas a taxação das grandes fortunas, como vemos no caso das propostas do Bernie Sanders, nos Estados Unidos, é muito difícil de conseguir botar em prática, não?

FH Mas aqui nós estamos falando de coisa mais simples, como imposto progressivo. Porque aqui o pobre paga mais imposto do que o rico, proporcionalmente. Você paga IPVA do teu carrinho, mas o cara que tem um jato executivo não paga. O cara que tem uma lancha, um iate, não paga IPVA, e você aí com o teu carrinho – que só usa no final de semana, porque em dia de semana você pega metrô – paga IPVA. Eu sou assalariado, e 27,5% do meu salário já é debitado na fonte. Nem sei quanto é meu salário bruto, porque nem presto atenção em quanto o governo leva ali no contracheque. Mas, se eu sou banqueiro, e tenho ações do Itaú, do Bradesco, do Santander, eu não pago imposto sobre dividendos. Essas são distorções enormes. Se eu vou deixar para o meu filho uma casa, pago 4% de imposto sobre herança. O cara que tem mil casas paga 4% de imposto sobre herança. Será que o imposto não podia ser progressivo? O cara que tem mil casas não poderia pagar 8%, ou 12%? O cara que tem cinquenta casas pagaria 8%, e eu, que tenho uma só, pagaria 4%, ou 2%, para eles pagarem mais.

Você percebe? Nós estamos falando de coisas óbvias, não é nada extraordinário. São coisas que deviam estar sendo discutidas em mesa de bar. Como é que a gente faz para melhorar a vida das pessoas? E aí tem aquela ilusão: "Danem-se os outros, porque, se eu estiver bem, está tudo bem". Olha aí, não está, porque, quando há uma crise sanitária, não está; quando explode a violência urbana, não está; quando aumentam os congestionamentos, não está. Então você vai fugir para onde? Tem outro planeta para ir? Por enquanto, não. Então vamos cuidar deste e de quem mora nele? Não tem para onde fugir. Os ricos precisam entender isso, eles não têm para onde fugir. O cara da Tesla está querendo botar colônias em Marte, mas por enquanto nós estamos em casa aqui, todo mundo no mesmo barco.

GW Eu estava relendo um livro importante que você organizou chamado *Desorganizando o consenso*.[7] Ali você começa citando o Antonio Candido para falar de um processo em que o Brasil, tendo sido um país que se formou na relação colonial, com escravidão, demorava a ter uma intelectualidade realmente do contra, porque o do contra era misturado com o

7 Fernando Haddad (org.). *Desorganizando o consenso: nove entrevistas com intelectuais à esquerda*. Petrópolis: Vozes, 1998.

a favor. Então eu te pergunto: você acha que essa intelectualidade (ou essa política) realmente do contra nasceu finalmente no Brasil, ou a chamada "*pax* lulista" foi ainda um período contra e a favor, mediando essas elites todas que você está citando agora?

FH Eu acho que há intelectuais no Brasil que pegam as coisas pela raiz. Quando a gente usava a palavra "radical", não entendiam bem o que significava. Quer dizer, as pessoas que tomam as coisas pela raiz querem resolver problemas definitivamente. É possível reorganizar a sociedade de um jeito em que não fique ninguém tão longe das oportunidades. Porque você condena bilhões de seres humanos em função da estrutura social. Ele já nasce condenado, rifado. É como se ele não pertencesse à mesma comunidade que nós. Então não faz sentido isso, não faz sentido para o planeta.

A questão ecológica, por exemplo, nos coloca numa situação de indiferenciação. Ela vai afetar negócios, vai afetar a vida das pessoas. Essa questão da pandemia vem sendo anunciada pela ciência há muito tempo. Nós já tivemos riscos de pandemia, mas foram vírus que, por razões específicas, não se disseminaram como esse. Esse não tem uma letalidade tão grande, mas tem uma ação contagiante extraordinária. Ele tomou o planeta em cinco minutos. Nem sempre foi assim, embora tenha havido epidemias na história, em Roma, na Idade Média etc. No século XIV, a peste negra matou um terço da população europeia. Agora, o que é que nós vamos fazer com isso? O que é que nós vamos fazer com essa interdependência? Então você me pergunta: "Existe pensamento radical no Brasil?". Eu diria para você que, constituído enquanto tal, não existe. Há pensadores que têm uma erudição e uma radicalidade que os legitimam a propor uma ação política mais vigorosa, mas eles não estão organizados em torno de uma plataforma, de uma ação coletiva. É brincadeira a direita falar de comunismo, de subversão, de anarquia, isso nunca foi a praia do Brasil.

Começa pela nossa independência, depois passa pela proclamação da República. O Brasil é um dos poucos países em que a proclamação da República foi um golpe militar. A nossa independência foi a divisão da Coroa dentro da mesma família. Então aqui a revolução nunca foi para valer. Apesar de tudo isso, o Brasil se desenvolveu, mal ou bem, e tem um potencial enorme ainda a desenvolver.

GW E, na volta à democracia, o futuro presidente (Tancredo Neves) entra em coma e morre.

FH Pois é. E era uma volta por cima, porque eles derrotam a emenda das diretas e fazem uma transição de gabinete para o poder civil, pactuada com uma certa oposição. Foi lá o Tancredo, a turma toda. Depois o Ulysses Guimarães saiu fora... Foram fazer o famoso conchavão para derrotar a campanha das Diretas Já e eleger o Tancredo via colégio eleitoral. E terminamos com o José Sarney, saído da ditadura militar.

A nossa transição, nossa redemocratização, foi lentíssima. Transição "lenta, gradual e segura", se dizia. A própria abolição da escravidão no Brasil começa em 1830, mas não era uma lei para valer, porque era um tratado internacional com a Inglaterra. No ano de 1849 entraram 60 mil negros escravizados no Brasil, um dos recordes de entrada até então. Daí a Inglaterra aperta o cerco, e a gente aprova a Lei Eusébio de Queirós em 1850. Então acaba o tráfico, mas não acaba a escravidão. E vêm a Lei do Ventre Livre, a Lei do Sexagenário. Para chegar na abolição são mais 38 anos. Ou seja, veja do que é que nós estamos falando. É um país que estica a corda contra o pobre ao máximo. Está sempre esticando a corda contra os mais frágeis.

GW Um país que não fez a revisão da ditadura militar, tal como outros países da América Latina fizeram.

FH Pois é, não fez! Fez uma transição, conforme eu disse, lenta, gradual e segura. Mas para quem? Era lenta, gradual e segura para os militares. Eles queriam sair por cima dessa história, não queriam responder por nada do que tinha acontecido durante a ditadura militar. Então foi segura só para eles.

GW Aproveitando que você puxou o tema da pandemia, que é um assunto importante, eu queria te perguntar sobre a relação supostamente antagônica entre economia e saúde. É muito estranho, porque até o ex-ministro Mandetta, no discurso de saída do governo, chegou a dizer: "Eu me preocupava muito com a saúde, enquanto o presidente se preocupa com a economia", como se fossem duas coisas antagônicas. O que é que você pensa sobre isso?

FH Falando sério – espero que isso não aconteça –, o meu medo é que a perda de apoio ao isolamento social coincida com o pico da pandemia. Porque, se essas curvas se cruzarem, o aumento da contaminação com a queda do isolamento social, nós vamos estar no pior dos mundos daqui a quinze ou trinta dias. Eu não falo que eu estou certo e o Bolsonaro está errado. O que eu digo é o seguinte: vamos prestar atenção em quem entende de epidemia, de infraestrutura de saúde, para que a gente saia desta situação. Porque a pior coisa que pode acontecer é as pessoas começarem a morrer em casa porque não têm para onde serem levadas. Então eu não gostaria de ver essa cena, nem na minha casa nem na casa de ninguém, ver um parente morrer por falta de ar porque não tem para onde levá-lo. Você liga para um hospital, liga para outro, e não tem leito de UTI, não tem respirador mecânico, e ele morre asfixiado por falta de infraestrutura hospitalar. É por isso que o isolamento se justifica, para que essa cena não aconteça. Ou, se acontecer, que aconteça o mínimo possível. Então as pessoas precisam ter essa compreensão. Bom, de repente acaba o isolamento social e não acontece nada. Eu acho que é um cenário improvável, por tudo de que eu me informei. Eu entrevistei, para o meu canal, o Miguel Nicolelis, que está coordenando as ações dos governadores do Nordeste, os quais criaram um consórcio. E fiquei muito apreensivo com as informações que ele deu.

E quem é que não gostaria de estar vivendo uma vida normal? Eu estou há quarenta, cinquenta dias dentro de casa, você também. A gente dá aula, compra, paga as contas pelo celular, faz tudo pelo celular. Mas quem é que não gostaria de estar visitando a mãe? Eu tenho uma mãe de 82 anos e gostaria de vê-la, mas eu estou respeitando, porque eu não quero contagiá-la, ela está no grupo de risco. E como é que nós vamos fazer? Todo mundo gostaria de estar vivendo uma vida normal. O problema é não ouvir a ciência e tomar uma decisão precipitada, e aí, no pico do inverno, ter que voltar para casa pelo colapso do sistema de saúde. Já imaginou se isso acontece?

GW Isso não é apenas um desastre humano, mas também um desastre econômico, certo? Quer dizer, essa falsa oposição entre saúde e economia é um absurdo total.

FH Isso é para quem não sabe fazer cálculo intertemporal. A pessoa pensa: "Hoje eu vou sair e vou ganhar o meu sustento". Mas e nos dez dias seguintes? E se você se contaminar? E se não houver sistema de saúde, e tiver que voltar para o isolamento? Então a pessoa não consegue fazer um cálculo no tempo, só no dia. E por que é que é importante a renda básica de emergência? Porque tem gente que não tem alternativa de fazer um cálculo que não seja para o dia. Se ele não fez o cálculo para o dia, ele não come. Então a Renda Básica de Cidadania é para dar ao cidadão o direito de preservar a sua saúde. Porque não tendo esse direito, ele vai sair para a rua. Na verdade, é o oposto do que o Bolsonaro está dizendo. O objetivo é a economia bem gerenciada, ajudando a pessoa a preservar a saúde, e não o contrário. É um raciocínio todo invertido. Eu acho que ele é limitado intelectualmente. Quando falam que ele tem um problema de insanidade moral, eu tendo a acreditar. Porque não é só um problema de cognição, tem uma coisa acoplada a isso que é o famoso "e daí?" que ele falou, ou "eu não sou coveiro", ou "e daí que morreram 4 mil,

5 mil?". Ele não veio com um software da empatia. Faltou esse software. Então não é só o hardware que não funciona bem, faltam alguns softwares para rodar programas humanos, se solidarizar com as pessoas. Morre o João Gilberto e ele diz: "Eu não gosto do João Gilberto". Mas o cara projetou o país para o mundo, então ele deveria fazer uma nota de pêsames. Morre o Moraes Moreira e ele também não fala nada. Ele não tem esse componente, ele não veio com esse acessório.

GW Você concorda que o PT perdeu o contato com as bases populares quando se tornou governo? Aquela política de base que o PT tinha junto às comunidades acabou se desarticulando, e deu nesse vácuo onde o dito "povão" parece se identificar com o cara que come pão com leite condensado.

FH A resposta é sim, mas no seguinte sentido. Ser oposição é bom. Vamos combinar que é uma atividade prazerosa. Ser oposição é ficar apontando o erro do outro. Ser governo também é bom. Você pode fazer muita coisa em proveito da sociedade. Mas há um ônus, um custo de ser governo que não é brincadeira. Quando você fica muito tempo no governo, as estruturas todas vão ficando mais rígidas. Você vai trazendo os melhores quadros para o governo, o partido vai perdendo referências. Você até acaba menosprezando e burocratizando a máquina partidária, porque não quer encheção. Então o próprio governo trata de sufocar o partido, não só pela cooptação dos melhores quadros, mas também pelo sufocamento dos bons quadros que ficaram no partido, lutando por ele. Você puxa o bom para lá, para cá, e sufoca o bom que ficou. Tem uma dinâmica perversa na lógica do poder que é própria do poder, por mais vigilante que você seja. Sabe aquela coisa do cachimbo entortar a boca? Isso é real, por mais bem-intencionado que a gente seja. Você pensa: "Eu sou bom, eu sou socialista". O exercício do poder traz, em si, esse tipo de problema, de distanciamento. Você fica muito encapsulado, lá em Brasília, às vezes doze horas por dia, num gabinete. Às vezes há uma crise que leva sessenta dias para ser debelada. O exercício do poder é muito perverso. E para as instituições vale o que vale para o indivíduo: elas vão ficando mais rígidas.

Então é normal perder uma eleição. Mas não a que a gente perdeu, porque essa foi uma eleição muito ruim de se perder, pela maneira como ela se deu. Nada contra a alternância de poder, pelo contrário. A alternância de poder permite você tomar fôlego, repensar os seus dogmas, suas certezas, incorporar novidades que foram produzidas enquanto você estava distraído com as suas certezas lá no poder. Aí você vai ver que não sabe tudo, que sabe menos, bem menos do que tudo. E vê que tem uma juventude trazendo coisas que você nem sabia que existiam. Eu tenho uma filha vegana e aprendo todo dia com ela. Em quarentena, então, você pode imaginar, ela fica olhando o que é que eu estou comendo, o que é que eu estou cozinhando, como é que eu estou cuidando das coisas. A gente faz compostagem em casa, eu tenho um minhocário, não jogo tanto lixo, faço reciclagem com o resíduo seco, me alimento de forma muito mais saudável. Graças a isso, eu tive uma visão como prefeito e como ministro que eu não teria em outra circunstância. Por exemplo, a merenda escolar. A visão que eu tive como ministro, como prefeito, a respeito da merenda escolar, comprando sempre produtos orgânicos, da agricultura familiar, isso tudo é uma concepção de vida que você leva para o governo. E, se você passa muito tempo no governo, dez anos depois surgiram outras coisas que você desconhecia.

GW O projeto Ligue os Pontos, com agricultura orgânica familiar, que vocês incentivaram nas bordas da cidade de São Paulo, é um projeto maravilhoso!

FH Pois é. Quando eu cheguei, a prefeitura usava apenas 2% do dinheiro da merenda escolar em produtos da agricultura familiar. Nós elevamos isso para 26%.

GW E foram premiados![8]

FH Nós ganhamos onze prêmios internacionais. São Paulo ganhou prêmio de finanças públicas; ganhamos grau de investimento da Fitch; o ONU-Habitat e o ArchDaily premiaram o Plano Diretor de São Paulo. Foram onze prêmios internacionais da área de mobilidade, de direitos humanos. E isso é porque um sujeito iluminado de repente chegou à prefeitura? Não, mas é alguém que ouve, que presta atenção no que os outros têm a dizer. Você não precisa ter nada de especial para governar São Paulo, a não ser a capacidade de ouvir, de processar as informações que recebe. Porque a sociedade está produzindo isso o tempo todo. Mas o poder tem um problema. Ele vai enrijecendo. Então é bom você não ser um político profissional. Sabe aquele cara que está sempre com um cargo? Não é bom. O bom é você ter a sua profissão e poder exercer o poder em missões específicas, que incluem a de ser presidente da República. Você pode ser prefeito de São Paulo, ministro, secretário, mas é bom sempre ter um pé voltado para a tua vida privada, para a tua profissão, para não ficar dependente da política. É muito ruim depender da política. Você perde a autonomia e acaba agradando a burocracia. Você mata o teu espirito inovador.

GW Há pouco falamos do Antonio Candido, um grande pensador nosso, que escreveu *Formação da literatura brasileira* num momento em que se acreditava que o Brasil estava se formando do ponto de vista cultural, e também social, e que isso formaria uma nação com alguma organicidade positiva.

8 Com o programa Ligue os Pontos a cidade de São Paulo foi vencedora do Prêmio Mayors Challenge 2016, promovido pela Bloomberg Philanthropies. A organização premiou iniciativas inovadoras em políticas públicas nas cidades da América Latina e do Caribe. São Paulo recebeu o prêmio principal, com a premissa de que um dos grandes desafios a serem enfrentados pelas cidades latino-americanas é estabelecer uma relação sustentável entre as áreas urbana e rural.

Então eu te pergunto: hoje, à luz de tudo que estamos vendo, ainda existe o Brasil para você? Ainda existe um país no fundo de todo este descalabro? Ainda há um país que a gente possa recuperar de alguma forma?

FH Claro que sim! Olha, eu recomendo vivamente que mesmo quem não seja da área de ciências sociais, como um engenheiro ou médico, preste atenção na literatura clássica sobre o Brasil. É importante a gente conhecer o nosso país desde os fundamentos. E sem ideologizar a leitura. Leia tudo. Leia Gilberto Freyre, Caio Prado Jr., Antonio Candido, Roberto Schwarz, Fernando Novais, Sérgio Buarque de Holanda, Raymundo Faoro. Nós temos grandes linhas de pensamento. Não falta boa literatura sobre o Brasil. Há uma bibliografia vasta sobre a Colônia, sobre Portugal pré-chegada nas Américas. É importante saber como Portugal se constituiu, como eram o Brasil Colônia, o Brasil Império e a República Velha, o que foi o Estado Novo, o que foi a ditadura. Nós precisamos conhecer as origens do pensamento brasileiro, tanto o pensamento autoritário quanto o progressista. Nós precisamos nos conhecer, do mesmo jeito que a gente tem curiosidade de conhecer a nossa família, os nossos antepassados. Eu fui visitar a casa do meu avô, que era padre ortodoxo no Líbano, e a igreja onde ele rezava missa. Queria saber o que é que ele pensava, qual era a doutrina que ele abraçava. Eu não o conheci, então conversei com meus tios, com os amigos. Do mesmo jeito que você quer conhecer os seus antepassados, a sua família, a sua origem, mais ainda você tem que saber do seu país. O branco olha para o negro com estranhamento, sem saber da origem da escravidão. Quantos e quantos milhões de africanos vieram dar aqui nas costas brasileiras? Não porque eles pediram. Não queriam deixar as suas comunidades na África. Vieram de Angola, de Moçambique, da Guiné, de tudo que é canto. E para fazer o quê? Como é que eles foram recebidos, tratados? Quando a começamos a educar essa gente? Eu garanto para você que as pessoas ficariam perplexas se soubessem quando foi que nós começamos a educar o nosso povo. Foi ontem. Nos anos 1950 o negro não pisava na escola pública, menos ainda na escola particular, porque ele não tinha dinheiro. Não tinha negro na escola. Não é apenas na universidade que não tinha. Na escola não tinha negro! Então nós estamos falando de um país que começou a educar a sua gente ontem. Se a gente não mergulhar um pouco na nossa história, nós vamos continuar com os nossos preconceitos.

O Brasil já viveu situações muito mais dramáticas do que esta que está vivendo agora. Posso garantir que a gente já viveu um inferno nesta terra e o superou. Bolsonaro é só mais um inferno. Nós vamos passar por este inferno também, e, se tivermos juízo, vamos sair fortes, porque conseguiremos aproveitar algo. Eu estudei um pouco de Idade Média recentemente e fiquei muito admirado em saber como a Europa Oriental e a Europa Ocidental reagiram ao mesmo fenômeno da peste negra. Como no canto ocidental da Europa acabou a servidão, floresceram oportunidades, uma nova sociedade se constituiu, as cidades e o comércio vicejaram. E, como o outro canto não teve o mesmo destino, houve mais servidão, mais opressão, mais autoritarismo. É o mesmo fenômeno, no mesmo continente, que deu margem a duas soluções: uma mais libertária, a outra em que predominaram a opressão e o retrocesso. Então é a gente que decide o que vai fazer com o limão. Se vamos deixar azedar ainda mais ou se vamos fazer uma caipirinha.

Entrevista realizada em 29 de abril de 2020.

Política, imprensa e violência digital

Patrícia Campos Mello

Patrícia Campos Mello é jornalista (ECA-USP), mestre em Business and Economic Reporting pela Universidade de Nova York. Foi correspondente em Washington e hoje é repórter especial e colunista da *Folha de S.Paulo* e *senior fellow* do Centro Brasileiro de Relações Internacionais (Cebri). Foi vencedora do Prêmio Petrobras de Jornalismo, entre outros. Idealizou o projeto Um Mundo de Muros. Publicou os livros *Lua de mel em Kobane* e *A máquina do ódio*. Fez uma série de matérias sobre disparos em massa no WhatsApp e outras estratégias de desinformação no Brasil, que levaram a quatro investigações eleitorais e a mudanças das regras do Tribunal Superior Eleitoral.

Guilherme Wisnik Patrícia, você está lançando o livro *A máquina do ódio,* pela Companhia das Letras.[1] É um livro importantíssimo, não só pela pesquisa sobre o tema da desinformação e do impacto das mídias digitais sobre as democracias, mas também por essa história toda ter atravessado a sua história pessoal, já que você acabou se tornando vítima do mesmo ódio que descreve no livro. Então, para começo de conversa, queria te pedir para contar um pouco de onde vem o livro. Ele parte de uma pesquisa que você já vinha fazendo antes, eu suponho, não é? E aí, de repente, a história recente do Brasil vem e atravessa (ou atropela) esse caminho. É isso mesmo?

Patrícia Campos Mello Pois é, a história do livro começou há alguns anos. Eu cobri várias eleições, principalmente nos Estados Unidos e na Índia, onde políticos, normalmente populistas, vinham usando cada vez mais esse tipo de ferramenta, como as redes sociais, para manipular o debate público. Uma eleição emblemática foi a de 2014, na Índia, vencida pelo partido BJP, que levou ao poder o primeiro-ministro Narendra Modi. Esse cara foi um visionário em relação à eficiência desse tipo de instrumento para manipular a opinião pública, para se comunicar diretamente com os apoiadores. Depois eu cobri a eleição do Trump, em 2016, nos Estados Unidos, que também foi um momento em que as pessoas se deram conta do poder desse tipo de coisa. Foi aí que isso veio à tona, nessa eleição, no referendo do Brexit e na história da Cambridge Analytica, que fazia toda aquela hipersegmentação de mensagens, colhendo os dados das pessoas através de aplicativos do Facebook, além do próprio Donald Trump, que foi o cara que sequestrou e se apropriou do termo "*fake news*" para se referir às notícias que lhe desagradavam, depois usado também por vários outros líderes populistas, como o Bolsonaro.

1 Patrícia Campos Mello. *A máquina do ódio: notas de uma repórter sobre fake news e violência digital.* São Paulo: Companhia das Letras, 2020.

Ele colocou no radar de todo mundo esse tipo de coisa. No caso dos Estados Unidos, os instrumentos mais usados eram o Facebook e o Twitter, com muitos perfis falsos, muitos perfis russos. Depois, em 2018, houve a eleição no Brasil. Eu, na verdade, não sou uma repórter de política. Essa não é a minha praia, eu sempre cobri mais a pauta internacional: refugiados, conflitos, esse tipo de coisa. Mas, como eu vinha fazendo matérias sobre isso, uma editora pediu para eu dar uma olhada nesse assunto. Eu mergulhei no tema e comecei a fazer várias matérias. A primeira que nós publicamos foi em 18 de outubro de 2018, um pouco antes do segundo turno da eleição, e, desde lá, nós publicamos várias matérias.

A ideia do livro era fazer uma comparação entre esses três governos populistas e investigar como eles estavam usando esses instrumentos para manipular o debate público. O livro tinha muito pouco do lado pessoal, porque o jornalista não gosta muito de falar de si. Para mim, é como arrancar um dente. Então eu não tinha participação nessa história. Mas, em fevereiro deste ano, houve aquele episódio em que uma testemunha mentiu na CPMI (Comissão Parlamentar Mista de Inquérito),[2] dizendo que eu estava oferecendo "matéria a troco de sexo". E o deputado Eduardo Bolsonaro e o presidente Jair Bolsonaro espalharam essa mentira.[3] Isso é uma parte essencial desse manual do populista digital. Por um lado, ele vai manipular a opinião pública ou o debate público pelas redes sociais, cortando o filtro da mídia tradicional. Por outro, para que isso possa funcionar, ele precisa desacreditar e

2 O senhor Hans River do Rio Nascimento, em depoimento prestado em 11 de fevereiro de 2020 à CPMI das *Fake News*.

3 Em janeiro de 2021 o deputado federal Eduardo Bolsonaro foi condenado pela 11ª Vara Cível de São Paulo a indenizar a jornalista Patrícia Campos Mello por ter atingido a sua honra com comentário de cunho sexual. Em março do mesmo ano o pai dele, o presidente Jair Bolsonaro, recebeu a mesma condenação da 19ª Vara Cível de São Paulo.

deslegitimar a mídia profissional, que é quem vai lá checar, investigar. E uma coisa que vem sendo feita frequentemente nesse governo é personalizar os ataques. Um dia fui eu, outro dia foi a Míriam Leitão, a Vera Magalhães... São inúmeras pessoas, a maioria mulheres, que viram alvo. E isso faz parte da estratégia. Para conseguir emplacar a narrativa que se quer, é preciso desacreditar a mídia profissional – não só os jornalistas, mas também os veículos. Tem que falar que a *Folha de S.Paulo* e a Rede Globo são comunistas, o que é, evidentemente, um absurdo.

GW Eu vi notícias de que o Bolsonaro e o governo estão sendo processados agora por misoginia pelo Ministério Público. Quero dizer, as instituições vão funcionando a seu modo, tentando responder. Mas a sua própria história demonstra um pouco a ineficácia desses processos, pois essa tal testemunha que mentiu em depoimento sobre você, até onde eu entendo, trabalhava com uma dessas empresas que faziam disparos falsos em massa, na eleição de 2018. Mas depois de provada toda essa mentira, com toda a pesquisa que você fez vindo à tona, o Tribunal Superior Eleitoral (TSE) não levou adiante a ideia de rever a eleição. São muitos dados comprobatórios, mas que esbarraram na falta de vontade política para se levar a termo todas essas informações.

PCM Na época, definitivamente, havia zero vontade de investigar. Quando saíram as primeiras matérias, lá em 2018, eles não fizeram busca e apreensão, não quebraram sigilo de ninguém dessas agências. E o que elas faziam? Faziam um sistema automatizado de enviar milhares de mensagens em grupos, para telefones aleatórios, e parte disso era *fake news* ou propaganda negativa contra outros candidatos. Na época nós publicamos as matérias. O senhor Hans era fonte da terceira matéria. Chegamos até ele por um jeito supertradicional de jornalista, que é puxar os processos trabalhistas das agências, e ele estava processando uma delas.

Nesse processo trabalhista ele já tinha anexado várias fotos, trocas de mensagens que mostravam os disparos em massa em ação. Por isso é que chegamos até ele. Foram várias matérias, e a investigação sempre andando muito devagar. Até que, em outubro de 2019, o próprio WhatsApp admitiu o fato pela primeira vez. Um executivo do WhatsApp falou: "A plataforma foi usada de forma irregular para disparos em massa, em uma tentativa de influenciar a eleição brasileira". Um pouco depois, o TSE botou nas regras, na regulamentação deles, e proibiu de vez os disparos em massa. Antes, disparo em massa de mensagens não era proibido, a não ser que fosse feito com caixa dois, ou seja, sem declarar, ou com propaganda negativa. Com isso, passou a ser completamente proibido. Além disso, há várias investigações convergindo. No Supremo Tribunal Federal (STF) há duas (eu não estou entrando no mérito das investigações, se elas são corretas ou não): a das *fake news*, que se originou dos ataques contra os ministros do Supremo e passou a investigar o financiamento dessas redes de desinformação; e a dos atos antidemocráticos, investigando também quem financia a promoção desses atos. Há também ações no TSE visando a cassação da chapa Bolsonaro-Mourão que voltaram a andar e uma CPMI que vai voltar à tona agora, que não estava rolando por causa da pandemia. Então pelo menos existe algum tipo de impulso para voltar às investigações. Se isso vai andar ou não vai, eu não sei, porque sabemos que a investigação sempre depende de contexto político, mais do que de qualquer coisa.

GW Chegou aqui uma pergunta que incide na seguinte questão: "Essa violência toda é uma prática comum a esses processos no mundo inteiro ou há uma especificidade brasileira, por ser uma sociedade mais tolerante com a violência?". Eu acrescentaria a isso, ainda, a questão da misoginia: você acha que aqui isso é mais forte do que em outros países ou é um traço global?

PCM A misoginia é um traço muito forte no Brasil e na Índia. Na Índia você também vê esse tipo de ataque, de *troll*, de robô, de gente contratada ou simplesmente militante, pela internet, fazendo esses ataques, que são muito mais agressivos contra as mulheres. Nunca é um ataque do tipo: "Sua matéria é uma porcaria, sua matéria está errada". Isso é do jogo, e é bom que haja esse tipo de crítica, afinal nós erramos e precisamos corrigir. Mas nunca é isso. Em geral é: "Você é gorda", "Você é velha", "Você é feia", "O seu marido não sei o quê", "O seu filho não sei o que lá". Ou o cara oferece sexo. A Índia e o Brasil são os lugares onde isso mais acontece. Na Índia é até um pouco mais agressivo. Eu tenho uma amiga que recebeu, durante meses, fotos de pelos pubianos - esse é o nível de baixaria. Fizeram um filme pornô *deep fake* com uma outra jornalista. Mas lá, diferentemente daqui, não tem o primeiro-ministro, o líder máximo da nação, endossando e impulsionando esse tipo de ataque misógino. Aqui, a alta cúpula, os filhos do presidente, o presidente e os ministros põem fogo nessa história. E nos Estados Unidos eu acho que é um tom abaixo. Sim, tem também o presidente que gosta muito de ofender e hostilizar a mídia, é supercomum. Só que não chega nesse nível de agressividade. Talvez porque lá o pessoal é muito mais acostumado a processar, e o sistema de justiça anda mais rápido.

GW Nós assistimos a esse aparelhamento do Estado para funcionar a favor da desinformação, da difamação, da intimidação. O tal do "gabinete do ódio" é sustentado com dinheiro público. E você diz que não é apenas um gabinete do ódio, mas uma máquina do ódio, e que é, portanto, um sistema, uma engrenagem muito maior. Pode explicar essa diferença?

PCM Há uma tendência a achar que há um *bunker* supercentralizado e uma pessoa lá, um Steve Bannon da vida, que está controlando. Ou o Carlos Bolsonaro. E, na verdade, nas redes - essa que é a beleza e o perigo das redes -, tudo é muito mais descentralizado, e você se aproveita muito desse tipo de movimento.

Houve matérias no ano passado que revelaram a existência do que ficou chamado de "gabinete do ódio", que basicamente é um gabinete cujos funcionários são pessoas que eram influenciadores bolsonaristas. Um deles tinha aquele perfil "Bolsonaro Opressor". Eram pessoas normais que apoiavam o Bolsonaro e tinham seus perfis nas redes sociais que faziam sucesso. Eles passaram a trabalhar com o vereador Carlos Bolsonaro e, de lá, foram para o Palácio do Planalto, onde eles fazem a estratégia digital, que é a análise das redes. Eles falam assim: "Olha, tem esse assunto aqui que achamos negativo, e nós temos que desviar" ou "Tem essa pessoa aqui que está criticando, temos que detonar", coisas assim. Esse é um pedaço, uma engrenagem da máquina. Nesse lugar, nesse gabinete, há mensagens ali. Eles também fazem curadoria de mensagens, coisa que não foram eles que criaram, mas que apoiadores legítimos criaram. Isso se liga a todos os perfis nas redes sociais do presidente, dos filhos do presidente, de legisladores bolsonaristas que têm muitos seguidores e bombam essas mensagens. Aí tem todos os blogs de direita, todos os influenciadores de direita, as pessoas contratadas, agências de marketing subindo *hashtag*, mandando mensagem, fazendo meme. Tem robô e tem gente de carne e osso. Porque o grande negócio disso é você dar a impressão de que um determinado assunto tomou conta do debate público. Por exemplo, no linchamento virtual contra o Felipe Neto, duas semanas atrás, havia todo tipo de *hashtag* contra ele, além de todas as mensagens falsas fazendo parecer que ele era pedófilo. Isso tem um pedaço orgânico, mas tem também um pedaço orquestrado, cujo objetivo é este: convencer uma parcela da população, ou dos seus apoiadores, de que existe esse movimento no debate público, que essa é a opinião pública.

GW Então a máquina do ódio à qual você se refere é essa orquestração que junta pessoas da sociedade civil com robôs e com o governo, e tudo isso vai se multiplicando e criando camadas de soterramento na reputação dos outros?

PCM Sim. Do mesmo jeito que hoje em dia há algumas ditaduras mais sutis, que vão corroendo as instituições democráticas por dentro, em governos eleitos, a censura também não é mais como antigamente. Você tinha aquele cara do regime militar dentro da redação do jornal dizendo: "Isso aqui não vai sair". E aí o jornal publicava poema de Camões, receita de bolo. Hoje em dia, você não precisa calar uma voz, basta simplesmente inundar todas as redes com a mensagem que você quer emplacar. Então toda essa engrenagem fica bombando uma mensagem do tipo: "Compre hidroxicloroquina porque hidroxicloroquina salva". E de outro lado você tem a imprensa profissional, os checadores de fato, com um alcance mais limitado. É uma competição bem desigual.

GW É um soterramento mesmo. Em vez de silenciar, de calar, você abafa.

PCM Exato.

GW Qual a sua opinião sobre a exclusão desses perfis bolsonaristas no Facebook e no Twitter, pelo Alexandre de Moraes? É um tema polêmico, não?

PCM É polêmico, e acho que há duas coisas: há os perfis que foram excluídos pelo próprio Facebook, que, como o Twitter e o Instagram, vem sendo pressionado cada vez mais, principalmente agora com a pandemia de Covid-19, a fazer alguma coisa. Essas empresas relutam muito em moderar conteúdo, em dizer: "Isso aqui é mentira, isso aqui é verdade, então eu vou tirar". Então elas acharam um jeito esperto de fazer isso sem dizer que estão agindo como publicadores, como editores, decidindo o que é falso e o que é verdadeiro. Elas têm regras de uso e utilizam isso para derrubar contas ou botar avisos. Colocaram aviso, por exemplo, no tuíte do Trump que falava sobre fraude eleitoral, porque seria uma violação das regras que protegem a integridade das eleições. No tuíte do Bolsonaro sobre a hidroxicloroquina, foi porque é uma ameaça à saúde pública. Foi esse tipo de coisa que eles usaram para

derrubar perfis ligados ao Tercio Arnaud, que é conhecido como líder do gabinete do ódio, e outras contas ligadas ao Flávio Bolsonaro e a assessores de deputados bolsonaristas. O Facebook fez isso dizendo que essas contas eram inautênticas, ou seja, fingiam ser o que não eram para manipular o debate público. E derrubou as contas. Isso é do jogo, se os caras estão fazendo um negócio que vai contra as regras de uso. Mas no caso do STF, de coibir ou mandar derrubar uma conta antes de ela falar alguma coisa, é censura prévia. Eu acho que é muito contraproducente. O caminho que o STF estava tomando era quebrar o sigilo dos empresários e ver quem está pagando por isso. Ou ver se há gabinete de deputado, em investigação, usando cota parlamentar para pagar isso. Isso é um ótimo caminho: usar as armas do sistema judiciário para chegar em quem está pagando isso. Mas simplesmente impor uma censura é uma coisa que alimenta o discurso da extrema direita, que abraçou a bandeira da "liberdade de expressão". Eles aparecem como vítimas, perseguidos, dizendo que "os conservadores não têm liberdade de expressão". Eu acho isso absolutamente contraproducente.

GW Sobre esse modo de atuar por soterramento, como estávamos descrevendo, com esses ataques, com essa forma de inundar o espaço com uma opinião única, você conhece ou tem notícia de algum lugar no mundo onde isso chegou a ser feito por algum regime mais de esquerda, mais progressista? Ou é, até agora, única e exclusivamente um método de conservadores de direita?

PCM Essa é uma pergunta que eu sempre faço quando estou entrevistando especialistas ou lendo. Temos que lembrar que os pioneiros nesse tipo de técnica foram os russos. Isso vem da propaganda russa. Essa técnica se chama *firehosing*, que consiste em inundar todos os canais com a mensagem falsa. Eles usaram muito na anexação de parte da Ucrânia em 2014, e lá eles usam também o tal do *kompromat*, que consiste em pegar uma coisa comprometedora e espalhar. *Fake news*, isso tudo veio dos russos. Dito isso, temos visto que isso é usado, principalmente, por regimes populistas de direita: o Rodrigo Duterte, nas Filipinas, o Orbán (que é menos digital do que os outros, mas tem essa coisa com a imprensa), o Trump, o Bolsonaro. Mas, se a gente lembrar, parte disso era uma estratégia também na Venezuela. Tenho uma amiga venezuelana que é jornalista e está aqui há muitos anos. Outro dia estávamos conversando sobre como isso é muito parecido com o que o Hugo Chávez fazia. Você inflama sua base de militantes – os chamados "colectivos" – e incita essas pessoas a atacarem a imprensa. E você próprio ataca a imprensa que você manipula. Talvez eles não usassem as redes sociais de forma tão hábil naquela época, mas hoje, por exemplo, no governo Nicolás Maduro, tem um monte de robôs e *trolls*, russos e turcos, que agem nesse tipo de manipulação de discurso. Então eu diria que é mais comum em regime de direita, mas a esquerda também usa.

GW Opera como se fosse uma espécie de lavagem cerebral, contando com a desinformação. Um comportamento de rebanho.

PCM Total.

GW E, do ponto de vista dos afetos, a internet e as redes sociais puxam muito mais para os comportamentos de ódio do que o contrário.

PCM Isso se aproveita de uma característica humana: a gente se envolve mais com notícias e informações que geram revolta, ódio, indignação. Então naturalmente esse tipo de informação gera mais engajamento na internet. Você vê uma notícia muito absurda ou muito emocionante de algum dos lados: é isso que vai viralizar. Em consequência, se você tem mais engajamento, mais *likes*, mais compartilhamentos, essas coisas ganham mais destaque no algoritmo das redes sociais. Por isso que é sempre uma luta desigual, porque dizem por aí: "Olha, esse negócio desse vídeo aí dos caixões cheios de pedras sendo enterrados, fingindo que é vítima de Covid, é mentira". As agências de checagem fazem a checagem, os jornais escrevem que é mentira. Só que é chato, não é? É tão neutro: "Olha, isso aqui é mentira". Enquanto falar assim: "Nossa, que absurdo, estão enterrando caixão vazio cheio de pedra" viraliza.

GW Quando a internet se difundiu, lá pelos anos 1990, e depois também, no início dos anos 2000, ela estava associada à ideia de uma nova plataforma que iria funcionar a favor da horizontalidade, da democratização da informação, porque ela é muito menos controlada. Havia um componente anárquico que, do ponto de vista político, ganhava uma coloração esquerdista, porque parecia romper os monopólios, os bloqueios. E hoje nós vemos esse hackeamento da política mundial por meio desses instrumentos. Como é que você, como jornalista, vê isso? No jornalismo existe uma oposição entre uma investigação séria, comprometida com a opinião, com checagem, e todo esse terreno sem regras. Por outro lado, é muito chato demonizar a internet. Como é que você se situa no campo dessa discussão mais ampla?

PCM Justamente, acho que não podemos demonizar a internet. Ela democratizou o acesso e a produção de informação. Isso, em tese, é muito bom e saudável, inclusive para o jornalismo, para ele sair dessa posição de arrogância, de achar que é o especialista, o único produtor. Nós começamos a ficar muito mais espertos. Além disso, circula melhor a notícia. Acontece que, na internet que nós temos hoje, a democratização e a falta de regras são uma ilusão. Por um lado, existem as grandes plataformas que controlam isso, que desenham o algoritmo em última instância, ficando cada vez mais poderosas. E você tem as pessoas que estão ali fazendo gambiarra no sistema: o pessoal que usa *bot*, que usa não sei o que para impulsionar tua mensagem, *fake news*. Esses usos espúrios da internet meio que sabotaram toda essa coisa anárquica, de democracia da informação, que é maravilhosa. Por isso que a discussão sobre algum tipo de regulamentação é muito necessária. Mas precisamos ter cuidado para não resultar numa regulamentação que vai criminalizar a tia do zap e o jornalista, o cidadão normal. E simplesmente não haver nenhuma regulação, porque qualquer coisa seria uma violação do direito à privacidade, também não é a solução. De um lado, há uma aliança bizarra, que são bolsonaristas, plataformas e parte da sociedade civil. E, do outro lado, legisladores que querem fazer uma lei como no Vietnã e em Singapura, que vai criminalizar a tia do zap.

GW A tia do zap?

PCM É verdade. É uma coisa errada punitivista, mas, ao mesmo tempo, isso não é justificativa para não se ter regulamentação nenhuma. Porque hoje em dia é assim: pode ter um cara sentado pagando um exército, uma fábrica de *troll*, disseminando notícia falsa, e não acontece nada.

GW Chegou aqui a seguinte pergunta: "Como acabar com isso ou melhorar essa situação?". Uma pergunta angustiada, que exprime o sentimento, acho, de muita gente. Você começou a responder agora dizendo que seria por meio da legislação. Mas explique melhor. Qual legislação? Em relação ao WhatsApp, por exemplo. Porque acho que há uma diferença importante. O Facebook e o Instagram são redes sociais, mas o WhatsApp é apenas uma ferramenta para mandar coisas de um lado para o outro. Como é que pode funcionar essa legislação?

PCM Supostamente o WhatsApp é uma ferramenta de mensagens. Mas, se você pensar em como ele é usado hoje, é uma rede social em que você faz listas de transmissão. Eles estão limitando isso, mas você tem grupos, e pode ficar distribuindo e bombardeando mensagem para 256 integrantes. É diferente, porque o WhatsApp é criptografado, a gente não sabe o que tem dentro, e isso é bom. Nós queremos uma coisa que preserve a nossa privacidade. Se você é um ativista, você não quer que um governo autoritário consiga ver as mensagens que está trocando. Por outro lado, é o paraíso da desinformação, porque você pode estar empreendendo mil campanhas de desinformação com robô, com disparo em massa, e isso é muito difícil de rastrear.

O mundo inteiro está tentando resolver essa situação. Ninguém, por exemplo, conseguiu chegar a uma regulação razoável, que não viole a privacidade nem possa ser usada por governos autoritários para criminalizar, por exemplo, o jornalismo. Mas, por outro lado, algum tipo de regulamentação tem que haver, porque hoje em dia você tem zero responsabilização das plataformas e de gente que patrocina esse tipo de campanha. Ao mesmo tempo, há movimentos de boicote dos anunciantes ao Facebook, para que o Facebook faça mais para coibir linguagem de ódio. Esse é um movimento interessante, com a sociedade pressionando os anunciantes para que boicotem as plataformas. Isso pega no bolso. Então acho que deve ser uma união de coisas. A história da educação midiática também é importante, embora eu tenha algumas ressalvas sobre qual a eficácia disso. Mas é um conjunto de fatores, não existe uma única coisa. Não é uma lei nem um boicote que vão resolver. Eu acho que tem que combinar um monte de coisas.

GW A quantidade de pessoas envolvidas nos disparos de mensagens por WhatsApp já foi reduzida?

PCM Eu acho que sim, porque teve regulamentação do TSE que passou a proibir isso. Também porque o WhatsApp começou a ir atrás. Ele processou, em abril, uma das agências que nós denunciamos, mandou notificação. Mas acontece que você tapa um buraco e o negócio sai pelo outro. Pode ser que daqui para a frente vá ter menos disparos em massa, mas tem outras coisas que eles estão fazendo. Uma das coisas que fizeram na Índia e agora nos Estados Unidos, e certamente vai chegar no Brasil, é a história de você ter o seu aplicativo.

Você, político, tem o seu aplicativo. Na Índia era o aplicativo do Narendra Modi. Eles faziam um tipo de Bolsa Família para aumentar a inclusão digital em alguns estados e distribuíam um celular supersubsidiado com o aplicativo pré-instalado. E nesse aplicativo você dá uma daquelas autorizações que nem lembramos que estamos dando, e assim eles sugam vários dados, que usam para fazer segmentação de mensagens, do tipo: "Essa fulana aqui é da religião xis, mora não sei onde, tem renda tal". E também para mandar notícias que interessam. Neste ano, tanto o Biden quanto o Trump têm seus próprios aplicativos. E o do Trump suga uma quantidade bizarra de dados, inclusive geolocalização. É possível saber onde a pessoa circula, dependendo do tipo de aplicativo que ela usa. Você compra de terceiros os dados de geolocalização. Então é possível usar isso para segmentar o tipo de mensagem que você manda. E isso vai chegar no Brasil. E não tem nenhuma plataforma no meio, é direto: o aplicativo e o usuário. Então acho que vai haver menos disparos em massa, mas vai haver outras coisas. Acho que nunca mais teremos uma campanha eleitoral que não vai usar os dados das pessoas, que não vai tentar manipular o debate público.

GW O que foi feito contra as empresas e pessoas físicas que financiaram aqueles disparos em massa na eleição de 2018, que vocês denunciaram, além da revelação dos nomes dos envolvidos?

PCM O WhatsApp processou uma delas, mas não houve nenhuma punição na Justiça, nada disso.

GW Com os direitos políticos do Lula cassados, nós não vemos líderes de esquerda no Brasil que possam de fato disputar a próxima eleição presidencial. E não é só aqui. Em boa parte do mundo há um deslocamento político muito para a direita. Mas, recentemente, apareceram alguns movimentos de contestação mais fortes, como os movimentos negros nos Estados Unidos. Eventualmente surge uma insurreição feminina aqui no Brasil, ou dos grupos que, embora minoritários, defendem questões de gênero. Em suma, como você pensa que pode se organizar uma forma de reação a esse cenário?

PCM Nos Estados Unidos e na Europa, o campo progressista está se galvanizando em torno de algumas questões, abraçando a causa ambiental e a luta contra o racismo e a violência policial. Eu acho que os políticos progressistas abraçaram essas causas e estão usando isso como forma de se contrapor aos líderes populistas. No Brasil, eu não vejo nenhum líder progressista. Eu vejo a sociedade civil, mas não vejo nenhum político do campo progressista abraçando nenhuma dessas causas de forma consistente. Há lideranças menos visíveis, mas não alguém que pudesse representar uma oposição ao governo atual. Não há uma oposição ali muito visível, que abrace alguma dessas causas que poderiam unir o país, eu imagino. Não adianta querer fazer uma eleição, ou um movimento, que seja apenas contra alguma coisa. É também o caso do Trump. Vai fazer algo só contra o Trump? Sim, é uma coisa que mobiliza, mas tem que haver outra coisa que una, não apenas um rechaço ao político.

GW Diminuiu muito o lugar da Marina Silva. Ela poderia estar justamente nesse papel que você mencionou agora.

PCM Ela teve 1% dos votos.

GW Exatamente.

PCM Uma coisa inacreditável, ela derreteu desde 2014. É verdade que houve uma campanha pesada em 2014 contra a Marina, uma campanha bem desleal, vamos dizer, por parte do PT. E, em 2018, houve também uma campanha pesada, que veio do campo conservador, de *fake news* contra ela, na tentativa de dizer que ela era abortista, para perder apoio entre o eleitorado evangélico.

GW É terrível, porque ela tem atributos que juntam esses dois lados que você mencionou agora: a questão ambiental e a questão antirracista, além de ser mulher.

PCM Sim.

GW Diante desse vácuo político, cresce a importância da imprensa. O trabalho que você faz é um trabalho importantíssimo de resistência no meio dessa barbárie que virou a disputa política. A imprensa sempre foi importante, mas hoje vejo que é mais ainda.

PCM Que bom! Eu acho que houve uma revalorização do papel da imprensa, que tem a ver com essas coisas como a ascensão de governos populistas que jogam muito com a mentira. As pessoas anseiam por informações imparciais em meio a tanta *fake news* e desinformação. Também, durante a crise da Covid-19, houve uma valorização da ciência e do jornalismo, porque as pessoas ficam muito perdidas nesse mar de desinformação. Espero que a gente aproveite este momento para corrigir os erros, e que as pessoas continuem revalorizando o trabalho do jornalismo profissional. Porque, por parte do governo, tem ataque econômico, pressão para o anunciante privado parar de anunciar em veículos de mídia crítica. É um negócio que vem de todos os lados, até em medida provisória. Não é só o linchamento virtual, é um negócio mais orquestrado.

GW Quem diria que nós iríamos precisar defender a imprensa e a ciência?

PCM Não é?

GW Pareciam coisas já bem estabelecidas. A ciência já vinha sendo muito atacada nos últimos tempos, mas numa linha muito mais fina, pelas críticas que vinham do campo estético-ideológico. Segundo elas, o cientificismo iluminista leva a uma certa crença moderna no progresso, que pode muito bem ser criticada. Mas isso estava muito longe do que acontece agora, quando temos que defender a ciência tal e qual, contra o obscurantismo. Não há espaço para nuances. Já o caso da imprensa é mais polêmico, digamos assim. Eu não sou jornalista, mas fui colunista da *Folha de S.Paulo* por alguns anos e convivo nesse meio, onde essa crítica se faz. Hoje em dia, a *Folha* e a Globo são tidas por alguns como veículos de esquerda, coisa que não acontecia algum tempo atrás. No processo todo de averiguar e de defender opiniões e a liberdade de imprensa, há muitas outras forças que estão em jogo. Mas isso tudo agora é filigrana diante desta situação tão polarizada.

PCM Concordo com você. Me lembro inclusive da época do impeachment da Dilma. Eu ia cobrir a manifestação dos caras que eram a favor do impeachment, me identificava como repórter, e me diziam que eu era da "Foice de São Paulo", comunista. E, no outro lado, na manifestação contra, diziam: "Mídia golpista". Eu dizia: "Gente, vocês vão ter que decidir, eu estou ficando esquizo, não entendo mais nada". Acho que é do jogo. Esse governo fala: "A *Folha* é petista", mas a *Folha* fez a matéria do mensalão, foi a Renata Lo Prete. Há uma incompreensão básica. Isso é uma coisa. Já o editorial do jornal é outra coisa, aquilo é opinião, dos donos do jornal. A reportagem é separada, é outra coisa. Há erros também, não estou dizendo que não. Há formas de cobertura pouco críticas. Nós sabemos que parte da imprensa cobriu a Lava Jato de forma pouco crítica. Acho que não foi toda, mas parte. Isso é um erro que nós cometemos e reconhecemos (eu não cobri pessoalmente a Lava Jato, mas eu me incluo aqui no erro).

Acho que é exatamente isso que você falou, é um momento de civilização versus barbárie. A pergunta é: vocês querem ficar só com blog partidário de esquerda ou de direita, ou vocês querem ter uma mídia que, pelo menos, se proponha a tentar ser equilibrada? Ainda que com falhas, pelo menos tem esse pressuposto. Por isso que eu acho que é uma coisa cívica, e teve esse movimento cívico de assinar jornais, de assistir à TV. Porque não adianta querer concordar 100% do tempo com o seu jornal, isso não vai acontecer. Sempre vai ter coisas que não agradam.

GW Como você vê a CPMI das *Fake News*? Eu sei que a própria CPMI parte, em grande medida, dos depoimentos que você deu nesse caso das mentiras. Mas vejo também muita gente da esquerda criticando os termos pelos quais essa CPMI foi criada. Claro que atacar as *fake news* é fundamental, mas esse é um instrumento correto? Está sendo bem feito, ou não?

PCM Primeiro temos que definir o que é *fake news. Fake news* para quem, cara-pálida? Esse é um problema. *Fake news* para o Trump é a CNN, *fake news* para o Bolsonaro são a Globo e a *Folha*. Então é um perigo muito grande você definir *fake news*, e temos que tomar muito cuidado, seja no projeto de lei, seja na CPMI. Tem que haver discussão intensa. Como é que você vai definir desinformação? São notícias deliberadamente falsas para manipular o debate público? Como é que a gente vai caracterizar isso?

Tendo dito isso, eu acho que a CPMI acerta quando vai atrás da fonte de financiamento, quando vai investigar agências de marketing que fazem isso. Ela vai ver se tem deputado, se tem vereador usando dinheiro público para fazer isso, botando o assessor para fazer isso, atacando opositor e mandando mensagem. Mas as pessoas não podem confundir desinformação com ofensa pessoal. Nesse caso você vai lá e processa por danos morais, essa lei já existe. Isso de agora é outra coisa, uma rede de desinformação, uma estrutura profissionalizada. Ir atrás disso e tentar desestruturar esses esquemas, que são muito profissionais, é um objetivo legítimo. Mas não se pode instrumentalizar o termo "*fake news*" e as investigações sobre elas para coisas que são notícias que não me agradam ou coisas que me ofendem. Se te ofendem, se é calúnia, difamação, vai lá e processa.

GW E essa Comissão Parlamentar de Inquérito está indo nessa direção, de instrumentalizar? Quero dizer, qual é a definição de *fake news* que está pressuposta ali?

PCM Em primeiro lugar há uma briga de poder dentro da CPMI. Em algum momento houve uma maioria no campo da oposição que conseguiu aprovar requerimentos para quebrar sigilo, para realmente investigar. Mas tem um pedaço bolsonarista, que já entrou no STF várias vezes para acabar com a CPMI, que quer usá-la para dizer que *fake news* é a mídia tradicional. Eles querem chamar e expor pessoas e integrantes da mídia dizendo que elas são *fake news*. Então tem uma briga de conceito e de poder dentro da própria CPMI. Hoje em dia tudo depende do Centrão, para ver para qual lado vai essa CPMI. Isto é, se vai virar uma coisa de expor e ridicularizar a imprensa profissional ou se vai conseguir quebrar sigilo e continuar investigando esses esquemas de financiamento profissional de distribuição de desinformação.

GW Como é uma comissão parlamentar, isso está totalmente exposto aos jogos do Congresso, que está, ali, indo para um lado e para o outro.

PCM Exato. É bem instável. Como também a investigação das *fake news* do Supremo, que existe porque são ataques contra os ministros de lá. Os limites são muito tênues entre o que é desinformação e tentativa de manipulação de debate público e o que é a notícia que te desagrada ou a pessoa que te ofende.

GW Quais são suas grandes referências no jornalismo combativo? Qual o papel do Julian Assange, do Edward Snowden (mesmo não sendo jornalista), do Glenn Greenwald, desses, digamos assim, anarcojornalistas?

PCM Entre os jornalistas combativos, eu citaria a Maria Ressa, uma filipina que tem um veículo que se chama *Rappler*. Ela atua em duas linhas de investigações: uma é essa guerra do Duterte contra as drogas, que resultou na morte e no assassinato de milhares de pessoas que eram simplesmente usuárias. Outra é o esquema de *fake news*, de desinformação pelo Facebook. Ela já foi presa por isso. E ela não verga. É uma pessoa supercentrada. Porque a gente corre o risco de virar ativista, e acho que tem que ter alguma diferença. Tudo bem ser um ativista por questões de direitos humanos. Esse tipo de ativismo está certo, nós não conseguimos nos eximir desse tipo de defesa, dada a essência humana. Mas se tornar oposição sistemática ao governo da vez não é a função do jornalista. Você até acaba sendo oposição na medida em que revela coisas que desagradam ao governo. Mas acho que temos que ter um cuidado. Isso é uma opinião pessoal. Tem gente que acha que tudo bem fazer ali um ativismo partidário, alguma oposição aberta a um governo. Eu, como repórter, posso até fazer essa oposição por meio de investigação, e eu acho que a Maria Ressa é um exemplo bom disso. Ela é uma repórter investigativa, que também sofreu muito ataque misógino. Eu citaria ela.

Entrevista realizada em 12 de agosto de 2020.

A importância do Estado em tempos difíceis

Laura Carvalho

Laura Carvalho é professora do Departamento de Economia da Universidade de São Paulo (FEA-USP), pesquisadora líder do Centro de Pesquisa em Macroeconomia das Desigualdades (Made/USP) e *senior fellow* do Schwartz Center of Economic Policy Analysis (Scepa). Tem doutorado em economia pela New School for Social Research e graduação e mestrado em economia pela Universidade Federal do Rio de Janeiro (UFRJ). Publicou os livros *Valsa brasileira: do boom ao caos econômico* (2018) e *Curto-circuito: o vírus e a volta do Estado* (2020).

Guilherme Wisnik Laura, no seu livro mais recente, *Curto-circuito: o vírus e a volta do Estado*,[1] você faz uma defesa do Estado no contexto de um mundo como o nosso, que cada vez mais celebra a desregulamentação econômica, o neoliberalismo e as privatizações. Ao mesmo tempo, parece que o vírus e a pandemia mostram uma possibilidade de trazer à tona a necessidade do papel civilizatório do Estado. Afinal, o SUS e tantos outros serviços são importantíssimos diante de uma situação emergencial como esta. Mas acontece que, com o auxílio emergencial, o governo Bolsonaro tem se aproveitado disso, sequestrando esse papel assistencialista e populista do Estado como provedor. Como você está vendo isso? Como você vê os seus argumentos no livro à luz desta situação?

Laura Carvalho O livro veio a partir de uma demanda, de um convite da editora Todavia, que fez uma série de ensaios sobre a pandemia, em várias áreas. A pandemia começou em março, o livro foi publicado em junho, e agora estamos em outubro. Estamos falando de um processo de escrita que se deu no meio desse turbilhão de acontecimentos. Até por isso, minha opção não foi tentar fazer um diagnóstico definitivo da crise, tampouco daquilo que ocorreria. O que eu acabei fazendo foi pegar elementos concretos que a pandemia trazia, já naquele momento, para introduzir conceitos de economia e falar do papel do Estado, pensando no passado e em como poderíamos repensar agora esses papéis. As lacunas e as coisas boas nossas, os instrumentos que nós tínhamos criado ou que estávamos destruindo, tudo isso foi mostrado de forma muito clara. A pandemia poderia – a partir desses exemplos concretos, trazendo uma valorização da sociedade, por exemplo, do SUS, da proteção social – oferecer uma oportunidade

1 Laura Carvalho. *Curto-circuito: o vírus e a volta do Estado*. São Paulo: Todavia, 2020.

para a sociedade brasileira, de alguma maneira, voltar a ter um projeto de Estado, depois de um longo período. De 2015 para cá, a agenda econômica do país foi exclusivamente centrada no corte de gastos públicos e na redução do tamanho do Estado, de várias formas.

Aliás, quando eu falo em curto-circuito no título do livro, estou falando tanto do curto-circuito que a pandemia gerou na economia quanto do curto-circuito no bolsonarismo, porque era um governo que tinha aquele discurso da equipe econômica, ultrarradical, de Estado mínimo, inclusive muito descolado do que o mundo pensa sobre essas coisas, pelo menos desde 2018.

O governo Bolsonaro se depara então com uma situação em que é evidente que a realidade se impôs e que não havia como lidar com as forças do mercado. Como é que essas forças lidam com uma situação como uma pandemia, em que você precisa de saúde pública, de proteção social, precisa garantir uma série de recursos para diversas áreas? Então, há uma ruptura na trajetória anterior de política econômica. É evidente que parte disso é responsabilidade do Congresso Nacional, que acaba atuando como representante da sociedade civil, a qual demanda, por exemplo, o auxílio emergencial. Essas demandas acabam ecoando no Congresso e conseguindo aprovar um benefício muito substancial. As pessoas disseram que o governo propôs duzentos reais e foram aprovados seiscentos, mas é mais do que isso: o governo propunha duzentos reais para um universo muito menor de beneficiários. O custo que o governo previa para o programa era um décimo do custo de três meses do auxílio emergencial atual, sem contar as prorrogações. O negócio realmente foi muito substancial. Quando olhamos para o mundo, vemos que o Brasil foi um dos países que mais gastaram na pandemia, o que não deixa de ser algo muito paradoxal nesse governo, que pretendia ser aquele que pagaria a dívida pública vendendo empresa.

Esse discurso desmorona, eu digo isso no livro. Mas o fato de esse discurso desmoronar não significa uma mudança de rumo, de médio e longo prazo. Isso ainda está em disputa, e ficou claro que é um paradoxo. No fim do livro eu digo que esse auxílio emergencial pode conferir uma popularidade maior ao governo. A possibilidade de que houvesse uma mudança, ao menos no discurso, a partir dos benefícios que o auxílio teria, já estava um pouco desenhada. Me parece que essa agenda econômica impopular do Paulo Guedes é um calcanhar de Aquiles do bolsonarismo, e algumas alas do governo começam a perceber isso, na medida em que o auxílio tem um impacto enorme na economia, na desigualdade, na pobreza e no capital político. Essas coisas estão em disputa. Por outro lado, o governo não quer abrir mão do teto de gastos, do seu compromisso com as elites financeiras e com aquilo que era a sua base, seu núcleo duro, antes de a pandemia chegar. Era um governo muito mais apoiado no topo da distribuição de renda do que na base, e essa troca não é uma coisa que você consegue fazer de uma hora para outra. Tampouco sei o que seria melhor, uma vez que um governo com projeto autoritário e com apelo popular também traz riscos à democracia. Então, estamos nesse momento em que, de um lado, queremos defender essa mudança, precisamos disso, a população precisa de mais atuação, de proteção social e da prorrogação desses benefícios, e, de outro, está claro que o governo está tentando, de algum jeito, adaptar o Bolsa Família para alguma coisa que, mesmo não sendo tão generosa assim, seja uma forma de conquistar capital político.

GW Você radiografa muito bem esse paradoxo que existe na base da campanha bolsonarista, que tem, por um lado, esse Estado mínimo neoliberal que agrada à Faria Lima e, por outro, um vínculo militar, com o Exército, com uma compreensão desenvolvimentista que remonta aos anos 1970. E essas duas coisas não poderiam conviver. Esse curto-circuito que a pandemia explicitou e acelerou talvez já estivesse ali mesmo nas bases da formação desse estranho pacto que permitiu uma eleição sem o dito Centrão,[2] juntando coisas que antes não tinham sido juntadas.

LC Se observarmos os movimentos recentes de extrema direita ao redor do mundo, como o de Viktor Orbán na Hungria, ou mesmo Donald Trump, ou a campanha pelo Brexit, os discursos econômicos dessas plataformas e de outras plataformas nacionalistas europeias não costumam ser um discurso de Estado mínimo, de *status quo*, baseado nos princípios do neoliberalismo, ou como você quiser chamar. Orbán, por exemplo, vem com um discurso anti-União Europeia, aliado a uma ideia de que ela estava impondo um regime econômico que não o beneficiava, que só beneficiava os mais ricos. Quer dizer, há uma coisa antissistêmica também na política econômica. Com Trump, é um pouco mais ambíguo, mas no trumpismo também há um questionamento à globalização econômica, e essa ideia de guerra comercial não é algo que agrada ao mercado financeiro. O Trump não era o candidato do mercado, o Orbán não era o candidato do mercado, o Brexit não era a proposta que o mercado no Reino Unido apoiava.

Mas o bolsonarismo vem com esse autoritarismo militarista e esse conservadorismo moral, e, no mesmo combo, com esse projeto ultraliberal, fundamentalista, de mercado, apoiado pelas elites financeiras do país. Isso é diferente desses outros movimentos. No Brasil, no meio de uma crise econômica brutal, que ocorria desde 2015, a população escolheu um projeto de continuidade com a política econômica que vinha sendo realizada no governo Michel Temer, ainda que

2 No entanto, não demorou muito para o governo Bolsonaro se aproximar do Centrão, grupo de partidos fisiológicos notório pela cessão de apoio político em troca de cargos e verbas. Essa aliança culminou na eleição dos presidentes da Câmara dos Deputados e do Senado em fevereiro de 2021.

com alguma radicalização. E teve apoio esse projeto de Estado mínimo, com uma agenda impopular, fazendo com que ele, que pode ser classificado como um projeto de populismo de extrema direita, viesse junto com uma agenda econômica que nada tem de populista. Não tem apelo popular, não entrega nada de resultado, não tem discurso para os mais pobres, não tem nada antissistêmico. Não tem nada nem contra os imigrantes (que é uma questão em outros países), nem contra os ricos. Não tem nenhuma dessas opções que estão em voga no mundo. E por quê? É difícil entender. Acho que uma das razões é essa associação que aconteceu entre corrupção e crise econômica. Para as pessoas, no senso comum, a percepção da crise econômica em 2015 e 2016 veio junto com os escândalos da Lava Jato. Isso vinha tão paralelamente que, embora nenhum economista considere que a corrupção é a causa em si da crise econômica (sabemos que há inúmeros fatores externos e internos), para as pessoas ficou a ideia de que roubaram o dinheiro e que, por isso, não havia dinheiro. Ou seja, a crise era causada por essa corrupção, e essa corrupção era o *establishment* político do qual tínhamos que nos livrar. Isso incluía particularmente a esquerda, mas também o próprio Estado: o Estado era corrupto. Então, aqui esse discurso do Estado mínimo teve um apelo que em outros lugares talvez não tenha tido. Os culpados, aqui, não eram os imigrantes, os culpados eram a esquerda, o *establishment* político e o Estado em geral. Daí: "Melhor se livrar dele", "Deixa para o mercado", "Cada um por si". Isso também tem apelo no neopentecostalismo, com esses princípios de prosperidade individual. Enfim, há uma série de explicações para isso. Mas agora a pandemia sacudiu tudo isso, e não está claro para onde se vai. Esse projeto tinha uma contradição, uma fraqueza estrutural: era um projeto populista sem povo. Agora, com o auxílio emergencial, eles tiveram licença para gastar e viram o resultado político disso. Não dá para saber para onde vão.

GW Temos que lembrar que, no Brasil urbano, o Estado tem uma presença muito pequena nas periferias e nas favelas. A percepção que essa população tem do Estado é de alguma coisa distante, porque a proteção que o Estado deveria prover tem se mostrado incapaz de chegar nessas áreas mais precarizadas. Então, o que a população periférica, favelada, percebe como presença do Estado é muito mais a repressão policial do que os benefícios. Nesse sentido, essa política bolsonarista mexe com um sentimento de não identificação, ou de ódio atávico, em relação ao que é o próprio Estado em si.

LC Tem uma combinação entre conservadorismo moral e liberalismo econômico, que às vezes aparece na história. Aqui, tem esse Estado que não aparece para servir à população, que só aparece para reprimir. Essas relações são cada vez mais precárias, é mesmo cada um por si, em vários sentidos. A reforma da Previdência, por exemplo, é algo que se pensava como uma agenda muito impopular (e de fato era), mas não gerou muita resistência, porque a massa de trabalhadores hoje nem terá aposentadoria, nem tem carteira assinada, não contribui para o sistema. É o exemplo de um descolamento, daquilo que nunca teve um apelo popular, mas tampouco tem um rechaço popular. Por outro lado, tem a questão da corrupção e de certo moralismo que se juntam em uma postura anti-Estado.

De um lado, a política econômica muda com o auxílio e gastos públicos, mas, de outro, o discurso de reação à pandemia é um discurso do cada um por si. É algo do tipo: "Nós não podemos fazer nada", "E daí?", "Todo mundo vai morrer um dia", como se dissesse: "Eu, como garantidor, como Estado brasileiro, tenho apenas que garantir a liberdade de cada um ir trabalhar". Os autoritários seriam os governadores, a imprensa, os outros que não querem deixar as pessoas trabalhar. Quer dizer, ele se põe como o paladino das liberdades, do cada um por si, do Estado que não atrapalha.

E, como você falou, a maneira como as populações periféricas enxergam o Estado é uma das chaves para entendermos o porquê de esse discurso, mesmo com 150 mil mortos,[3] não ter gerado uma rejeição maior ao Bolsonaro, não ter levado a uma perda de popularidade dele. Esse discurso diante das mortes se alastrando me parecia uma aposta de alto risco, mas não foi assim que aconteceu. E por quê? A população já está tão imersa nesta situação, são tantos problemas para lidar todo dia, tem que garantir a renda, o sustento… Aí esse discurso de que o Estado só não pode me atrapalhar acaba tendo muito apelo. Porque, de fato, o Estado atrapalha essas pessoas, através da polícia, de várias outras maneiras. E nós não conseguimos fazer um discurso que comunicasse uma ideia diferente.

GW Eu queria te perguntar sobre o teto de gastos. Tem uma frase do Paulo Guedes que você cita e que soa muito interessante para um público ligado à arquitetura. Ele diz, de forma taxativa: "Não queremos furar o teto. Queremos é quebrar o piso da despesa obrigatória e a ferramenta para isso chama-se pacto federativo".[4] Fale um pouco para nós sobre essa oposição entre teto e piso, que é tão espacial.

LC Esse nome, "teto de gastos", deu a sensação para as pessoas de que era uma medida razoável, como colocar um teto. Todo mundo precisa de um teto, não é? É algo que está acima da sua cabeça. Qual seria o problema? Mas não é desse tipo de teto que estamos falando. É um teto construído quando já está todo mundo abaixado. Se for continuar com a analogia, é um teto que, na verdade, já estava na sua cabeça e você não tem espaço para crescer, para se movimentar. E, para piorar tudo, tem esse piso, que são as despesas obrigatórias, em particular com previdência, que vão subindo. Imagine: é um teto que já

3 A entrevista foi realizada em 14 de outubro de 2020.

4 Laura Carvalho. *Op. cit.*, p. 91.

está na sua cabeça e um piso que está subindo. Ou seja, vai sobrando pouco espaço no orçamento para o resto, que são gastos com infraestrutura, com programas sociais, despesas não obrigatórias. Criou-se um mecanismo pelo qual não se sai do lugar: o total de despesas já estava, em 2017, onde fixaram o teto. Tem o conjunto de despesas que cresce, esse piso, que são despesas obrigatórias, e, portanto, o espaço para o resto vai se reduzindo a cada ano. Nenhum país tem uma regra assim. Em outros países esse teto de gastos, o limite para o crescimento das despesas, é um negócio que também cresce, conforme a população, a economia e a arrecadação de impostos vão crescendo. Não é uma coisa completamente descolada da dinâmica da economia, que fica lá parada, comprimindo o espaço. É essa a diferença, e eu acho que isso não fica muito claro. As pessoas acham que isso é uma coisa razoável. Quando o Guedes fala em "quebrar o piso", está querendo manter o teto onde não cabe e acabar com as despesas obrigatórias, que estão subindo, em vez de reajustar o teto, de fazer o teto ser dinâmico, crescendo junto com as pessoas. A reforma da Previdência já foi feita e, ainda assim, essas despesas continuaram subindo, porque é algo relacionado com o envelhecimento da população e com outros fatores. Mas qual piso dá para quebrar? São os pisos para a saúde e para a educação, que têm mínimos garantidos pela Constituição, que têm que ser destinados a essas áreas e não podem ser cortados. São os salários dos servidores públicos, que, em alguns casos, são muito acima do que deveriam ser (sabemos que há desigualdades enormes no serviço público), mas também os salários dos professores, médicos, profissionais da saúde, pessoas que também estão servindo à população. Então, quando se fala em quebrar o piso, é basicamente destruir aquilo que escolhemos fazer em 1988, que foi definir um Estado que tenha um serviço público universal de saúde gratuito, um serviço de educação também universal e gratuito. São escolhas que a sociedade fez ali e que tornam, necessariamente, o Estado brasileiro maior. Comparações entre o tamanho do Estado brasileiro e o tamanho do Estado de um país vizinho que, por exemplo, não tem SUS, não tem um sistema gratuito de educação do nível básico ao superior, são descabidas, mas vemos toda hora esse tipo de comparação sendo feita.

O tamanho do Estado é aquilo que a sociedade escolheu ter, e nós escolhemos ter essas coisas. Claro, tem a carga tributária para financiar essas coisas. Não dá para querer ter um Estado que provê um monte de serviços, que gasta bastante em relação ao PIB, e, do outro lado, não ter arrecadação para isso. O fato é que o teto de gastos resolveu rever o pacto, resolveu estabelecer que a economia pode crescer, mas os gastos vão ficar no mesmo lugar. Na prática, isso significa que tem mais alunos nas escolas, mais pessoas usando o SUS, mais pessoas precisando de benefícios sociais, mas os gastos estão no mesmo lugar. Ou seja, o gasto por pessoa está caindo ao longo do tempo. É por isso que dizemos que reduzir o tamanho do Estado não é uma coisa qualquer. Estamos falando de gasto por aluno, que já é um sétimo do que é em vários países da OCDE (Organização para a Cooperação e Desenvolvimento Econômico), caindo mais ainda. É um negócio que tem consequências civilizatórias terríveis.

GW No seu livro, você analisa essa situação e explica a necessidade de aumentar a carga tributária como única solução, numa equação do tamanho do Brasil, para manter o pacto firmado na Assembleia Constituinte. A não ser que se queira cancelar aquilo, que é o que o governo atual parece querer fazer... Eu sempre entendi que o caminho é taxar patrimônio, as grandes fortunas, e reverter essa carga tributária tão desigual que existe no Brasil. Você também faz a defesa desse tipo de mecanismo?

LC Sim: taxação das altas rendas e dos altos patrimônios, e não falo só de fortunas milionárias. Se quisermos mesmo ter os recursos suficientes para melhorar os serviços públicos,

mantendo o pacto de 1988, vamos precisar arrecadar mais, tributando as altas rendas, que não pagam muito imposto. Não apenas as fortunas, mas também Imposto de Renda da Pessoa Física. Teremos que criar faixa adicional, subir a alíquota, criar uma alíquota máxima maior para as rendas mais altas, retirar a isenção de lucros e dividendos de quem tem renda do capital e não paga imposto. Basicamente, não pagamos Imposto de Renda da Pessoa Física se ela recebe o lucro transferido do sócio da empresa, que é o dividendo. Isso faz com que o topo da distribuição no Brasil pague uma alíquota efetiva mais baixa do que quem vem depois, por exemplo. Mesmo as deduções de gastos privados com saúde e educação, das quais a dita classe média se beneficia tanto no Brasil, são um negócio que claramente está indo contra o princípio do Estado de bem-estar social, no qual você quer arrecadar de forma progressiva, de um lado, e universalizar serviços e até proteção social, do outro. A justiça é criada na tributação. Se você tem esse princípio básico, não faz muito sentido retirar, deduzir impostos de quem gasta com saúde e educação privada. Aí também deve haver mudança, além de imposto sobre patrimônio e outros.

É possível fazer uma reforma tributária que, inclusive, reduza alguns impostos – sobre o consumo, por exemplo, que incide mais sobre as rendas mais baixas – e aumente os impostos sobre as rendas, as heranças e os patrimônios mais altos. Isso é perfeitamente possível, mas é uma questão que não cabe aos economistas. Há um problema na maneira como o debate é feito no Brasil. Os economistas não têm que dizer qual deve ser o tamanho do Estado. Não cabe a nós dizer que "gastamos demais com saúde e educação", que "88 quebrou o Brasil". Veja bem, isso não é uma escolha do economista. Quem decide sobre ter saúde pública é a população. Essa é uma escolha política, democrática, e a partir disso, claro, precisamos arrecadar de maneira compatível. Não dá para querer ter um sistema de saúde sueco com uma carga tributária mexicana. Não vai dar certo. Isso tudo depende de saber se a população ainda quer isso. Eu tenho a sensação de que, com o SUS, ficou claro que houve uma valorização disso na pandemia. Parece claro que queremos ter um serviço de saúde público e universal, que a situação seria ainda mais catastrófica se nós não tivéssemos esse instrumento e que ainda existe muita desigualdade regional dentro do SUS. Parece, também, que ainda queremos educação. Mesmo na manifestação pró-impeachment, em 2015, uma pesquisa apontou que mais de 90% das pessoas que estavam lá eram a favor de uma educação pública, gratuita, universal e de qualidade. Quer dizer, não acho que a eleição do Bolsonaro significou que a maioria da população não quer mais essas coisas. Então, se a população continua querendo, temos um problema, porque a equipe econômica claramente está indo na direção de quebrar o piso. E quebrar o piso é romper esse pacto.

GW A direita acusa a esquerda no Brasil de ser comunista, mas o que você está defendendo aqui, que é uma bandeira progressista da esquerda brasileira, é, no máximo, social-democrata. Quero dizer, não conseguimos ter nem sequer uma social-democracia mínima. Mas, pensando nessa questão da carga tributária, de uma tributação menos desigual, que países no mundo você apontaria como exemplo positivo, entre aqueles que têm um porte semelhante ao do Brasil?

LC É difícil falar em porte semelhante, porque podemos considerar a União Europeia, a zona do Euro, como algo que tem um porte semelhante ao do Brasil, e que tem isso. Mas isso é, de fato, uma questão. No Brasil, o SUS serve a mais de 100 milhões de pessoas, e, mesmo assim, muitos olham para a carga tributária brasileira em relação ao PIB, ao tamanho da economia, e dizem que ela é alta, comparada à de outros países. Mas, quando olhamos essa mesma carga por habitante, *per capita*, considerando a quantidade de recurso que você tem para gastar por pessoa, vemos que ela é, na verdade, um quinto do que é nos países da OCDE. Quando se pensa em serviço público, no SUS, em mais de 100 milhões de pessoas atendidas, o que importa não é a quantidade de recurso em relação ao tamanho da economia do Brasil, mas a quantidade de recurso para cada pessoa atendida. Esse tipo de comparação que costuma aparecer, dizendo que gastamos igual aos países da OCDE, não faz sentido. Gastamos igual em relação ao tamanho da nossa economia. Só que a nossa economia tem uma renda *per capita* muito mais baixa do que nos países da OCDE. Então, na prática, em número de pessoas, estamos gastando muito menos: um quinto, um décimo, dependendo da área. Na educação isso é muito claro. Gastamos por aluno um oitavo do que a Suécia gasta, entre um quinto e um sexto do que a média da OCDE, um quarto do que os Estados Unidos gastam. Não estamos simplesmente drenando esse monte de recurso e isso está se esvaindo, como dizem. Ou temos uma qualidade péssima de serviço porque os nossos são incompetentes e os deles são competentes? Não. Temos um décimo dos recursos para gastar, por pessoa, em dólar, já levando em conta a diferença no custo de vida.

Então, essa ideia de que o Estado vai simplesmente se tornar muito mais eficiente com menos dinheiro e vai conseguir chegar ao nível dos serviços públicos europeus não existe. Portanto, temos duas opções: ou abrimos mão daquilo que os países da OCDE têm, como justiça e proteção social mínima, assumindo que somos pobres e não podemos ter essa pretensão, ou temos que dizer que, apesar de sermos pobres, bem mais pobres em termos de renda média, nós queremos ter essas coisas mesmo assim. Se é isso, temos que aceitar uma carga tributária bem mais alta em relação ao tamanho da nossa economia. Mas a boa notícia é que não há nenhuma evidência econômica estabelecendo uma carga tributária máxima a partir da qual o crescimento começa a ser prejudicado, ou coisas do tipo. Há países com carga tributária altíssima, como os países nórdicos, que crescem bastante, como há países com carga tributária baixa que não crescem nada. Então, do ponto de vista econômico, não seria um problema fazer isso. Mas é politicamente difícil. Os mais ricos no Brasil já não usam serviço público há muito tempo, não querem usar e consideram que "imposto é roubo", como dizia a plaquinha na manifestação. Mas a mesma pessoa que diz que imposto é roubo é a favor de uma educação melhor, vai para a Europa e acha legal que lá não tem tanta violência. A elite brasileira precisa entender que tem que pagar imposto. Senão, é impossível sair dessa armadilha.

GW Olhando para a economia ao longo do século XX, que oscila entre keynesianismo (New Deal) e flexibilização (Chicago Boys), vemos que, em alguns períodos, as economias favoreceram a liberalização e a financeirização, até o momento em que vem uma crise, estoura uma bolha, e o Estado tem que chegar para socorrer, desempenhando o papel de bombeiro nas crises provocadas pelo mercado. Vimos isso em 1929 e em 2008, por exemplo. No entanto, eu tenho a sensação de que o que aconteceu nos anos 1970 é quase o contrário disso. Ali houve a crise do petróleo, uma estagnação econômica que acabou gestando o neoliberalismo do chamado capitalismo tardio. Era um momento de esgotamento do modelo do New Deal, que gerou uma crise que acabou levando para essa desregulamentação. Ali, me parece, o papel do Estado foi diferente.

LC Uma das coisas que eu tento abordar no livro é justamente como esses grandes fatos históricos vão mudando não só a política econômica, mas também o pensamento econômico e a maneira como os economistas enxergam o papel do Estado. Em 2008 houve esse ressurgimento do Estado, em parte para socorrer o setor privado numa situação de crise, como você disse, mas também para atenuar essa crise, porque socorrer o setor privado não é apenas salvar os bancos. Se o sistema inteiro colapsa, isso prejudica todo mundo. O Estado tem o papel de estabilizar uma economia em crise, numa situação em que as famílias estão endividadas, tendo que cortar seus gastos, e as empresas estão também endividadas, tendo que cortar seus investimentos. Isso vai colaborando para esse círculo vicioso. Quem consegue nadar contra a corrente é o Estado, garantindo que a renda não caia tanto quanto cairia numa situação dessas. Em 2008 vimos isso ocorrer, e o pensamento econômico deu uma espécie de guinada.

Nos anos 1970, a crise do petróleo e a estagflação (aquele período de crescimento baixo e inflação alta que marcou as economias mais avançadas) levaram a uma crise do pensamento keynesiano, que dominou as economias desde os anos 1930 até os anos 1960. Aquilo foi colocado em xeque, porque a inflação saiu de controle, os instrumentos não funcionaram, a crise do petróleo gerou um outro tipo de inflação que não se via antes. Isso levou à Escola de Chicago e, posteriormente, a outras vertentes que marcaram o pensamento e a política, sobretudo com Margaret Thatcher e Ronald Reagan, nos anos 1980. Havia toda uma onda de privatização e retirada do Estado. Quando vem 2008, há um ressurgimento do keynesianismo, da intervenção. Então, a pandemia não chega num contexto qualquer, ela chega doze anos depois da crise de 2008 e depois de um amadurecimento do pensamento econômico e da política econômica dos países. Não à toa, os bancos centrais nunca tinham agido com tanta presteza quanto agora, porque já havia uma experiência anterior. A política econômica foi estimulativa. Os países gastaram em média 6,5% do PIB com medidas até setembro de 2020. Tudo isso foi rápido por conta desse amadurecimento dos últimos doze anos, pós-2008. O próprio papel da desigualdade, que os economistas, sobretudo os macroeconomistas, vinham ignorando havia muito tempo, achando que isso não era um problema em termos de crescimento econômico, foi reconsiderado. A crise de 2008 já havia exposto isso, que agora, na pandemia, voltou à tona. Os dados mostraram rapidamente os efeitos da desigualdade, no número de casos e de mortes.

A economia não é uma ciência que caminha em uma direção única. Ela é, a todo momento, contaminada pela história econômica, e há mudanças de paradigma muito relevantes. É importante as pessoas entenderem que a economia não é matemática, que vai demonstrando os teoremas e criando novos, somando a um conhecimento. Não. São vertentes, são questões afetadas pela história. Cada situação é uma situação. Neste momento, aparentemente, o mundo está caminhando para um lugar diferente, e o Brasil está um pouco descolado, meio na contramão do mundo. Por mais que este ano tenha sido diferente, estão falando em cortar gastos no ano que vem. O papo é só cortar gastos. Enquanto isso, na União Europeia, o próprio FMI soltou uma nota hoje dizendo que tem que tributar os mais ricos. A União Europeia está anunciando planos de Green New Deal, planos de recuperação verde, está todo mundo falando de coisas para a frente. E nós estamos aqui, falando em como vamos voltar o mais rápido possível à agenda que está aí desde 2015 e que não gerou frutos.

GW Eu tenho impressão de que a defesa do papel do Estado que você faz no seu livro se refere à ideia de Estado nacional. Como fica isso num contexto de globalização como o nosso? Por exemplo, na discussão da cidade, do urbanismo, se fala muito das "cidades globais",[5] de como cidades como Londres, Nova York e Tóquio, por exemplo, têm mais relação entre si do que, muitas vezes, com cidades do próprio país. Isso porque a dinâmica das cidades globais tende a tornar as cidades autônomas na concorrência por investimentos, no sentido contrário ao vetor do Estado nacional, que vem do século XIX. Como você vê isso?

5 Ver Saskia Sassen. *The global city: New York, London, Tokyo*. Princeton: Princeton University Press, 2001 [1991].

LC Eu destoo bastante daquela visão desenvolvimentista dos anos 1970, que entende que o Estado nacional tem de ser o planejador de todos os investimentos e que isso vai levar ao grande plano de desenvolvimento voltado para a indústria. Não é muito a minha linha. Embora eu entenda o papel do Estado, me parece que aquela visão de política industrial não é o caminho agora. Aliás, acho que o maior equívoco do governo Dilma foi a ideia de dar subsídios e desonerações para alguns setores, para ir salvando uma determinada indústria, que era a nossa indústria nos anos 1970, em vez de avaliar as carências da sociedade brasileira, as suas desigualdades, e determinar para onde queremos ir em termos de estrutura produtiva e tecnológica do século XXI.[6] Temos que adotar uma visão mais estratégica e menos voltada para o passado, tentando criar aquilo que não foi criado. Questões como o desenvolvimento urbano, transporte público e moradia, além de outras desigualdades que ficaram muito claras agora na crise, como as desigualdades regionais e no acesso à saúde, são coisas que a sociedade tem que resolver e podem ser um eixo da política de desenvolvimento, levando ao desenvolvimento de novas tecnologias. Eu entendo que essa deveria ser a maneira de organizar a política em um modelo de desenvolvimento, a partir dos objetivos da sociedade, e não da indústria ou do setor x ou y. E isso não precisa ser necessariamente feito pela nação; acho que várias dessas ações podem ser locais, vários eixos de planejamento de desenvolvimento locais podem gerar esses mesmos efeitos. Mas temos que lembrar que o Brasil é um país extremamente desigual entre municípios e regiões. Vamos precisar da nação para que haja uma solidariedade fiscal entre os entes. Senão, vai continuar havendo iniciativas locais que funcionam onde tem dinheiro para isso, onde tem um setor privado que quer fazer alguma coisa. Em lugares

6 Ver Laura Carvalho. *Op. cit.*

que não têm um setor privado querendo fazer, se não houver um Estado com recursos do Governo Federal, não vai acontecer nada. O último capítulo do livro se chama "O Estado empreendedor". Ali eu falo de como o Estado pode se engajar, se articular, junto ao setor privado, às instituições de pesquisa, às universidades públicas, para colocar a política de desenvolvimento a reboque das demandas da sociedade, do combate à desigualdade. E não tentar fazer esse desenvolvimento dos anos do "milagre econômico", centralizado, mas que, no fim, não entrega, e ainda tem esse caráter concentrador de renda que sabemos que vigorou na época.

Para finalizar, vou recomendar aqui o livro da Mariana Mazzucato *O Estado empreendedor*[7] (tomei emprestado o título do livro). Ela conta como o Estado participou de grandes inovações no mundo, como na ida do homem à Lua, ou nas guerras – um papel que hoje poderia ser desempenhado por missões ambientais. Ela mostra que o iPhone, por exemplo, não é produto apenas da genialidade do Steve Jobs. Teve muito financiamento estatal envolvido na criação do iPhone, em particular pelo complexo militar norte-americano, que praticamente gerou todas essas grandes inovações das últimas décadas no mundo. Enfim, essa oposição entre Estado e mercado não está pautada na realidade.

Entrevista realizada em 14 de outubro de 2020.

7 Mariana Mazzucato. *O Estado empreendedor: desmascarando o mito do setor público vs. setor privado*. São Paulo: Portfolio-Penguin, 2014.

Fazer a imaginação social andar para a frente

Vladimir Safatle

Vladimir Safatle é professor titular do Departamento de Filosofia da Universidade de São Paulo (FFLCH-USP) e professor convidado das universidades de Paris VII, Paris VIII, Toulouse, Louvain e Stellenbosch. É um dos coordenadores do Laboratório de Teoria Social, Filosofia e Psicanálise (Latesfip/USP).

Guilherme Wisnik Todos nós estamos muito preocupados com o que está acontecendo e com o que ainda pode vir a acontecer no Brasil. Há um endurecimento na direção de um regime ditatorial para valer, de uma possível dissolução das instituições. Você tem dito com frequência que o que nós estamos vivendo agora não é nenhuma surpresa, ao contrário de muita gente que não esperava uma situação como essa. Você diz, e eu concordo contigo, que isso é o que de fato acontece quando um país não acerta as contas com a sua história genocida. Diante disso, eu gostaria de te perguntar: esse desrecalque do fascismo brasileiro reencena o mesmo autoritarismo dos senhores de escravo, do tratamento dos subordinados como coisa? Desse ponto de vista, o que diferencia o Brasil dos nossos vizinhos latino-americanos? Isto é: o Chile e a Argentina, por exemplo, que tiveram ditaduras sanguinárias, conseguiram virar essa página da história de uma forma melhor do que o Brasil, não?
Vladimir Safatle Eu levantaria alguns elementos, a meu ver, importantes. O primeiro deles é: de fato, a América Latina é um conjunto de países construídos a partir de vários genocídios. No nosso caso, o genocídio indígena é muito explícito. A escravidão de larga duração deixa muito claramente as suas marcas de genocídio até hoje. E agora temos um terceiro, que é este genocídio da Covid-19. Mas eu insistiria no seguinte: a maneira como o Brasil lida com a sua violência do passado recente é singular mesmo no contexto da América Latina. O Brasil é o único país na América Latina no qual nenhum torturador foi preso. O Chile, o Uruguai e, sobretudo, a Argentina tiveram dispositivos de justiça de transição que realmente funcionaram. No Brasil não funcionou. Não funcionou porque nós aceitamos um sistema de pacto de coalizão, próprio da Nova República, que nos travou nesse ponto. E esse sistema, de uma certa maneira, preservou um núcleo de violência estatal que poderia voltar a qualquer momento. Eu diria que

isso é, em grande medida, o resultado da especificidade da ditadura brasileira, que foi a ditadura que mais durou, foram 21 anos. A ditadura argentina, por exemplo, durou cinco ou seis anos, não mais do que isso, por mais intensa que tenha sido. Aqui, essas duas décadas permitiram um certo tipo de acomodação social, porque a ditadura brasileira foi um experimento único, muito mais astuto. A ditadura chilena, por exemplo, foi uma ditadura de eliminação completa de toda e qualquer dissidência. Não tinha dissidência, não tinha Congresso, não tinha partido de oposição, não tinha livro de Marx na banca, não tinha nada disso. A ditadura brasileira foi diferente, foi um experimento extremamente avançado de autoritarismo. Ela preserva a imagem, a aparência de uma certa legalidade. E isso dá a ela muita força. Deu a ela uma perspectiva de duração que as outras não tiveram.

GW Você chega a dizer que o que se apresenta como possibilidade para nós, agora e num futuro próximo, pode fazer com que aquela nossa ditadura militar seja vista como uma espécie de balão de ensaio. É isso mesmo?

VS Enquanto engenharia social de autoritarismo, a ditadura militar brasileira, no fundo, se viu como algo feito para durar. Por isso ela soube preservar certas válvulas de escape. Isso fez com que, por exemplo, o campo da cultura tenha sido um campo de hegemonia da esquerda, mesmo naquele período. Isso fazia parte do arranjo. Só que esse grupo que está no poder agora não é o grupo da ditadura militar simplesmente, é o grupo do porão da ditadura militar. É o grupo mais baixo, que perdeu dentro da própria ditadura. É o grupo ligado ao Sylvio Frota, ao Médici, a chamada linha dura, que não tinha essa visão. Eles entendem que a ditadura militar terminou porque não venceu a batalha cultural. Ela tinha que ter operado uma espécie de grande revolução cultural no Brasil, o que não foi feito. Então eles estão tentando fazer isso, com toda a violência que isso implica. Esses modelos de acordos que a ditadura militar preservou não estão mais na pauta. A dinâmica é outra, de fortalecimento. E, quando eles se sentirem fortes o suficiente para operar o que eles querem operar, eles vão para cima, como já estão fazendo.

GW De fato, havia aquela compreensão de que a economia é o carro-chefe e a cultura é uma bobagem, uma coisa secundária. Isso estava, de alguma maneira, presente no período da ditadura, mas também no governo Collor, que, apesar de ter acabado com a Funarte, não queria disputar essa arena do ponto de vista do discurso –o que torna esse golpe de agora ainda mais profundo. Estou me referindo à cultura, mas poderíamos estender esse entendimento ao campo da educação.

VS Eu acho que não existe desprezo pela cultura nesse governo. Essa não é a leitura correta, como você bem levantou. Eles entendem que precisam fazer uma refundação cultural do país, afastando tudo aquilo que veem como uma cultura e uma educação pervertidas, que distorcem os valores fundamentais. Nesse ponto eles recuperam o integralismo brasileiro, que é um horizonte inserido na história do país. O Brasil é praticamente um dos dois únicos países que tiveram grandes movimentos fascistas fora da Europa entre 1920 e 1940. O outro é a África do Sul. Veja só onde a gente está... O movimento integralista brasileiro era tão grande que tinha 1 milhão e 200 mil adeptos nos anos 1930. Não podemos imaginar que isso desaparece de uma hora para outra. Bem, o Plínio Salgado teve quase 10% dos votos para presidente da República em 1955, um candidato declaradamente fascista. Isso na época de Juscelino Kubitschek, do suicídio do Getúlio.

Eu insisto nisso simplesmente para dizer: existe uma história muito profunda do fascismo brasileiro, e esse fascismo é um fascismo de reconstrução cultural, de reverberação colonial do país. Isso vem de todo um diagnóstico de um país "desfibrado", porque é um país "misturado", que tem sangue de tudo, de negro, de índio etc. Isso faria da gente uma espécie de "imundice de contrastes", como se dizia à época.

GW As "raças tristes"...

VS É um elemento constituinte da nossa história, de uma maneira brutal, a ponto de ser um país que não tem um museu da escravidão, não tem política pública de memória no que diz respeito à sua violência do passado. Não tem nada nesse sentido, ou tem muito pouco. Isso demonstra muito claramente o tipo de silenciamento e de violência que são os fundamentos deste país. Que isso volte agora de forma desrecalcada e espetacularizada não há de surpreender ninguém.

GW O nazismo alemão era movido por uma espécie de compreensão estética do mundo, não?

VS Eu gosto muito do trabalho de um historiador francês chamado Johann Chapoutot, que insiste nesse aspecto da revolução cultural nazista. Ele lembra, por exemplo, que não havia anti-intelectualismo no nazismo. A questão é que eles se viam como recuperadores de alguma "essência" da cultura ocidental que teria sido perdida e pervertida. Por exemplo, ao falar de eugenia, eles citam Sêneca, para dizer que eles simplesmente fazem parte da verdadeira tradição ocidental. Quando vão falar de racismo, eles citam Platão. O Chapoutot é um historiador esperto. Ele traz uma série de documentos mostrando que isso era uma prática corrente. E eu diria que isso também vale para nós. A gente diz que eles são anti-intelectualistas, mas eles acham que nós somos uma cultura pervertida, completamente distorcida, que nós não conseguimos pensar por nós mesmos, que a gente é que é gado. Eles reverberam uma longa tradição conservadora e reacionária brasileira.

GW No caso da política norte-americana atual, com o Trump, você acha que essa compreensão do papel da cultura é menos presente?

VS Esse é um processo meio geral. Por exemplo, essa história de que os professores distorcem os alunos é presente nas escolas norte-americanas. Tenho amigos e amigas com filhos de quinze anos que estão em escolas norte-americanas, e eles ouvem a mesma coisa, que os professores de história "inoculam um sentimento antiamericano", que criam uma história que não é a "verdadeira história dos Estados Unidos", esse tipo de coisa. Isso não é uma importação norte-americana, como alguns gostariam de ver; isso é uma tensão das nossas sociedades há décadas. É que agora todo esse processo convergiu numa espécie de "grande internacional conservadora", e eles potencializam isso mundialmente.

GW Eu fico aqui pensando na questão da formação brasileira, que remonta a pensadores como Gilberto Freyre, Caio Prado Jr., Sérgio Buarque de Holanda, Celso Furtado e muitos outros. Houve um esforço muito grande, de muitas gerações, de pensar as singularidades de formação histórica e cultural deste país. Um país, afinal, muito misturado e com muitas potencialidades criativas. É difícil engolir que este país seja fascista, ou mesmo que ele tenha uma grande parcela fascista. Então, glosando Renato Russo, eu te pergunto: *Que país é esse?*

VS É um país deflagrado, cheio de antagonismos. É um país fascista, mas também é um país de grande luta, de grande transformação. Ele é as duas coisas ao mesmo tempo, e não faz nenhum sentido a gente querer esconder uma parte dele. "Facismo" é um termo absolutamente adequado. Não é um termo retórico para tratar a nossa situação. Existe uma história do fascismo brasileiro que tem quase cem anos e que nunca foi tratada como deveria ter sido. Isto é, nunca foi vista de maneira a ser confrontada explicitamente. Essa história tem enraizamentos profundos, próprios a uma sociedade colonial, que desenvolveu uma série de dispositivos tecnológicos de colonialismo que se perpetuaram na vida social. O latifúndio escravagista, por exemplo, é a base da sociedade brasileira. Mesmo depois do seu ocaso econômico, ele continua como a base da sociedade brasileira.

A substância ética de um povo é definida pela maneira como ele trata a morte, e eu acho que isso ficou muito claro agora. E a sociedade brasileira mostra uma indiferença absoluta diante das mortes das pessoas de classes mais desfavorecidas, porque não são mortes, são números, e números que você pode esconder. Não tem luto, não tem dor, não tem tristeza, não tem choro, não tem nada. O sujeito que ocupa a Presidência não tem sequer a capacidade de se enlutar diante de quase 40 mil mortos.[1] Nem cinicamente. Ele poderia ser hipócrita, como todo mundo, e ter pelo menos a decência da hipocrisia, e dizer: "Vamos botar aí meio mastro durante três dias porque chegou no número tal, que tristeza". Mas não, ele tenta consolidar a sociedade como um espaço de indiferença absoluta. Ele diz que "isso não existe", "isso não é nada", "não vamos perder tempo com isso", "a roda tem que rodar", "o engenho tem que continuar". Bem, se o escravo perdeu a mão, se morreu, "não vai ser por causa disso que a gente vai parar, pelo amor de Deus". Essa é a lógica da sociedade brasileira, e isso fica muito explícito. Uma lógica que pode ir ao paroxismo, como vimos há pouco tempo, de pessoas se manifestando não para exigir que o governo pare com isso, mas para celebrar, para zombar da morte dos outros, para brincar com caixões. A sociedade brasileira recebeu a sua própria imagem de uma maneira inapelável.

GW Você está identificando uma estrutura profunda da sociedade brasileira, e isso é bem forte e plausível, embora terrível. É como se o governo atual fosse um momento de verdade, que revela alguma coisa que estava latente, porém recalcada. Mas podemos pensar que, em vários outros momentos da nossa história, não foi assim. Um governo mais populista, como o do

1 A entrevista foi realizada em 10 de junho de 2020. Em abril de 2021, durante a edição deste livro, o Brasil chegou a 350 mil mortes em decorrência da Covid-19. A previsão é que, até meados de 2021, esse número chegue a 500 mil.

Getúlio, do Juscelino ou, claro, do Lula, numa situação como esta, de pandemia, faria um grande acordo de união nacional. E a lógica do "Estado suicidário",[2] como você bem nomeia, é a lógica de governar para a falange, de não fazer união nenhuma, de fanatizar os seus 30% de seguidores. Você acha que isso é a expressão de uma verdade profunda, mais do que os governos populistas?

VS Esses são os elementos da história brasileira. De um lado estão os grandes acordos populistas, que vêm quando o Brasil se estabiliza, com as figuras dessa linhagem que você falou: Getúlio, Juscelino e Lula. Do outro você tem os governos oligárquicos, que trazem outras figuras. Mas também tem esse, como do Jair Bolsonaro. Esse não é o governo oligárquico, não é a República Velha, não é o PRP paulista, não é o PSDB, não é o Fernando Henrique. Não faz parte dessa tradição da grande oligarquia brasileira, que vai governar esse "cafezal". Não é isso, é outra coisa. É, de fato, a emergência desse núcleo fascista popular que existe no país. É claro que o governo oligárquico se aproveita, mas como sócio menor. Agora eles vieram por fora, tomaram a frente e são a direita brasileira hoje. O resto do centro tenta se recompor, mas se recompõe mal, porque não tem base popular. E esse grupo vai ficar, quero insistir nisso, ele não vai se descolar.

GW Esses 30%?

VS Sim, o Brasil virou o epicentro mundial da pandemia. O país é o exemplo mundial do que não deve ser feito, com esse nível de mortandade. A gente sabe que não são 40 mil mortos, devem ser pelo menos três vezes mais, porque os números são subnotificados, talvez sejam 120 mil mortos. E esse grupo é completamente insensível a isso. Para eles não faz a menor diferença se são 120 mil, 500 mil, 1 milhão.

2 Vladimir Safatle. "Bem-vindo ao Estado suicidário". Disponível em: www.n-1edicoes.org/textos/23.

Não faz a menor diferença. Há uma identificação muito forte deles com o Bolsonaro, e essa identificação não vai ser desconstruída. Então, em vez de a gente ficar preocupado com o que vai acontecer com eles, como faz para dialogar – e isso é impossível –, seria muito mais importante a gente organizar os 70%, porque essa é a única condição para que isso volte para algum lugar minimamente suportável.

GW Eu sei que você considera que o governo do PT foi um governo de pacto acomodatício, que não esteve à altura, ou recusou o seu papel histórico de radicalizar quando deveria ter feito. O "pacto lulista" era muito confortável para a elite, que estava ganhando muito dinheiro, pelo menos enquanto as *commodities* brasileiras valiam muito no mercado externo. No entanto, depois de 2013, com toda a reconfiguração que aconteceu no país, essa elite sentiu necessidade de ejetar esse governo. Daí a pergunta: será que, na verdade, o governo do PT foi longe demais? Em algum nível o partido avançou o sinal?

VS Isso é o que eles querem dizer. Essa é a história que eles gostariam de contar para os seus netos, mas infelizmente está longe de ser a história real. De fato, se eu fosse da elite brasileira, eu teria preservado o governo Lula a todo custo, porque a engenharia era perfeita: baixa intensidade de conflito social, boa circulação internacional, um Estado que defende e ajuda a criar os seus monopólios, e uma distribuição mínima para tentar equalizar tudo. A engenharia era perfeita. Eu entendo quando o Lula chora e diz: "Eu não estou entendendo o que vocês fizeram comigo". De fato, dentro da lógica da governabilidade, não havia nada melhor.

Eu insistiria em outro aspecto. O que aconteceu é que a elite foi pega meio de surpresa pela emergência desse setor popular fascista que vai ganhando força. Aí é o cavalo que está passando e eles pulam em cima e montam um esquema. Isso mostra muito claramente o princípio de que eles não querem mais negociar, não há mais negociação. E não é a primeira vez que isso ocorre. Se voltarmos a 1966, aos textos do Marighella, ele diz uma coisa muito parecida com o que aconteceu agora. Ele diz que o PCB era um partido de massa, uma grande mobilização, uma grande força, essa mobilização entrou num consórcio de apoio à burguesia esclarecida, quis fazer um acerto para ter uma transformação gradual e segura. Qual foi o resultado? Houve um golpe, e não conseguiram nem confrontar nem fazer nada.

Essa mesma lógica se repetiu agora, porque o Brasil é o país da repetição, tem compulsão de repetição. O PT era um partido com uma capacidade de mobilização de massa inegável, uma coisa impressionante do ponto de vista da constituição política. Mas, quando entra no governo, começa a tentar civilizar o capitalismo brasileiro. Eles jogaram fora décadas e décadas de discussões em que a gente dizia que isso era impossível. Não tem como civilizar o capitalismo brasileiro. Não é o capitalismo sueco. O capitalismo brasileiro é baseado na espoliação contínua das classes mais desfavorecidas, na perpetuação da lógica do latifúndio escravagista, no escravismo. Não tem como. A reação é essa que nós estamos vendo. Se você faz um aceno social-democrata mínimo, que foi o que aconteceu, isso vira um escândalo.

Então, dentro de um horizonte como esse, a esquerda tem que ter, de uma vez por todas, a clareza absoluta: se ela quer existir, não pode mais voltar a esse modelo. Mas a esquerda não consegue ultrapassá-lo e fica na expectativa de que vai acontecer algum tipo de ruptura dentro do governo, de que vão precisar de um grande pacto e vão chamá-la de novo para reconstituir esses grandes sistemas de alianças. Chega a ser triste, mas, desculpa, nada disso vai acontecer.

GW Quer dizer, o único modo de andar para a frente é fazer um acerto de contas real com a nossa história?

VS Eu diria que o único modo de andar para a frente é andar realmente para a frente. A gente quer reatualizar o modelo de governabilidade que nos levou até aqui? Há uma narrativa muito infame e desonesta desse processo por parte do PT. As contradições internas do modelo que foi implementado no Brasil não aparecem como causas da situação atual. É quase como se não houvesse contradição interna nenhuma. A única contradição que existe dentro da cabeça deles é que deveriam ter controlado mais a mídia.

É de uma tristeza especulativa absoluta. Não se perguntou: qual era o modelo econômico, onde estavam as travas? Qual era o processo de constituição política? Como se constitui uma hegemonia se você faz um sistema de alianças com todas as oligarquias descontentes do país? "Mas a correlação de forças não é favorável", disseram. Desculpa, meu amigo, o governo chegou a ter 84% de popularidade. Se isso não é uma correlação favorável, que alguém me explique o que é, então. Quando vai haver? Esse é um discurso neurótico, nada mais do que isso. É uma justificativa neurótica da sua própria impotência. É dizer: "A gente ainda não tem as condições". Mas isso foi feito para que as condições nunca apareçam. Elas nunca vão aparecer, e nunca ninguém precisou das condições perfeitas, nas correlações de força, para agir. Nunca foi assim que as coisas funcionaram.

GW Tem gente que acha que você tem uma perspectiva muito catastrofista, radical ou negativa. Mas eu acho que você tem também, nas suas análises, uma óptica muito positiva, no sentido de fazer essa avaliação radical para agir, para que a gente possa fazer algo de fato. E esse algo é possível, mesmo diante do desmonte total, do cenário muito difícil que a gente vê do ponto de vista da esquerda, dos partidos políticos. Então, retomando aquela pergunta anterior (que país é esse?), tenho a impressão de que, do seu ponto de vista, é um país 30% fascista, mas que tem também, apesar do esfacelamento político, uma energia de transformação muito grande, que pode ser acionada e que está aí disponível. A gente não afundou irremediavelmente num abismo do horror. Mas então te pergunto: por onde essa chama pode se acender? E pergunto agora, diante das manifestações das torcidas de futebol lideradas pela Gaviões da Fiel contra o governo e dos movimentos negros pelo mundo, que chegam dos Estados Unidos, mas também acontecem aqui no Brasil. Você acha que agora o protagonismo está nesse campo? Por onde a coisa pode acontecer, pode virar?

VS Já me fizeram essa crítica, e eu entendo o porquê dela. Eu faço parte de uma classe: a classe intelectual brasileira. Essa classe sempre teve a função (isso ficou claro na Nova República) de fornecer um discurso de racionalidade ao Estado brasileiro. A quantidade de intelectuais que foi para o governo, nos trinta anos da Nova República, é uma coisa inacreditável. Só na minha faculdade, é uma coisa incrível. Nenhuma faculdade do mundo teve isso: em vinte anos teve um presidente da República, dois ministros da Educação, um ministro da Cultura, um secretário nacional de Direitos Humanos, um porta-voz da Presidência. Nós somos formados para isso, mas não para entrar no Estado e transformar o Estado, ou implodir o Estado. Porque esse Estado não pode ser transformado. Você tem que implodi-lo. As suas bases são absolutamente injustas, elas não vão ser reformadas. Mas o discurso sempre foi o de racionalizar um certo setor, melhorar um pouco a política pública aqui ou ali, azeitar melhor a coisa. A gente foi formado para isso, em última instância. E, de fato, alguns de nós disseram: "Isso não". Então fica essa impressão de que você é negativista. Mas, na verdade, acontece que a função que deram para a gente não vai ser aquela que nós vamos respeitar, com certeza.

Por outro lado – você tem toda a razão –, há uma energia das classes subalternas brasileiras que é explosiva. Ela pode não estar conseguindo se incorporar, achar um corpo. E aí vem todo o trabalho que vale a pena hoje: lutar para que esse corpo se constitua, embora haja várias dificuldades para que uma coisa dessa aconteça no mundo inteiro. A gente conseguiu, num determinado momento histórico, um certo modelo de processo que permitia isso, mas esse modelo não está mais à disposição. Então há aí todo um esforço, mas a gente não sabe como vai ser, nem quais são os verdadeiros protagonistas. E mais, talvez a questão do protagonismo nem seja a questão fundamental.

O melhor que podia acontecer é a gente desenvolver uma dinâmica de protagonismo circulante, na qual as figuras circulam por todos os lados. Esse processo dá uma possibilidade de implicação mais geral, que nos falta até agora. Mas acho que ele pode vir de todos os lados, absolutamente de todos os lados. Eu ouvi durante décadas e décadas pessoas questionando o que a gente está fazendo na universidade, dizendo que isso não tem nenhuma importância dentro das lutas reais, que a gente está totalmente de costas para a sociedade. Mas a primeira coisa que um governo fascista faz é tentar calar a universidade, o que mostra pelo menos uma coisa: a gente não pode ser tão irrelevante assim.

GW Eu queria desdobrar esse assunto com você e pensar quais são os lugares onde é possível atuar politicamente com eficiência. Seria ainda a rua, que estava sequestrada pelos bolsonaristas e pela direita, mas que agora vai sendo pouco a pouco retomada? Acho que concordamos que sim. Mas apenas a rua? Eu te pergunto porque, no mundo das *fake news,* tudo isso entrou por uma dinâmica muito tecnológica, ligada à informação. Eu não estou falando em fazer manifesto pela internet, mas em operar nesse jogo midiático das tecnologias de informação. Será que isso suplantou a rua em termos de importância?

VS Não acredito que suplantou. O máximo que podemos dizer é que há agora um processo casado. A ocupação da rua é um elemento central e decisivo, e acho que é o que a gente deveria fazer agora. Nós, que temos uma situação privilegiada, temos que ir para a rua. É sempre bom lembrar que, enquanto a gente estava em isolamento, 1 milhão de pessoas estavam andando de transporte público, fazendo uma série de serviços. Para elas nunca teve isolamento nenhum, e agora muito menos. A gente ainda consegue, tem condição de ter hospital privado, atendimento. Esse pessoal vai morrer de maneira completamente destroçada. Essa é mais uma razão para se manifestar, porque a única maneira que você tem de conseguir colocar o governo contra a parede e obrigá-lo a parar de esconder montanhas de mortos embaixo do tapete é deixando muito claramente que você não está calado.

E não adianta ficar fazendo gritaria na internet. Isso tem lá sua função, mas é uma função limitada. Não adianta dizer que enfiou *trending topics* não sei das quantas. Eu acho que isso é importante, é claro, seria também ridículo achar que não. Mas o que precisamos mesmo é dessa articulação da expressão de uma sociedade que vai e se junta, compactada, que ocupa o espaço. Você é arquiteto e sabe melhor do que eu o que significa ocupar o espaço, qual é a força da ocupação do espaço. Nós não chegamos numa realidade social na qual o espaço se dissolveu. Isso é história de gente que faz tecnologia de informação, com todo aquele blá-blá-blá que é insuportável, é completamente falso. Ao contrário, o espaço, como lugar de experiência, é um elemento decisivo. Sempre foi e sempre será.

A gente tem essa capacidade de organizar, mantendo distância. Há uma série de modelos de manifestação possíveis. É preciso organizar o espaço, mostrar que o espaço está tomado por aqueles que não admitem, em hipótese alguma, a política genocida do governo, que vai ser cada vez mais genocida. O que o governo está querendo fazer é muito claro: ele está escondendo os corpos, está modificando os números, e vai fazer isso de maneira cada vez mais radical, enquanto a gente vai estar aqui, dentro de casa. Para a gente o impacto vai ser menor, enquanto a população pobre continuará morrendo, literalmente. Como disse um infeliz, um infame qualquer desses que tinha uma consultoria de investimento: "O negócio está controlado. A classe média, média alta, já não está mais confinada, só tem um probleminha lá com o pessoal mais pobre".

GW "Um probleminha..." Nesse contexto da rua, você acha que os movimentos negros ou das torcidas de futebol podem desempenhar um papel importante agora que os partidos de esquerda estão muito enfraquecidos?

VS Sim, toda a força para esses movimentos. O que eles estão fazendo é algo extremamente importante. Eu lembraria que a Primavera Árabe no Egito começou com torcida organizada de futebol. Foram os primeiros que fizeram manifestações contra o Mubarak, e aí o governo caiu. Esse é um espaço popular de organização, eles têm uma dinâmica de organização, uma identificação e estruturas de solidariedade.

A gente viu muito claramente a inanidade absoluta dos partidos brasileiros, é um processo de decomposição terrível. No dia em que havia gente organizando manifestação, cinco ou seis partidos e suas lideranças no Senado soltaram uma nota dizendo para não fazer, porque a gente estaria ajudando o Bolsonaro, que queria isso como desculpa para poder dar um golpe, ou algo assim. Tinha gente falando que ia ter golpe no dia seguinte, mas até agora, quarta-feira, não aconteceu nada. Eu acho que essas pessoas deveriam parar e admitir que fizeram uma análise errada. Por que a gente está travestindo de análise o nosso medo? Diziam que a gente precisava continuar paralisado, não era ainda o momento. Essa história "de não é o momento" eu acho a coisa mais fantástica do mundo. Todos os momentos são errados, até o momento em que alguma coisa acontece. Quem imaginava que, em 2013, ia acontecer o que aconteceu? E, no final das contas, aconteceu, de repente, e pegou.

É sempre assim, a história é cheia desses exemplos. Às vezes as condições estão dadas, todo mundo diz que agora é o momento, você vai, tenta, e dá tudo errado. Aí um outro diz que não tem condição nenhuma. Eu me lembro, por exemplo, de quando eu estava no Chile, acho que em 2010, era uma situação de paz tumular. Conversando com as pessoas, eu perguntei se existia alguma possibilidade de algum tipo de insurgência. Todos os meus colegas professores me deram as melhores explicações para dizer que era absolutamente impossível. Me mostraram diagramas, gráficos, mostrando que seria impossível. Dois meses depois havia 500 mil estudantes na rua. Então, para mim, esse tipo de discurso, agora, é um dispositivo de perpetuação da paralisia.

GW Tem aquela música do Chico Buarque: "Tô me guardando pra quando o Carnaval chegar"...

VS Mais ou menos isso. Só que o detalhe é que o Carnaval nunca vai chegar.

GW Exato. E o surgimento de figuras um tanto surpreendentes como o youtuber Felipe Neto, ou a Anitta, fazendo declarações contra o governo? Você acha que isso pode ter algum papel interessante?

VS Não saberia muito bem como avaliar. Mas o fato de a sociedade começar a deixar claro, por todos os seus poros, um ponto de convergência, que é dizer não a esse governo, só pode ser aplaudido. Todos os que quiserem, de fato, somar nesse processo são mais do que bem-vindos nessa hora, depois a gente se acerta mais adiante. A gente não precisa constituir uma frente de governo. Há uma coisa um pouco infeliz, e isso é uma prática de esquerda muito ruim, que é se organizar apenas se existe adesão e aderência ideológica, que são coisas que eu não tenho nem com a minha sombra. Se a gente colocar isso como horizonte para conseguir se organizar, a gente produz esses grupos hiperpequenos, que não têm nenhuma dinâmica de transformação interna. Eles são peças de museu que ficam lá se perpetuando. E tem também o jogo narcísico. As pessoas são meio parecidas umas com as outras, às vezes acontece um expurgo aqui, outro ali.

É preciso entender que o processo é outro: você estabelece uma meta, e as pessoas que acham que essa meta faz sentido vão todas juntas. Dentro dessa dinâmica as pessoas vão criando relações, o sujeito vai vendo que você não é o cara que fica só enchendo o saco, conversando, que você vai, está lá e age da maneira como você de fato pensa. Isso vai criando formas de solidariedade, de coesão, em movimento. É só assim. Tem gente que pensa essa coisa meio absurda, que primeiro vai criar uma base de ideias e depois vai começar a agir. Nunca foi assim. Você age primeiro e o processo vem depois. Essa que é a dificuldade. Às vezes dizem: "Mas como é que você vai conseguir mobilizar uma massa que não tem nenhuma consciência de autonomia?". Eu já ouvi isso muito, e acho completamente hilário. Quer dizer, você vai esperar autonomia da massa para agir? Você está brincando? O processo, inclusive, é o inverso: é dentro da dinâmica de ação que essas formas de autonomia começam a se produzir, porque elas se produzem em desafios, em ações, em dinâmicas concretas.

GW Do ponto de vista político-partidário, no Brasil de hoje, por onde você vê esse caminho? Pelo Psol? O que é possível?

VS Eu acho que a estrutura partidária brasileira ruiu por completo, nenhum partido esteve à altura do processo. O que é que vai acontecer com esses partidos é difícil saber. Se eles vão se recompor, se reavivar, é da dimensão do imponderável. Mas uma coisa é certa: a maneira como eles funcionaram até agora é completamente catastrófica. E ninguém passa. Há um modelo geral, muito vinculado ao lulismo, que é o modelo populista de esquerda do Brasil. Esse ruiu, e os satélites que giram em torno ruíram junto. Há aqueles que tentaram organizar alguma coisa um pouco à parte, que viraram grupos muitos pequenos, isolados. São grupos que nunca tiveram a consciência de que é necessário um outro modelo de funcionamento dos partidos brasileiros. O partido brasileiro é um troço que tem dono. Mesmo o Partido Conservador britânico, quando perde uma eleição, a cúpula cai e sobe outra. Isso não existe no Brasil, nunca aconteceu nada parecido, nunca vai acontecer. É uma lógica meio de condomínio. Então, é claro, isso afasta as pessoas, impede uma dinâmica mais orgânica. É uma questão interessante, as estruturas partidárias têm uma dinâmica de clã. Pode não ser um clã de família, mas é uma coisa meio parecida. Isso vale para todos.

GW Por mais que você esteja engajado na ideia de que a gente pode derrubar esse governo e começar a reestruturar uma transformação, do ponto de vista da política real isso vai demorar muito, não?

VS Eu não sei. E acho que a gente deveria começar a aprender a agir dessa forma. A gente não tem como saber se daqui a um ano vai acontecer uma revolta, uma insurreição forte, e o governo cai. Ou se ele tenta fazer um movimento desastrado, que dá errado. Não tem como saber. Existe uma dimensão de contingência desses processos que deve ser respeitada. O que a gente sabe é que, quando a contingência ocorre, você tem que estar preparado. É outra coisa. A gente está preparado para o acontecimento? Porque o acontecimento ocorre. Eu nunca tive uma visão necessitarista de processo histórico, em hipótese alguma. Até porque o meu hegelianismo nunca foi dessa natureza, e até porque eu acho que essa não é a ideia hegeliana, em hipótese alguma. Não é uma providência que vai, de maneira irresistível, abrir o seu espaço como uma linha reta. Não, na verdade é um outro processo. As contingências vão sendo integradas, elas vão retroativamente reconstruindo dinâmicas, e essa reintegração é a prova da liberalidade da razão. Ou seja, é preciso lidar com a contingência. Há algo dessa natureza que se coloca para nós agora. Por isso eu acho que as categorias "pessimismo" e "otimismo" não fazem o menor sentido. Eu juro que acho isso. Como assim otimismo? Pode ser que demore vinte anos, é verdade. E como assim pessimismo? Pode ser que demore três meses... Isso não é porque a gente está analisando errado, é porque há dinâmicas que são incontroláveis. Há processos exteriores que intervêm, revoltas que não são previstas, um sistema econômico extremamente frágil, uma série de elementos. Enfim, eu diria que não há razão para desespero, mas também não há razão para ficar sorrindo à toa.

GW Pensando nessa dimensão do imponderável que você está trazendo, eu gostaria de passar de Hegel para Lacan, para o conceito de "real" em Lacan. Hoje, diante de tanto negacionismo, de tanta *fake news*, é como se o campo do simbólico, isto é, o universo da linguagem, estivesse todo minado. Tudo funciona ao contrário, e você não consegue, pela linguagem, furar esse bloqueio. Fico pensando se, diante de tanta confusão, de tanto absurdo, não haveria, no horizonte, a emergência de um real, isto é, de alguma coisa que está no campo do incontornável. Você acha isso possível?

VS Eu acho que o real é como o milagre em Pascal: ele não aparece para todo mundo, não é uma coisa evidente. Existe algo mais real do que 40 mil corpos mortos? Isso, para uma parcela significativa da população, não existe, é indiferente, eles não são afetados por isso. Nem por nenhuma catástrofe, por nenhum cometa. Até porque a gente sempre viveu nesse regime de *fake news*. Veja a imprensa mundial falando, por exemplo, do bloco soviético, nos anos 1980. É uma quantidade de absurdos imensa, sob vários aspectos. Fazia parte, era a lógica da mistura de informação e propaganda, que a gente conhece muito bem. A diferença é que tinha dono. Eram três, quatro jornais, então eram três, quatro produtores de *fake news*. Agora são 50 milhões de produtores de *fake news*, essa é que é a diferença. A mistura de propaganda e informação foi "democratizada". Mas isso significa que só há "versões" dos processos? Não, eu estou dizendo que não há nenhum dado concreto que seja forte o suficiente para quebrar certas dinâmicas paranoicas. E paranoia aqui faz todo sentido, porque não há experiência que possa retificar esse pensamento.

O Adorno falava de semiformação, a respeito desse tipo de comportamento. Mas semiformação não é, porque essas pessoas sabem menos, são estúpidas, acham que a Terra é plana. É porque há um modelo de conhecimento onde não cabe espaço vazio, não há possibilidade de um lugar vazio, de algo que você não sabe explicar, não sabe o que esperar. Isso é a única coisa que pode realmente permitir uma retificação da experiência. Nesses sistemas não há lugares vazios, tem explicação para tudo, tudo é assimilado, o que é um pouco a lógica paranoica. Aqui, não há nenhum real que entra. Porque essa ideia iluminista de procurar esclarecer essas pessoas é pueril. Eu acho que a gente deveria utilizar o nosso tempo para nos organizarmos contra isso.

GW Afinal, nós somos 70%!

VS Exato. Meu frankfurtianismo não me permite fazer toda essa ode que o pessoal faz à ciência, dizendo que os outros denegam a ciência, e coisas assim. Eu não imaginava citar o Karl Popper nessa circunstância (para você ver como as coisas vão mudando), mas a característica fundamental da ciência é a falseabilidade. Os enunciados científicos são todos falseáveis. Sob certas circunstâncias de experimentação, todos eles podem estar errados, inclusive esses da Covid-19. Mas aí é que vem a questão interessante: em determinada circunstância, você age dentro do pior cenário possível, dizendo: "Pode ser que exista isso também". Nada é certo e seguro na ciência; eu posso descobrir que uma lei que funcionou até hoje na verdade funcionava sob certas condições que agora não existem mais. Aquilo que eu achava que era uma lei que seria dada para essas condições não é dado. Isso é ciência. A ciência é domínio da incerteza, a ciência não dá segurança nenhuma para ninguém. Esse é o dado interessante. O que seria, então, governar em segurança? É fingir que nada está acontecendo ou admitir que a gente está numa situação em que há um grau de insegurança muito grande, que a gente vai ter que agir levando em conta que o pior cenário pode ocorrer?

GW Para terminar, eu queria te perguntar duas coisas juntas. Qual é a avaliação que você faz, hoje, do Junho de 2013 no Brasil e daquele momento de dez anos atrás em que aconteceram os movimentos de *Occupy* e as Primaveras? Parecia que havia ali, no mundo, uma fresta se abrindo ou se rachando dentro do capitalismo para insurreições e transformações vindas de baixo. Mas hoje a gente está quase num polo oposto daquilo. O que é que aconteceu?

VS Essa não é a minha leitura. Há um grande potencial de revolta em vários lugares. A gente acabou de ver manifestações brutais nos Estados Unidos em meio à pandemia. Na França houve um ano de manifestação, no Chile houve uma protorrevolução, que foi uma das coisas mais impressionantes da história da América Latina, da história mundial nesses últimos trinta anos. O processo só foi paralisado porque veio a Covid-19 e salvou o governo, por enquanto. Desde 2011 temos um mundo completamente fragilizado. Esse mundo fragilizado produz desde as regressões mais absurdas que a gente está vendo com força até as tentativas mais criativas de fazer a imaginação social andar para a frente. Mas, gostaria de insistir, esse lado está paralisado, e é interessante perguntar: por que ele está paralisado? Por quê? Energia tem, descontentamento tem, revolta tem. Por que o lado que deveria empurrar a imaginação social para a frente está paralisado?

Entrevista realizada em 10 de junho de 2020.

A esquerda na encruzilhada

Guilherme Boulos

Guilherme Boulos é professor, filósofo e político, além de ativista social e coordenador do Movimento dos Trabalhadores Sem Teto (MTST) e da Frente Povo Sem Medo. Foi candidato pelo Psol à Presidência da República em 2018 e à prefeitura de São Paulo em 2020.

Guilherme Wisnik Boulos, eu queria começar esta conversa pela pergunta mais óbvia, mas que todos gostaríamos de fazer a você neste momento: é possível um pacto de esquerda no Brasil hoje? Ou seja: é possível uma ampla aliança de esquerda com chance de combater o fascismo atual?

Guilherme Boulos Wisnik, meu caro, a tua pergunta diz muito do dilema que a gente tem vivido. Mas eu acho que ela precisaria ser formulada um passo além, e vou te dizer por quê. O debate de uma unidade do campo da esquerda, do campo da oposição ao Bolsonaro, até que conseguiu avançar bem no último período, mais do que anteriormente. Houve várias iniciativas em comum, um consenso em torno da necessidade de um processo de impeachment, um consenso em torno de medidas emergenciais para lidar com a pandemia, para salvar vidas, para preparar melhor o sistema de saúde pública diante do caos que a gente está vivendo, para também dar proteção social e acolhimento para as pessoas que têm maior dificuldade de enfrentar uma quarentena e o isolamento físico. Foram construídos laços de consenso e de ideias comuns que se expressaram em manifestos assinados por várias lideranças da esquerda, por vários partidos e iniciativas políticas. Mas eu estou entre aqueles que acreditam que a gente precisa ir além. Acho que a unidade para derrotar Bolsonaro precisa ser definida pelo nível de gravidade que o fenômeno bolsonarista representa historicamente. Eu não acho que o Bolsonaro é apenas um bravateiro, apenas o tiozão do zap que fica fazendo piada com preconceito, que apenas tirou do armário um sentimento retrógrado e atrasado da sociedade brasileira. Eu acho que ele é mais perigoso do que isso. O Bolsonaro despertou a organização de um movimento de extrema direita e – por que não dizer com todas as letras? – de um movimento fascista no Brasil que não existiu nem durante os 21 anos de ditadura militar. Quer dizer, nem a ditadura militar organizou um movimento de massas fascista no Brasil.

Quem fez isso, há quase cem anos, foi o Plínio Salgado, que, com os integralistas, criou um paralelo do fascismo no Brasil durante o governo Getúlio Vargas. E o Bolsonaro está organizando através da guerra ideológica e das técnicas digitais que eles aprenderam e importaram do Steve Bannon e da turma da Cambridge Analytica desde as eleições.

O Bolsonaro foi construindo um movimento de radicalização a partir dos piores sentimentos, dos valores mais odiosos, que coloca em risco o tecido social brasileiro e as conquistas democráticas de trinta, cinquenta anos, que uma geração anterior à nossa conquistou para o nosso país. Então, a gente precisa de fato ter em conta o risco autoritário que o Bolsonaro representa. E a gente não precisa divagar muito, não precisa abstrair, não precisa filosofar, porque ele diz com todas as letras. O Bolsonaro pode ser acusado de tudo, menos de ter praticado estelionato eleitoral. Nas eleições, ele disse no que ele acreditava e o que ele queria. Durante 27 anos no parlamento, ele disse no que acreditava. Elogiou a tortura, elogiou torturador, elogiou a ditadura, disse que, se pudesse, mataria 30 mil pessoas, que o erro foi torturar e não matar. Então não há surpresa, ele representa isso. A surpresa seria achar que, chegando ao governo, ele mudaria da água para o vinho. Não, ele é isso, é um risco autoritário, é um risco de ruptura e retrocesso institucional. Por isso eu acho que o desafio é também de construção de uma frente antifascista, para a qual a esquerda não se basta, porque, infelizmente, a esquerda não tem força sozinha e está isolada para derrotar o bolsonarismo. Ela não tem nem força parlamentar, nem força política, nem força social, sozinha, para isso. Então precisa fazer composições e alianças. Agora, dentro dessas composições, há um debate muito grande hoje, na sociedade, sobre o que seria isso. Dentro dessa frente ampla (frente antifascista, frente pela democracia ou como queira se chamar), você não pode diluir os seus princípios, você tem que manter autonomia. Eu não vejo nenhum problema em estar numa frente com um centro liberal, mas vejo problema em, por estar numa frente com eles, deixar de falar de direitos e de taxação de grandes fortunas, deixar de combater a reforma da Previdência, a carteira verde e amarela que, às vezes, eles defendem junto com o Bolsonaro e com o Paulo Guedes. Então eu vejo o desafio que a gente tem como se fosse mais ou menos o palanque das Diretas Já, nos anos 1980. Ali, meu caro, tudo se reuniu: estava o Prestes, estava o Lula como liderança operária, estava o Brizola retornando ao Brasil...

GW ... O Ulysses Guimarães.

GB ... O Ulysses. E até oligarca que tinha rompido com a Arena na semana anterior. Então aquilo permitiu o enfrentamento da ditadura e a redemocratização. Excelente. No entanto, a esquerda tem o desafio de manter uma política própria, de não baixar suas bandeiras, de disputar valores, e um projeto de futuro dentro dessa frente e fora dela. Nós temos que combinar esses dois desafios. Esse é o grande nó a ser desatado neste momento.

GW Mas o projeto, para usar uma palavra forte, "imperialista" do PT nesse cenário das esquerdas tem atrapalhado muito esses acordos e essas alianças, não é mesmo? Afinal, a gente sabe que a rejeição nacional ao PT neste momento é gigante, e o partido, em grande medida, se recusa a compor. Então, para alguém como você, mais à esquerda do PT, isso acaba sendo muito difícil. Um exemplo é agora, na eleição para a prefeitura de São Paulo, quando o PT poderia muito bem apoiar a sua candidatura, mas lançou o Jilmar Tatto, que tem pouquíssima chance de avançar ao segundo turno.

GB Eu acho que o PT, por ter sido o partido hegemônico na esquerda brasileira nos últimos 35 anos e ainda ser o maior partido da esquerda brasileira, desenvolveu uma dificuldade para abrir espaço, para se renovar, para se abrir para o novo, e isso é fato. Mas eu também não estou entre aqueles que acham que a origem de todo mal da esquerda brasileira está no PT. Eu acho que, assim como um hegemonismo do PT, que não consegue fazer composições quando não está na cabeça, é muito ruim para a esquerda, uma postura como a do Ciro Gomes e do campo organizado por ele, que passa a metade do dia xingando o PT e reforçando o antipetismo, também é muito ruim. Nenhuma das duas atitudes contribui para a grandeza que a gente precisa neste momento, para termos força para derrotar o Bolsonaro, para enfrentarmos o fascismo e, ao mesmo tempo, para apresentarmos um projeto próprio de esquerda. Seria muito bom se a esquerda pudesse se apresentar de uma maneira unitária nas eleições municipais, a partir de uma discussão de projeto, de viabilidade, que também passa naturalmente por uma discussão de nomes. Mas ainda existe, e isto não vem apenas do PT, uma postura pequena. Acho que para muita gente, meu caro, a ficha não caiu. A verdade é essa. Eu acho que a turma ainda está pensando com a cabeça da normalidade democrática da Nova República, que não existe mais.

GW Isso.

GB A turma está pensando: "Vamos deixar o Bolsonaro sangrar, desgastar para 2022, porque aí tem mais chance". É um cálculo eleitoral mesquinho, tacanho. Se continuar desse jeito, não haverá 2022, pois até os processos eleitorais básicos estarão em risco. O que está faltando para uma parte importante da esquerda brasileira, num momento como este, é grandeza histórica. O PT tem os seus erros e suas responsabilidades, e faria bem à esquerda se os reconhecesse, se tratasse deles publicamente. Mas também não acredito que a demonização do PT, o antipetismo e o ataque público sirvam à esquerda. Houve gente que apostou na onda do antipetismo achando que dali sairia a destruição do PT e o surgimento de uma outra esquerda no lugar. O caldo do antipetismo gerou outra coisa, gerou monstros. O caldo do antipetismo, de quem apostou nele, levantou a bola da extrema direita. Então eu não embarco nessa.

GW Em 2013, participei da curadoria da Bienal de Arquitetura de São Paulo, que foi uma bienal muito ativista, com muita ação no espaço público e exposições em vários lugares que estavam conectados pelo metrô. De lá para cá eu me envolvi muito em debates ligados à demanda pelo espaço público. Se a demanda pela habitação, através dos movimentos sociais históricos, é mais antiga, essa demanda pelo espaço público, como agenda ativista, é mais recente. E esse movimento, associado a vários outros movimentos de minorias que surgiram, como o LGBTQ+, que marcaram o panorama dos últimos anos no Brasil, pode ser visto de uma forma otimista, como uma espécie de amadurecimento da sociedade civil para uma série de pautas. Mas, ao mesmo tempo em que isso aconteceu, houve uma regressão política gigante, chegando a essa situação em que nós estamos hoje. Então eu queria saber de você, considerando esses dois movimentos em paralelo, que tipo de relação existe entre eles?

GB Você tem toda a razão em notar um debate sobre direito à cidade fervilhando no Brasil na última década. Há um fenômeno curioso: a crise urbana precedeu a crise econômica aqui no Brasil. E justamente porque a crise urbana foi potencializada pela bonança econômica. O modelo de desenvolvimento que nós vivemos no período do governo Lula trouxe um crescimento econômico expressivo, com uma média de 4% ao ano, que é algo relevante para o padrão histórico brasileiro desde os anos 1980. Foi um crescimento que permitiu políticas sociais, permitiu inclusão. Só que, ao mesmo tempo, esse crescimento causou efeitos colaterais no modelo de cidade, que são gritantes. Parte desse crescimento foi alavancada pelo setor de construção civil, pelas empreiteiras, pelas grandes obras e por grandes programas como o PAC (Programa de Aceleração do Crescimento) e o Minha Casa Minha Vida.

Qual foi o efeito desses programas nas metrópoles brasileiras? Em São Paulo, houve uma onda de obras, muitas vezes com financiamento público, e não teve o necessário contraponto, que era a regulação do Estado. Essas obras geraram um *boom* imobiliário, um surto especulativo, que fez o valor do metro quadrado nas grandes cidades brasileiras, a começar por São Paulo e Rio de Janeiro, aumentar 200% em cinco ou seis anos. O valor do aluguel aumentou 100%, 120% no mesmo período. E qual é o efeito disso? Às vezes as pessoas têm uma visão ingênua de que a valorização da terra é boa, é sinônimo de crescimento. A valorização da terra é devastadora do ponto de vista da segregação e da desigualdade urbana, porque ela expulsa. A valorização nesse modelo de cidade, que é a cidade-negócio, que tem a terra como ativo financeiro, significa expulsão...

GW Porque é especulação.

GB Claro. O cara que morava numa região de aluguel como Itaquera, onde fizeram grandes obras, algumas por conta do processo da Copa do Mundo, pagava aluguel de mil. Mas o aluguel subiu para 2 mil, e esse cara foi expulso para Guaianases, para Ferraz de Vasconcelos, para Cidade Tiradentes, e a vida dele piorou. Ele demora uma hora a mais para ir e voltar do serviço, pois os serviços públicos, que já eram deficientes em Itaquera, são ainda piores na periferia mais extrema. Portanto, essa crise urbana se expressou em problemas de mobilidade, de moradia, e o crescimento do MTST nesse período tem a ver com isso. Então a luta por direito à cidade e por melhores condições de transporte fervilhou durante o período de crescimento, antecedendo a crise econômica. E um dos processos que essa crise trouxe, além da desesperança, da desilusão, do fortalecimento da antipolítica e da rejeição à política no país, foi o retrocesso à direita, o retrocesso fascista. Então houve um processo estimulado pelas contradições urbanas que foi o surgimento de novos movimentos, fervilhando, com autonomia, com poder local, se fortalecendo na luta por direito à cidade, contra a privatização de praças, na luta pelo espaço público e por uma cidade sustentável. São coisas incríveis, muito bonitas, muito potentes, que surgiram. Mas elas logo foram secundarizadas, ou até silenciadas, por um processo político global, pela forma como a sociedade brasileira reagiu à crise econômica e à crise política, que deu no que nós estamos vendo aí. Deu no bolsonarismo.

GW Ao lado da construção civil, como você estava dizendo, um outro componente fundamental dessa crise urbana é a indústria automobilística, o inchaço de carros.

GB Justamente, as duas.

GW Então podemos dizer que a crise urbana somada ao processo da crise econômica e do fascismo é a equação do Junho de 2013?

GB Eu acho que é isso. É por isso que Junho de 2013 é um fenômeno complexo para caramba, que não pode ser medido com uma única régua. Eu vejo gente dizendo: "Porra, Junho de 2013 foi o retrocesso, foi a porta do fascismo, foi organizado pela direita"; e vejo também gente dizendo: "Em junho de 2013 havia a possibilidade de uma coisa emancipadora, nova, de uma ruptura, de novas pautas". De algum modo, há verdade nos dois extremos. Junho de 2013 foi, sim, um movimento em torno da pauta legítima do direito à cidade. O Movimento Passe Livre não era de direita. Aliás, a reação tardia e ruim do poder público, não só aqui em São Paulo, mas em todo o Brasil, ajudou a fazer com que a coisa descambasse depois. Ali havia um movimento legítimo de direito à cidade. Você pode questionar os métodos, a disposição ao diálogo, mas dizer que era um movimento de direita, fascista, financiado pela CIA, isso, naquele momento, não era. Mas ao mesmo tempo em que havia essa verve e essa origem, é inegável também que o desdobramento daquilo foi totalmente apropriado pela extrema direita. Foi ali que surgiu o MBL como uma metáfora do MPL.

GW Uma corruptela, não é?

GB Uma corruptela. Foi ali que surgiu a porradaria na rua, a intolerância antipartido contra os vermelhos. Esse caldo foi fortalecido pela mídia, e sei lá eu se, nesse segundo momento, também por apoio externo. O MBL é financiado pelos irmãos Koch, que financiam iniciativas de extrema direita no mundo todo. Isso é público e notório. Mas isso foi uma forma de apropriação posterior à Junho de 2013, não a origem daquele fenômeno. Por isso existe essa complexidade. Porque respondia à crise urbana de um lado, mas, de outro lado, já estava expresso na sociedade um caldo de insatisfação, de intolerância e de ressentimento político que depois se traduziu em processos que a gente conheceu muito bem.

GW Você tem razão, e acho que é estrategicamente importante, neste momento, não exagerar na responsabilização histórica do PT por erros que tenham acontecido. Mas, nessa linha de raciocínio, é uma pena que essa crise urbana que floresceu no auge do crescimento econômico tenha acontecido desse modo dentro do governo de um partido que pautou a reforma urbana, que guiou os movimentos sociais, que criou o Ministério das Cidades e que apontou um horizonte que não seria esse.

GB Com certeza, Wisnik, e talvez o maior emblema disso tenha sido o programa Minha Casa Minha Vida. Havia, dentro do governo, o Plano Nacional de Habitação, coordenado pelo Nabil Bonduki, que foi uma coisa dialogada com movimentos sociais, construída junto com a sociedade, com audiências públicas. Mas, de repente, vieram a crise de 2008 nos Estados Unidos e o risco de falência em série do setor da construção por papel podre. Aí veio de cima, por demanda das grandes construtoras, o Minha Casa Minha Vida, que era um programa que não respondia a essa dinâmica concreta, real, viva da cidade, e que servia, naquele momento, aos interesses daquelas construtoras, alimentando essa lógica. É muito contraditório, e sobretudo hoje a gente tem que tomar esse cuidado, porque foi de fato um modelo de desenvolvimento que nos trouxe vários problemas e contradições, que reproduziu uma lógica de cidade segregadora, excludente, de cidade como negócio. Mas, ao mesmo tempo, hoje, com o tamanho do retrocesso que a gente vive, a gente tem que lutar para o Minha Casa Minha Vida não acabar, porque sem ele não há nenhuma política habitacional, e essa é a luta que os movimentos sociais fizeram no último período. Para você ver o tamanho da contradição. É evidente que os limites dos governos do PT não podem deixar de ser apontados, até porque, se a gente não tiver a humildade de apontar e reconhecer erros do passado, nós não teremos a capacidade, a credibilidade e a legitimidade para iluminar e construir um projeto de futuro. Eu não tenho a menor dúvida disso. Mas, com o tamanho do retrocesso que se colocou no Brasil, a gente tem que, comparativamente, medir um pouco mais as tintas para poder construir a unidade necessária e para poder ser justo no julgamento político e histórico.

GW Aproveitando que entramos por aqui, vou dar uma guinada nesta conversa na direção do MTST. Os movimentos de ocupação de imóveis vazios para fazer valer a função social da propriedade, que são tão legítimos, têm como pauta fundamental iluminar a ideia de que as classes mais desfavorecidas têm, sim, direito a morar no centro, onde há muitos imóveis desocupados. Essa é a agenda fundamental que está por trás das ocupações. Eu vejo, imagino e tenho notícias de que muitas vezes famílias e grupos que ocupam, e que vivem em ocupações em situação longe da ideal gostariam de receber um apartamento do Minha Casa Minha Vida e morar numa casa própria na periferia. Então eu te pergunto se isso, de alguma maneira, coloca o movimento em contradição, porque a força dele é iluminar o direito a morar no centro. Essa barganha que muitas vezes se faz com o movimento não o enfraquece? Como lidar com esse tipo de contradição?

GB Eu não vejo isso exatamente como uma contradição, até porque é impossível pensar um sistema de moradia, mesmo na cidade ideal, em que os mais pobres morem apenas no centro. Isso é impraticável, ainda mais numa megalópole como São Paulo. A luta pelo direito à cidade, ou seja, por quebrar o muro da segregação, por pegar esses imóveis abandonados – são mais de 40 mil na cidade de São Paulo – e destiná-los à moradia popular, para colocar os mais pobres, para que as pessoas possam morar mais perto do trabalho, com infraestrutura e serviços públicos, essa luta não é em nada contraditória com a luta por melhores condições de vida e de infraestrutura nas periferias. Porque levar os pobres para o centro não vai acabar com as periferias. Aliás, isso é quantitativamente impossível. Eu acho que o movimento social, na medida em que lida com a vida real das pessoas, e não só com uma ideia de cidade, precisa ter a responsabilidade de responder às necessidades concretas. Se você perguntar a alguém que está num barraco de favela na beira do córrego, um barraco de três por três, morando com dois filhos, cheio de rato, se ele quer ir para um apartamento, ainda que seja na periferia, óbvio que ele vai querer ir. O ideal seria que nós tivéssemos a possibilidade de colocá-lo no Edifício Copan, e a briga tem que ser para isso também. Eu não acho que essas brigas se anulam, e o movimento social não perde potência se faz simultaneamente a luta por moradia no centro e por melhorar as condições de moradia na periferia. Ele perderia potência, sim, se abandonasse a luta por moradia no centro para se contentar apenas com o imediatamente possível da moradia na periferia. Aí ele perderia um pouco o sentido do direito à cidade, da quebra da segregação. Mas essas duas lutas, no meu ponto de vista, são hoje complementares, e não contraditórias.

GW Entendi. E se você vier a se tornar prefeito de São Paulo, que medidas seriam possíveis tomar para ocupar os imóveis ociosos do centro?

GB Nós temos toda a regulamentação legal para isso, Wisnik. Toda.
GW O último Plano Diretor avançou nessa direção.
GB Como tem bastante gente assistindo à gente, e certamente nem todo mundo é da área, é importante a gente recuperar um pouco isso. A Constituição brasileira definiu uma coisa chamada "função social da propriedade", que diz que a propriedade não é um direito absoluto, que a propriedade tem que cumprir determinados requisitos para poder estar em situação legal. Doze anos depois, o Estatuto da Cidade, uma lei federal, regulamentou a tal da função social da propriedade. Ela não é uma palavra de ordem, ela é regulamentada concretamente por uma lei federal que foi objeto de um projeto de iniciativa popular, de um grande movimento pela reforma urbana nos anos 1990. E o que diz o Estatuto da Cidade? Que um imóvel que está abandonado, ocioso ou subutilizado, que não cumpre a função social, deveria ser notificado pela prefeitura para que o proprietário apresente um projeto para ele, lembrando que o critério de subutilização é definido pelo próprio Plano Diretor Municipal. Se, depois de um ano, o proprietário não apresentar um projeto, passa a incorrer IPTU progressivo naquele imóvel, prédio ou terreno. Se, depois de cinco anos de IPTU progressivo, o cara não faz nada, a prefeitura pode tomar aquele terreno pagando com título da dívida pública, através de um mecanismo chamado desapropriação-sanção. Isso é lei, não é o estatuto do MTST. Isso é o Estatuto da Cidade, é lei federal. O problema, como diz a Ermínia Maricato, é que no Brasil tem lei que pega e lei que não pega. Como essa lei enfrenta grandes interesses imobiliários, ela simplesmente não pegou. As prefeituras nem notificavam. Então não começava nem a correr o prazo. Isso foi aprovado há vinte anos, porra! E os terrenos e os imóveis estão lá, vazios, em situação flagrantemente ilegal. Se eu for prefeito de São Paulo, não tenha dúvida de que eu vou fazer valer essa lei, ela vai começar a pegar.

Nós vamos desapropriar esses imóveis abandonados. E é bom sempre a gente dizer, porque o debate público no Brasil foi tão rebaixado a meme que você precisa repetir o óbvio cinquenta vezes por dia: isso não significa tomar a casa de ninguém, nem expulsar ninguém da sua casa, o movimento social nunca fez isso. Isso significa pegar imóveis ilegais, vazios, abandonados, que devem imposto, às vezes mais do que o próprio valor, e desapropriar, requalificar, reformar e destinar para moradia popular. Existe lei, existe recurso, existem condições. Isso não se faz muitas vezes porque existe um comprometimento desse setor imobiliário, do complexo imobiliário financeiro, como diz a Raquel Rolnik, com muitos políticos e gestores de plantão, até por lógica de financiamento de campanha eleitoral por esses mesmos setores. Então você precisa, antes de tudo, não ter rabo preso com essa turma para fazer uma política habitacional dessa natureza.

GW A ação do MTST como movimento está muito ligada à rua, ao atendimento presencial com as pessoas que têm necessidade. Então eu queria te perguntar sobre o que está acontecendo agora em tempos de pandemia, com a população em situação de rua e com o movimento. Quais são as políticas atuais?

GB Wisnik, o movimento nasce na rua, ele é essa coisa quente da sociedade que bate à porta, ou às vezes dá um chutezinho na porta do poder público para conseguir ser ouvida. Essa é a natureza do movimento social. E ela é muito necessária porque, basta olhar a nossa história, as grandes conquistas de direitos sociais e de democracia no Brasil e no mundo foram conseguidas através dos movimentos sociais. O movimento social tem um papel fundamental de alavancar, de destravar processos institucionais.

Agora, neste momento de pandemia, nós temos uma prioridade. É óbvia a situação de não poder fazer grandes mobilizações de rua por razões de saúde pública. Nós temos uma outra questão: as pessoas estão com fome, estão necessitadas, e o sem-teto é quem está na ponta. Nós vemos todos os dias governantes dizendo: "Fique em casa". E quem não tem casa? E os 25 mil moradores de rua de São Paulo? E o cara que mora numa habitação superlotada com outras cinco pessoas? Como é que vai ficar em casa? É impraticável. Então é pensando nessas pessoas que o movimento resolveu reorganizar toda a sua atuação no momento de pandemia. E nós criamos uma rede de solidariedade muito bonita, lamentavelmente pouco visibilizada, pouco divulgada pela mídia, uma rede que partiu de um fundo solidário. A gente falou: "Bom, a primeira coisa é que nós temos que dar comida para as pessoas, o básico". Então nós criamos uma vaquinha virtual que a gente chamou de Fundo Solidário, para arrecadar dinheiro para a cesta básica. E os ativistas, militantes dos movimentos fazem a distribuição, seja em cozinhas comunitárias para distribuir para a população de rua, seja distribuindo a própria cesta nas favelas, comunidades e ocupações para as pessoas poderem se alimentar. Essa onda de solidariedade cresceu tanto que o Fundo Solidário está chegando a 1 milhão de reais de arrecadação. Nós já conseguimos entregar duzentas toneladas de alimento e mais de 10 mil kits de higiene. E a gente foi dando passos além, e falamos: "Vamos tentar". Organizamos dentro da própria base do movimento as dezenas de costureiras que estavam desempregadas numa cooperativa informal. Pegamos o recurso arrecadado no Fundo Solidário, compramos máscaras delas e distribuímos essas máscaras junto com as cestas e com a alimentação para os sem-teto e para os moradores das periferias. Isso está acontecendo em onze estados do Brasil. A gente juntou, por exemplo, médicos e enfermeiros voluntários e criou o Zap da Saúde, que é um número que a gente distribuiu para as pessoas tirarem suas dúvidas. Porque tem relato de gente que está morrendo em casa, porque o cara não sabe se é coronavírus ou não, e ele acha que se for para o hospital vai pegar. Então ele leva até o limite, e às vezes tem uma parada respiratória em casa e morre. O Zap da Saúde são médicos voluntários, 24 horas por dia. O cara está com sintoma? Manda mensagem para o Zap da Saúde. O médico vai dizer: "O que é isso?", "Você está com febre?", "Você está com não sei o quê?", "Está com falta de ar?", "Você tem que ir para um pronto-socorro", "Você tem que ir para um hospital". Ou não, "Esse sintoma não é de Covid", "Esse sintoma pode ser qualquer outra coisa, então você não precisa ir para o hospital". Há médicos dando orientação em relação a isso. Há psicólogos, profissionais da área psi, também voluntários, que estão fazendo atendimento remoto por vídeo para pessoas que estão com sofrimentos subjetivos, com dificuldade de passar por esse período. Nós criamos uma baita rede muito legal, muito bonita de solidariedade em onze estados do Brasil. Nós estamos com 200, 250 militantes todo dia na rua, com equipamento de proteção, com todos os cuidados, mas fazendo entrega de cesta, levando orientação, fazendo entrega de máscara, fazendo entrega de kit de higiene. Dá orgulho de ver.

GW Que maravilha! Pelo menos uma boa notícia, num momento tão duro. Mas deixa eu voltar aqui para uma questão do alinhamento possível de uma frente progressista. Eu vejo o sentido histórico do Psol até hoje como tendo razão diante de um cenário que era o da Nova República, com avanços democráticos, e com uma série de conquistas insuficientes. E não só o sentido, mas o próprio espaço político que o Psol foi ganhando era o espaço daqueles que não mais se identificavam com o PT. Hoje, no entanto, com essa transformação dramática do cenário, essa guinada tão grande à direita, de que maneira fica o Psol? Porque parece difícil situar esse partido numa situação tão diferente, onde talvez tenhamos que aceitar como boa a eleição de um presidente como o Luciano Huck, por exemplo.

GB Eu espero que a gente não chegue a isso.

GW Eu também, mas de qualquer maneira, para sintetizar, me parece que o Psol esteve sempre modulando à esquerda uma política democrática que a gente entendia como natural dentro de um processo. Na hora que isso virou, como é que o próprio Psol se coloca e se reorienta?

GB Era natural que o Psol, que surgiu como uma dissidência do PT durante a reforma na Previdência dos servidores que foi feita no governo Lula, existisse, naquele momento, em função de um enfrentamento à esquerda do PT, e que construísse a sua identidade a partir disso. Como você bem descreveu, hoje o cenário brasileiro é incomparável com vinte anos atrás, os problemas são outros, e muito mais difíceis e espinhosos. E, assim como a realidade mudou, também o Psol cresceu e mudou. O Psol tem que ter um projeto próprio, e para ter projeto próprio você não pode ser superego de ninguém. O Psol não tem que ser a consciência crítica do PT, não tem que ser o superego do PT que fica toda hora dizendo: "Você não fez isso, você não fez isso". Um partido não pode viver em função do outro, não é isso que o Psol tem que ser. O Psol, sim, ocupa um lugar crítico aos limites das experiências petistas. Nós falamos aqui do tema urbano, por exemplo, e poderíamos falar de outros. Mas hoje, com um olhar histórico, temos condição de ver também os avanços que ocorreram do ponto de vista social de políticas públicas nas experiências petistas, sem deixar de apontar os seus limites estruturais, e temos que construir um projeto de futuro de renovação da esquerda. Teve um ciclo que se encerrou não só na esquerda brasileira, mas na política brasileira. O ciclo da Nova República, de algum modo, se encerrou da forma como nós o conhecemos. Foram aí quarenta anos, ele se desgastou. Nós vamos ter que reinventar um ciclo de esquerda. Depois do golpe de 2016, e da derrota de 2018, foi se encerrando um ciclo.

GW Sim.

GB O que vai ser esse novo ciclo de esquerda? Quais são as suas pautas? Nós temos uma renovação a fazer do ponto de vista programático, geracional, do ponto de vista político, que passa por um balanço, mas não pode ser o balanço ressentido, não pode ser o balanço na base do "você fez, você não fez". Tem que ser um balanço muito mais maduro, de síntese, para ter a condição de herdar os avanços e os acertos e, ao mesmo tempo, de superar os erros e os limites. Assim a gente vai ter condição de construir uma nova esquerda no Brasil, uma esquerda oxigenada, renovada. Eu partilho muito desse projeto, e eu acho que o Psol, hoje, se coloca no lugar de um importante representante desse projeto de um novo ciclo de esquerda no Brasil.

GW Com toda a razão. Mas vou tentar reformular um pouco a minha pergunta, esquecendo um pouco o PT, para não ficar parecendo que é um superego. Você, na sua campanha presidencial, teve sempre uma posição que eu considero excelente, porque muito ligada aos próprios ideais que defende, de uma maneira íntegra. Ao mesmo tempo, hoje, diante de um cenário brasileiro no qual todas as agendas de esquerda aparecem muito minoritárias, e muito distantes de uma maioria política, de que maneira é possível, com essa integridade que você representa, compor alianças, e tentar apontar para um caminho onde a esquerda se tornou muito minoritária?

GB É que o deslocamento de vértice que aconteceu na política brasileira (e na política mundial) não foi simplesmente entre a esquerda e a direita. Eu vou explicar. O que a gente viu desse fenômeno que chamamos de nova extrema direita, de nova direita mundial, que é Bolsonaro, que é Trump, que é Salvini, que é Orbán, que é essa turma toda? O que é que essa turma fez? Qual foi a operação dessa turma? É claro que do ponto de vista dos costumes, dos valores, eles são, sim, conservadores, e expressam os valores históricos da direita. Mas, do ponto de vista do fenômeno social e político, eles surfaram numa grande onda de insatisfação com o sistema político. Aqui no Brasil um pouco menos, porque aqui você tem um casamento meio esquizofrênico entre a extrema direita e o neoliberalismo. Mas nesses outros lugares não! Nesses outros lugares os governos se elegeram com um discurso antineoliberal, dizendo que o neoliberalismo, a globalização nos últimos quarenta anos, é o regime que fortaleceu a China. Como é que o Trump se elegeu? Chegava no Meio-Oeste norte-americano, naquelas carcaças de indústria que tinham acabado, e dizia para aqueles trabalhadores: "Isso é por conta da globalização, nós vamos fazer a América *Great Again*", com um discurso nacionalista, e de algum modo antineoliberal. E, óbvio, a vertente à direita disso é a xenofobia contra o imigrante, culpando os imigrantes por terem roubado os empregos. A extrema direita europeia tem esse mesmo discurso. Aqui não. Aqui nós temos um caso à parte. Bolsonaro é a coisa mais abjeta que tem, porque ele expressa tudo que a extrema direita tem de pior e, ainda, expressa o neoliberalismo, que, na origem, era o contraponto da própria extrema direita. Nada de nacionalismo, só a palavra de ordem "Brasil acima de tudo", porque a política dele é entreguista.

GW Desculpa só te interromper. Mas o debate rápido que houve entre o Paulo Guedes e a Damares naquela reunião ministerial que foi mostrada agora expressa bem isso.[1]

GB É coisa de doido, não é?

GW Um rápido lapso de contradição ali dentro.

GB É uma coisa impressionante. Eu assisti àquele vídeo duas vezes, até como uma experiência antropológica. Na primeira eu assisti para tentar ver os crimes, fazer análise política. Na segunda eu assisti com um olhar mais filosófico, antropológico, para tentar entender o que era aquilo, enfim.

Isso para te dizer o seguinte: eu acho que eles surfaram e se apropriaram de um caldo que não necessariamente é de direita. Vou te dar um exemplo. Eu estava, na véspera do primeiro turno da eleição de 2018, que foi um dia depois do debate da

1 Referência à reunião ministerial de 22 de abril de 2020, cujo registro em vídeo foi divulgado publicamente pelo Supremo Tribunal Federal.

Globo, chegando aqui na minha casa, e parei num semáforo. Eu estava no banco do passageiro, parou um cara do lado, me reconheceu e falou: "Pô, você é o Boulos, que legal. Eu gostei do que você falou no debate, você meteu o dedo na cara. Se eu não fosse votar no Bolsonaro, eu votava em você". Esse foi o discurso do cara. Mas repara só, era um jovem de periferia, não é um fascista, um ideológico de extrema direita. Era um cara que, como boa parte do eleitorado do Bolsonaro em 2018, se identificava com a antipolítica, com uma coisa de rejeição a tudo, que é a expressão de uma crise econômica, de uma falência do sistema político. Isso não é de direita, isso foi apropriado pela direita. Quero dizer com isso que eu não acho que a esquerda esteja fora do jogo. É evidente que, hoje, no dia a dia da política brasileira, a esquerda não tem o papel central que teve em outros períodos. Mas eu acho, sim, que as bandeiras de esquerda são potentes para disputar valores na sociedade, valores que a gente deixou de disputar, que a gente perdeu por W.O. Um dos grandes erros do PT foi não ter feito, quando esteve no governo, o tipo de disputa ideológica que o Bolsonaro e o bolsonarismo fazem. Não estou falando do ponto de vista da polarização da *fake news*, estou falando no sentido daquilo que o José Mujica falou a respeito do ciclo progressista na América Latina: "Nós formamos consumidores e não formamos cidadãos". Ou seja, não houve um debate de valores que problematizasse o individualismo, o cada um por si, o consumismo. Ao contrário, houve um reforço dessa lógica meritocrática.

Então eu acho que agora, na pandemia, está colocada uma encruzilhada, como todas as grandes crises colocam. Eu não sei se você assistiu a um vídeo que a Naomi Klein fez, a respeito da Doutrina do Choque.[2] A leitura dela é que as grandes crises foram utilizadas sempre pelo grande poderio econômi-

2 *The shock doctrine* (2009), documentário de Naomi Klein. Ver: https://www.youtube.com/watch?v=B3B5qt6gsxY

co para promover um choque. Por exemplo, ela cita como a oligarquia norte-americana e os poderes mais atrasados dos Estados Unidos utilizaram o 11 de Setembro para retrocessos na esteira de um choque. Ela diz que a pandemia gera uma coisa mais contraditória. De um lado, ela abre espaço para os projetos autoritários brilharem o olho e irem mais saltitantes, porque gera um caos social. É o que o Orbán fez na Hungria, por exemplo, usando o pretexto da pandemia para governar por decreto. De outro lado, ela gerou uma puta de uma onda solidária, sem precedentes, e colocou o tema do SUS e dos sistemas de saúde públicos na ordem do dia. Ela recolocou o papel do Estado e do investimento público, que são temas dos valores e das propostas de esquerda. Eu acho que o jogo está aberto sim, e a esquerda precisa disputar valores sem medo, sem baixar a bandeira. Eu acho que o medo fez a gente perder por W.O. muitas vezes.

GW Essa sua resposta é sensacional, e ela teria sido genial para ser a última, para encerrarmos em clima alto astral. Mas ainda temos cinco minutos…

GB Vamos lá!

GW Então eu vou te fazer, acho, uma última pergunta, que são duas juntas. Está muito claro, hoje, para todo mundo, o quanto boa parte desse monstro que apareceu para nós, de certa forma de surpresa, na verdade está muito ligado ao fato de que nós, no Brasil, não fizemos a revisão da ditadura militar, que deveria ter sido feita. Muito longe disso, aliás. Aí a gente pensa: "Claro que não fizemos, porque, afinal, as forças conservadoras do país não deixariam, e não deixaram mesmo". Certo, mas a Argentina fez, o Chile fez, o Uruguai fez, ou pelo menos fizeram mais do que nós, e tiveram ditaduras sanguinárias. Então a gente fica se perguntando: se lá, onde também existem forças conservadoras parecidas, foi possível fazer, por que nós não fizemos? Essa é uma questão. A outra: é dificílimo conseguir avançar aqui em questões como direito ao aborto, com uma sociedade conservadora e moralista. Mas o México, por exemplo, que é um país altamente católico, tem o aborto legalizado. Então, mais uma vez, a gente fica se perguntando: por que raios o Brasil é ainda mais conservador do que esses outros países?

GB São duas perguntas excelentes. Eu vou tentar ser o mais sintético para a gente conseguir terminar antes que o Instagram nos derrube...

GW Isso.

GB Eu acho que você colocou muito bem. A covardia histórica tem preço. Freud dizia que, quando há um recalque, um determinado conteúdo fica dentro da gente, como se fosse um passado que não passa. É assim que ele definiu o conteúdo inconsciente. O Brasil está cheio de passados que não passam. O passado que não passa de uma abolição da escravidão nunca completada, e que nos legou o racismo estrutural. O passado que não passa de uma democratização nunca completada, e que nos legou uma tolerância, uma permissividade em relação à tortura e em relação ao autoritarismo que os nossos vizinhos não têm. E quando o passado não passa, ele continua assombrando o presente, e vira uma trava para o futuro. Nós temos que acertar contas com o passado. Não há como superar o passado sem acertar contas com ele, e a transição democrática brasileira não acertou essas contas. É por isso que nós estamos vivendo essa história hoje numa espécie de *déjà-vu*, que seria o sintoma freudiano, o retorno do recalcado. É isso que nós estamos vivendo hoje: o retorno do recalcado social de uma coisa que ficou ali.

GW Total.

GB É evidente que nós vamos ter que lidar com isso. É evidente que era possível. Se foi possível com o Pinochet, que foi a ditadura mais sanguinária, botar um monte de general, torturador, na cadeia, naquele momento. Se foi possível na Argentina, no Uruguai, em todos os nossos vizinhos, por que aqui não seria? Era possível. Optou-se, mais uma vez, como na Abolição, como em tantos outros momentos, por uma transição por cima, por uma transição consensuada, inibindo e segurando as forças mais populares, as forças sociais que vêm de baixo. Isso precisa ser superado de uma vez por todas na história brasileira.

E termino com a questão que você mencionou. Nós temos, óbvio, uma sinuca de bico, porque a esquerda foi estigmatizada pelo bolsonarismo, e foi aí que ele construiu a sua aliança com a moral neopentecostal. A esquerda dos abortistas, que gosta de droga, de pansexualismo, do que quer que seja; foi assim que a esquerda foi estigmatizada. Eu não acho que a melhor forma de lidar com isso é silenciar a respeito dessas bandeiras, mas ser pedagógico. Por exemplo, se você chegar e dizer na televisão: “Eu sou a favor do aborto, tem que ter aborto”, você não vai conseguir dialogar com as pessoas. Mas se você chegar e perguntar, mesmo para uma senhora evangélica na periferia, se a filha dela ou a vizinha dela, que fez aborto, tem que ser morta ou tem que ser presa, ela vai te responder que não. Então há formas de dialogar sobre a mesma situação, dialogando com as resistências, com as crenças, com a fé na sociedade, com a religiosidade, que são temas da nossa sociedade que não podem também ser ignorados, desconsiderados. A esquerda tem que se exercitar nesse sentido, para ser uma esquerda mais popular, uma esquerda que dialogue com a maneira como o povo pensa, e não só uma esquerda que fique repetindo para si mesma os seus valores, e crie com isso uma barreira em relação ao povo. A lição é retomar o trabalho de base, o pé no barro na periferia. É esse tipo de esquerda que eu acredito que pode ser renovadora, sem abrir mão dos princípios.

Entrevista realizada em 27 de maio de 2020.

Organização
Guilherme Wisnik
Tuca Vieira

Coordenação editorial
Editora Escola da Cidade

Projeto gráfico e diagramação
Núcleo de Design Escola da Cidade

Transcrição
Audiotext

Preparação
Otacílio Nunes

Revisão
Elba Elisa Oliveira
Rogerio Trentini

Tratamento de imagem
Humberto Pimentel

Captação de imagem e transmissão
Baú - Núcleo Audivisual Escola da Cidade 2020

Sobre o Seminário de Cultura e Realidade Contemporânea
Escola da Cidade - Faculdade de Arquitetura e Urbanismo

Em 2020 e 2021 o Seminário de Cultura e Realidade Contemporânea aconteceu em modo remoto, coordenado pela arquiteta e professora Beatriz Vanzolini. A equipe de comunicação, o Núcleo de Design e o Núcleo Audiovisual da Escola da Cidade (Baú) foram responsáveis pela divulgação e transmissão do evento, com a contribuição do intérprete de libras Wesley Leal. Os encontros estão disponíveis no youtube, no canal da Escola da Cidade.

editora
escola
da cidade

wmf martinsfontes

1ª edição, São Paulo, 2022

ISBN: 978-65-86368-23-9

ISBN: 978-85-469-0365-8

Dados Internacionais de Catalogação
na Publicação - CIP

Futuros em gestação: cidade, política e pandemia/
Organizado por Guilherme Winisk e Tuca Viera. -
São Paulo: Editora Escola da Cidade/WMF Martins Fontes Ltda.
2022. 432 p.: il.; 21 cm.

1. Cidade. 2. Política 3. Pandemia. I Título.
CDD 303.485
Catalogação elaborada por Edina R. F. Assis
CRB 8/6900

Editora Escola da Cidade
Rua General Jardim 65 - SP
+55 11 32588108
editoradacidade@escoladacidade.edu.br
editora.escoladacidade.edu.br/

Editora WMF Martins Fontes Ltda.
Rua Prof. Laerte Ramos de Carvalho 133 - SP
+55 11 32938150
info@wmfmartinsfontes.com.br
wmfmartinsfontes.com.br

20 anos escola da cidade

Associação Escola da Cidade 2022
Alvaro Luís Puntoni (Presidência)
Fernando Felippe Viégas (Presidência)
Marta Moreira (Presidência)
Cristiane Muniz (Diretoria Conselho Escola)
Maira Rios (Diretoria Conselho Escola)
Anália M. M. de C. Amorim (Diretoria Conselho Científico)
Marianna Boghosian Al Assal (Diretoria Conselho Científico)
Anderson Fabiano Freitas (Diretoria Conselho Social)
Guilherme Paoliello (Diretoria Conselho Técnico)
Ciro Pirondi (Diretoria Escola de Humanidades)

Núcleo de Design
Celso Longo
Daniel Trench
Débora Filippini
Juliana Tegoshi
Maria Dallari Gruber

Editora
Fabio Valentim
Julia Pinto
Laura Pappalardo
Maria Sader
Thais Albuquerque

Baú 2020
Alexandre Benoit
Clarissa Mohany
Fernanda Teixeira
Lúmina Kikuchi
Luisa Marinho

Composto em Utopia Std.
Capa impressa em Color Plus Cartagena 180g/m2.
Miolo impresso em Couche Fosco 150g/m2 e Avena 80g/m2.
3000 exemplares.